Surtout n'y allez pas

Du même auteur

Le Premier et le Dernier Miracle, Guy Trédaniel Éditeur, 2006 ; Michel Brûlé Éditeur, 2007.

L'homme qui voulait changer sa vie, éditions Un monde différent, 2005.

Dans la même collection

Va au bout de tes rêves !, 2007.

Antoine Filissiadis

Surtout n'y allez pas

Roman

Catalogage avant publication de Bibliothèque et Archives nationales du Québec et Bibliothèque et Archives Canada

Filissiadis, Antoine, 1951-
Surtout n'y allez pas
Réédition

(10/10)
Éd. originale: Paris : G. Trédaniel, 2004.

ISBN 978-2-923662-03-9

I. Titre. II. Collection : Québec 10/10.

PQ2706.I44S97 2008   843'.92   C2007-941436-2

Direction de la collection : Romy Snauwaert
Logo de la collection : Chantal Boyer
Maquette de la couverture et grille intérieure : Tania Jiménez, Omeech
Infographie et mise en pages : Chantal Boyer et Louise Durocher
Couverture : Axel Pérez de León

Groupe Librex inc.
La Tourelle
1055, boul. René-Lévesque Est
Bureau 800
Montréal (Québec) H2L 4S5
Tél. : 514 849-5259
Téléc. : 514 849-1388

Dépôt légal – Bibliothèque et Archives nationales du Québec
et Bibliothèque et Archives Canada, 2008
ISBN 978-2-923662-03-9

Distribution au Canada :
Messageries ADP
2315, rue de la Province
Longueuil (Québec) J4G 1G4
Téléphone : 450 640-1234
Sans frais : 1 800 771-3022

Au moment d'enfin livrer au public ce livre, résultat d'années de travail et de réflexion, je voudrais adresser mes remerciements...

... aux femmes et hommes qui ont croisé mon chemin, perdus dans le chaos amoureux, pour m'avoir permis d'analyser, de comprendre et de partager leur confusion;

... aux participants de mes séminaires pour leur confiance et leur acceptation des processus parfois périlleux que je leur fais vivre;

... à Anne Pointillé, auteure[1], qui a corrigé la première version de mon manuscrit et qui, par ses réactions de femme sur le chemin de l'amour, m'a permis de deviner que je me dirigeais dans la bonne direction;

... et plus particulièrement à Liliane Schraûwen[2], écrivaine, qui a su me donner confiance en mes capacités d'écrivain, qui a revu ce manuscrit, et dont les conseils m'ont permis de l'améliorer.

1. Anne Pointillé est l'auteur du livre *Dieu ne m'a pas parlé*, Paris, éditions Anne Carrière, 1998.
2. Liliane Schraûwen est l'auteure de deux romans et de deux recueils de nouvelles, ainsi que d'ouvrages pour enfants et de textes divers publiés dans la presse dont *La Mer éclatée* (roman), Paris, éditions Régine Deforges, 1991 (épuisé: quelques exemplaires encore en vente chez l'auteure). Cet ouvrage a été finaliste à plusieurs prix littéraires, et *Briser la fenêtre* (roman), Bruxelles, éditions des Éperonniers, 1996 (Prix littéraire de la Communauté française de Belgique).

Avertissement

Voici un livre à ne pas mettre entre toutes les mains.

Sa lecture peut être une épreuve bouleversante pour les femmes et hommes qui aiment trop. Leur première réaction serait de ne pas se reconnaître dans le profil des personnages. Et de tout rejeter en bloc. C'est une réaction de défense connue : « Je ne suis pas comme cela. »

La bonne question à se poser en découvrant les événements singuliers relatés dans ces pages est : « Serait-il possible que je vive la même chose ? » À partir de là s'ouvrira un nouvel espace de compréhension de nos choix amoureux, ce qui peut générer un changement comportemental.

Je n'ai pas inventé les personnages. Je n'ai pas assez d'imagination pour cela. Tous les protagonistes de ce livre sont réels. Je n'ai eu qu'à ouvrir les yeux et à rapporter ce que j'ai vu. Les épisodes relatés sont vrais, et vrais les tiraillements intérieurs des protagonistes qui cherchent à se libérer de leur dépendance et se retrouvent enchaînés précisément par les efforts qu'ils font pour s'en affranchir.

Corinne existe donc bel et bien, de même que les hommes nuisibles qu'elle a aimés.

Tous les autres acteurs de cette histoire sont, eux aussi, bien réels et peut-être les croisez-vous chaque jour dans les rues de votre quartier : le fermier-sexologue, spécialiste des orgasmes, et sa femme Françoise, naturopathe ; Patricia, la déesse de la Perdition ; Geneviève, l'infirmière, et son mari Albert qui est entré en sexualité comme on entre en religion ; et bien sûr le fameux Gérald Rikson qui œuvre ou *œuvrait* habilement dans quelque quartier huppé de Bruxelles.

Qui sait, peut-être êtes-vous l'un de ces personnages ?

J'ai beaucoup hésité à construire un livre autour du syndrome des femmes et des hommes qui aiment trop.

Je suis un homme. En tant que tel, j'ai quelquefois eu l'impression malsaine de trahir les miens en dévoilant au grand jour comment nous agissons « parfois » pour séduire. Je ne suis pas sûr de me le pardonner un jour. Les séducteurs, quant à eux, ne me le pardonneront jamais. Quand je parle des séducteurs, je parle de tous les hommes, ou presque. Je dis *presque*, pour laisser un espoir : les hommes ne peuvent être *tous* aussi « tordus » que les spécimens de ce roman, nous le savons bien !

Et bien sûr, les femmes me condamneront sans appel pour oser étaler sans pudeur cette terrible crainte de l'abandon qu'elles dissimulent derrière des mots comme « Je l'aime. »

Mais, comme le dit si bien le docteur Gérald Rikson : « Il faut prendre des risques. »

Et vous, serez-vous prêt à prendre des risques après avoir lu ce livre ?

Si vous êtes une femme, il se peut que vous vous mettiez en tête de vous libérer de la dépendance affective, comme Corinne, l'héroïne de cette histoire. Et de vouloir consulter le psychiatre Gérald Rikson, qui utilise, comme vous le verrez, des méthodes hors du commun.

Priez le ciel de ne pas tomber entre ses mains. Vous basculerez en enfer.

Et vous n'approcherez plus jamais un homme de la même façon.

Si vous êtes un homme, séducteur impénitent et marié de surcroît, priez le ciel pour que votre femme ne tombe pas sur ce livre. Car si vous êtes démasqué, votre fidèle et loyale épouse vous fera griller à petit feu dans les flammes du tourment amoureux. Vous ne connaîtrez plus la tranquillité d'un amant sûr de la fidélité de sa bien-aimée. Vous plongerez inexorablement dans les affres de la jalousie, de la possessivité. Vos nuits seront peuplées de soupçons, d'incertitudes, d'angoisses.

Mais n'ayez crainte, cher Don Juan, nous savons, vous et moi, qu'il faut pour cela que votre femme se reconnaisse dans ces portraits. Qu'elle soit lucide. Or, toute femme intelligente ne perd-elle pas la raison quand elle vit une passion amoureuse ? Si elle est dépendante (ce qu'elle est forcément si vous êtes un séducteur), vous pourriez lui faire lire vingt livres comme celui-ci sans l'empêcher de continuer à espérer votre appel téléphonique quand vous êtes absent, se cloîtrant chez elle, refusant toute proposition de sortie, pour ne pas manquer la voix de l'homme de sa vie. Pendant que vous, *oui vous*, dans votre garçonnière habilement dissimulée dans un quartier tranquille, serez occupé à conter fleurette à une ingénue, aussi dépendante en amour que celle qui se morfond en vous attendant.

Et quand vous finirez par réintégrer le domicile conjugal, fatigué par votre « congrès » mouvementé, votre femme avalera de bonne grâce les bobards que vous lui débiterez.

Cher lecteur, vous avez en main non pas un livre, mais une biographie. Celle d'une femme qui aime trop, et celle d'hommes qui ont peur de s'engager. Êtes-vous ou non atteint par l'un de ces syndromes ? Dans tous les cas, cette aventure ne vous laissera pas indifférent. À moins que vous manquiez de cœur. C'est une éventualité, surtout si vous êtes un homme. Je sais comment pense un séducteur, et je connais sur le bout des doigts les habiles stratagèmes qu'il emploie pour fasciner sa proie.

Comment je le sais ? Je suis l'auteur de ce livre, et je suis un homme. Je sais de quoi je parle.

Je sais un peu comment pensent les femmes qui aiment trop, j'en côtoie des dizaines dans les séminaires que j'anime depuis plus de vingt-cinq ans. Elles me racontent leur désolante chronique d'aimer sans espoir ces hommes qui ne s'engagent pas. Pourtant, elles lisent des livres, tentent des thérapies, rejoignent des groupes de parole pour femmes dépendantes. Rien n'y fait : rupture après rupture, elles tombent sans cesse sur le même type d'homme destructeur, et se retrouvent chaque fois dans un traquenard similaire au précédent, se faisant abuser encore et encore sans comprendre ce qui leur arrive.

Quand elles me racontent des choses comme : « J'ai rencontré l'homme de ma vie, mais il est souvent en déplacement, il est très occupé, je ne peux pas le joindre au téléphone, il est en instance de divorce, il ne s'entend pas avec sa femme, il est absent tous les week-ends car il a la garde des enfants... », je pense « Quelle innocence ! »

C'est pour ces innocentes que j'ai écrit ce livre.

Car pour moi, il existe un espoir. Le schéma de la dépendance amoureuse peut être vaincu.

Pour briser ce canevas destructeur, les recettes toutes faites ou une thérapie traditionnelle ne suffisent pas. Il faut quelque chose de plus fort, un traitement audacieux, un électrochoc. Un remède hors du commun : le docteur Gérald Rikson.

Cette épopée, car il s'agit bien d'une épopée ahurissante, se lit comme un thriller psychologique. Ne racontez pas la fin de cette histoire aux femmes qui aiment trop ou aux séducteurs incorrigibles. Offrez-leur le livre. Sachez cependant que ce cadeau empoisonné se retournera contre vous. Nul doute que la personne à qui vous l'aurez offert vous haïra.

Car on maudit toujours ceux qui nous ouvrent les yeux.

Le meilleur service que vous pourriez rendre à une femme qui aime trop ou à un homme qui ne s'engage pas, c'est de les mettre en garde contre le fameux docteur Rikson : « Surtout n'y allez pas ! »

ANTOINE FILISSIADIS

I

Corinne s'approche de la fenêtre et contemple la nuit. Comme chaque soir, elle a l'impression que la ville lui appartient. Parce qu'il n'y a plus de limites bien dessinées, concrètes. Elle peut y glisser des rêves à son image, des rêves vagues et flous.

Elle tente d'imaginer la vie des gens dans ces «cages à poules» que l'on nomme appartements. Elle pose le regard sur l'immeuble d'en face, imaginant qu'au même instant, dans l'un de ces logements pour bétail humain, une femme est peut-être sur le point de laisser filer sa vie, une vie trop dure à supporter. «Délicieuse pour les uns, cruelle pour les autres» pense-t-elle.

Et elle? Est-elle de ceux qui apprécient la vie, qui l'aiment assez pour lutter, pour la goûter, pour établir cet échange permanent qui se fait tacitement et qui permet de continuer ? Ou fait-elle partie des «rebuts de la société», de ceux qui s'en vont à la dérive ?

Elle a peur de la réponse. Si elle avait le courage d'affronter la réponse, elle aurait aussi le courage d'affronter sa vie, de la prendre en main, avec détermination.

Prendre sa vie en main... N'est-ce pas ce qu'elle a toujours fait ?

Depuis l'enfance, elle a appris à contrôler ses comportements, son sourire, ses émotions, son langage. On ne parle pas à table ! On se tait quand les grandes personnes discutent !

Pendant des années, elle s'est tue. Sa vie est-elle autre chose qu'un long silence ? Et si elle s'arrêtait de vivre, là, aujourd'hui, rendant ce silence définitif, qui s'en soucierait ? Ses voisins de palier ne sauraient rien avant quelques jours. Ils apprendraient la nouvelle par le concierge. Ce serait juste un petit fait divers d'immeuble.

Adrian est en retard. Comme d'habitude. Corinne se rend à la cuisine, éteint le four. «Le gratin est raté maintenant» pense-t-elle. De toute façon, ce sera du réchauffé. Comme le reste. Pour un dîner d'anniversaire... Amertume dans ce plaisir attendu, comme une menace.

Il l'aime comme un fou, prétend-il, mais il est incapable de respecter le jour de son propre anniversaire, et donc de respecter le soin qu'elle a mis à tout préparer. «L'anniversaire d'Adrian», dit-elle tout haut. Le deuxième depuis leur rencontre. L'an passé, ils l'ont fêté le lendemain, car il n'était pas libre. Il vivait avec «l'autre».

Elle a déployé des trésors de patience pour l'arracher à cette autre qu'il n'aimait plus, mais qu'il ne pouvait se décider à quitter. «Elle a obtenu mon visa de résidence. Elle m'a aidé à terminer mes études. Elle m'a soutenu financièrement. Je ne peux pas la quitter comme ça, comme un chien qu'on abandonne. D'ailleurs je n'abandonnerais pas un chien. Il faut un peu d'humanité, Corinne, de la décence, je dois la préparer moralement, tu comprends ? »

Est-ce qu'il en avait pour elle, de l'humanité ?

À vivre tantôt chez l'une tantôt chez l'autre, il les rendait malheureuses toutes les deux, et il le savait. Lui aussi était malheureux. C'est ce qu'il exprimait en pleurant parfois comme un enfant pris en faute. Ou en se projetant dans un avenir indéfini, comme s'il n'avait plus la force de regarder la réalité. Il ne pouvait se décider à faire du mal à quelqu'un d'autre pour être heureux, voilà tout.

Sauf à moi.

Il fallait attendre. Les choses s'arrangeraient avec le temps. Le temps, miroir aux alouettes des femmes qui aiment sans vraiment savoir aimer. Dès qu'il serait autonome financièrement, dès qu'il aurait un boulot, il pourrait rembourser Tania. Il n'y avait plus rien entre eux. Il ne l'aimait plus. D'ailleurs il ne l'avait jamais aimée. Il lui était redevable de l'avoir accueilli en tant qu'étudiant étranger. C'était plutôt une sorte d'amitié tendre, de reconnaissance. « Reconnaissance de dette » ajoutait-il avec cet accent slave qui lui donnait tant de charme.

En demeurant avec « l'autre », il pouvait aussi aider sa mère, lui envoyer de l'argent. *L'argent de Tania, tu comprends ?* Non vraiment, il ne pouvait pas la quitter sans lui rembourser tout ce qu'il lui devait. Il se sentait coincé. Il insistait, donnait des détails. *Pouvoir me consacrer à mes études sans me préoccuper des petits tracas de la vie, est-ce que tu peux imaginer ce que c'est ?* Et il y avait tout ce qu'elle payait pour lui, loyer, factures, repas, vêtements, virées avec les copains.

Et puis un jour, il l'a rencontrée, elle, son amour, sa passion. Mais il avait des obligations...

Des obligations ! Des responsabilités ! Ces mots la faisaient bondir. Mais elle craignait qu'il ne la quitte.

Elle avait attendu, comme toujours. Comme avec tous les hommes. Elle est de celles qui attendent. Depuis l'enfance, elle attend. Qu'on l'aime.

Pour une fois, sa patience a porté ses fruits.

Aujourd'hui, ce retard. Elle attend, une fois de plus. Elle ne dira rien. Dès qu'il sera arrivé, elle oubliera tout le reste, comme d'habitude.

Regard autour d'elle, comme si elle voyait le décor familier pour la première fois. L'attente quelquefois donne une perception plus aiguë, comme extérieure. Elle a voulu du rose, des rideaux de lamé rose pâle. En Feng Shui, le rose est en connivence avec l'amour. Avec la sérénité qu'elle recherche.

Des meubles de rangement en bois naturel, et du mobilier anglais, en pin. Quantité de petits tiroirs ; elle a l'impression d'être une enfant enfin, qui peut ranger à sa guise des petites choses de rien. Elle aime dire que ses meubles anglais sont des originaux et non ces copies accessibles à n'importe qui. Canapés de soie grège, coussins de lamé doré et vieux rose, tables et chaises de bois peintes en blanc, et puis des lampes, des bougies partout, parce que cela donne de la chaleur, de l'énergie, une présence.

Elle a organisé son *coin richesse* selon les conseils d'un livre Feng Shui dont a parlé son journal. Toutes les vedettes américaines prétendent devoir leur réussite à l'aménagement de leur *coin richesse* et de leur *coin réputation*. Le sien se situe à gauche, face à la porte. Une table à pieds dorés, à plateau de verre. Elle y a placé une fontaine d'intérieur : l'eau qui coule appelle le mouvement de l'argent, a-t-elle lu. Deux plantes vertes à feuilles arrondies, toujours en suivant les conseils du livre. Une profusion d'objets sur une même table, bijoux en or – l'or appelle l'or, pense-t-elle – une collection de petits canards sophistiqués, des coupes dorées contenant des perles de couleurs...

Une des fenêtres de l'immeuble voisin, toujours allumée à cette heure, s'est éteinte. « Quelqu'un serait-il sorti de la vie ? ...», pense-t-elle. Pourquoi se sent-elle ainsi négative et triste, ce soir ?

Elle se souvient. À ce premier anniversaire, Adrian vivait avec Tania depuis quatre ans. Corinne avait accepté le partage. Mais c'est devenu trop dur, à la longue. Elle ne pouvait l'imaginer avec une autre, un jour sur deux, un week-end sur deux. Il avait gardé sa chambre d'étudiant, c'était plus commode pour étudier. Quand il n'était pas avec Tania, c'est là qu'il était. Sans téléphone. Plus commode aussi pour ne pas avoir à rendre des comptes.

Tania n'était au courant de rien, il ne lui avait pas parlé de Corinne pour ne pas lui faire de mal. Il le ferait dès qu'il aurait trouvé du travail et pourrait la rembourser. Ce n'était qu'une question de mois.

Mais les mois se suivaient sans qu'il trouvât rien d'intéressant. Journaliste sans pige, sans perspectives. Il fallait des recommandations, du piston.

Corinne a hâté la séparation en lui trouvant du travail dans une chaîne de magasins de bricolage. Il s'occuperait de la rédaction du prospectus et du journal interne. C'était bien rémunéré.

Mais il a retardé la rupture jusqu'au terme de la période d'essai, par souci de sécurité. Puis il a enfin parlé à Tania, et il l'a quittée.

Mais il n'était pas prêt à vivre tout de suite avec Corinne. C'était trop rapide. Il ne voulait rien précipiter. C'est pourquoi il a conservé sa chambre d'étudiant. Il avait besoin de se sentir libre. Il voyait Corinne régulièrement, mais ne voulait pas s'engager. Elle comprenait. Elle comprend toujours les désirs des autres. Depuis trente-six ans.

21 h 10. On sonne. C'est lui.

— Je suis en bas, j'ai à te parler. Tu ne veux pas descendre ? On pourrait aller prendre un verre.

Corinne sent son corps se glacer. Et puis, tout à coup, un vertige. Elle connaît ces mots. Ils ont déjà été prononcés, par d'autres.

Lui parler ? Mais la table est dressée. Ce soir, c'est fête, leur fête, c'est son anniversaire, à lui. Aurait-il oublié ?

— J'ai tout préparé, monte, veux-tu ? On peut parler ici. J'ai une surprise pour toi. Monte. C'était convenu, convenu, Adrian...

Il hésite

— Je monte un moment, mais je ne pourrai pas rester, je t'expliquerai.

Corinne déclenche l'ouverture de la porte. Comme dans un film au ralenti, elle se dirige vers la table. *Les chandeliers, les bougies roses, les porte-couverts dorés, les verres bleutés, l'odeur suave de l'encens, toutes les attentions de l'amour...* pense-t-elle.

Elle allume les bougies, efface un pli dans la nappe. Dispose le cadeau d'Adrian à côté de son assiette. Il en a tant rêvé, de sa Rolex ! Elle a dû emprunter pour la lui offrir. Une folie. Quatre ans de remboursement. La banque ne lui a consenti ce financement que parce qu'elle est rédactrice en chef d'un magazine féminin, salaire garanti.

Elle se sent mal. Pourtant tout est parfait. Un peu de musique. Moins de lumière, plus d'intimité. Oui, tout est parfait, vraiment. Sauf l'absence d'Adrian qui se fait sentir déjà et qu'elle voudrait ignorer. Dans le miroir, elle vérifie son image. Est-elle toujours désirable ? Déjà il est dans l'ascenseur.

Son maquillage a bien tenu, «mieux que le gratin», pense-t-elle dans une tentative de dédramatiser le moment. Une petite touche de beige rosé sur les lèvres, pour en raviver l'éclat. Regard d'ensemble. Mini robe noire. Sexy. Presque trente-six ans qu'elle s'épie dans la glace. Tous les jours.

Plus de vingt ans qu'elle se maquille, qu'elle rectifie une mèche de cheveux, qu'elle s'asperge de parfums haute couture... Tout ça pour être aimée !

Tout ça pour rien ! Elle n'arrive pas à retenir un homme. Ils partent tous.

Sa première vraie soirée d'anniversaire. À deux. Et il veut parler ! Juste avant une soirée qui se voulait intime. Il ne peut rester qu'un moment. Qu'a-t-il donc d'urgent à faire ce soir ?

Elle se tourne de profil. Elle n'a pas de poitrine. Presque rien. Des seins d'adolescente à peine développés.

Les hommes l'ont rassurée : elle a de la chance, sa poitrine ne s'affaissera jamais alors que celle d'autres femmes, à son âge... Hypocrites ! Elle les voyait bien lorgner les poitrines volumineuses. Même celles des femmes laides.

Elle essaye de compenser la petitesse de ses seins par sa bonne humeur, sa gentillesse et ses cadeaux. La Rolex. Certains hommes appellent les cadeaux. Appellent la protection, comme des enfants. Peut-on remplacer de gros seins ? C'est ridicule comme pensée, mais elle a l'impression que toute sa vie est ridicule.

Elle contemple son visage, long et mince, ses cheveux noirs très courts, *seules les femmes les plus belles peuvent se le permettre*, la bouche attirante, pulpeuse, même en ce moment de stress... Des yeux veloutés, on le lui a dit souvent, marron au premier abord, mais gris foncé lorsqu'on les détaille. Des hanches étroites, des fesses peu importantes, mais bien moulées, «un petit cul». Qu'ils apprécient, au début. Elle ne vit que des débuts. Quand ils ont eu son cul, ils ne donnent plus signe de vie.

Il doit être encore dans l'ascenseur, c'est long l'ascenseur. Il le manque toujours. Y a-t-il eu une panne? Il veut lui parler de quoi? A-t-il fait demi-tour? Elle a comme un vertige. Mais non, il veut peut-être l'inviter ailleurs, tout simplement, il est si fantaisiste! Mais pourquoi tient-il tant à lui parler d'abord?

Elle l'a rencontré au journal. Il venait faire une étude sur le choix des reportages, pour son travail de fin d'études.

Un beau mec, grand, séduisant et séducteur. À tomber amoureuse. Et elle est tombée sans même s'en apercevoir.

Roumain, trente-deux ans. Cet accent slave qui refuse de disparaître et qui peut-être se cultive, terriblement charmeur. Elle sortait d'«une histoire». Quittée, une fois de plus. Elle venait d'emménager dans ce ravissant appartement où elle avait recommencé à vivre seule avec son chat. Un renouveau complet, elle s'était débarrassée de son ancien mobilier, avait coupé ses cheveux... Adrian, lui, avait un air de chien perdu. «Mon amour des animaux, ou mon amour des hommes?» Elle l'a aidé à terminer sa thèse. Elle est très forte pour aider les autres, pour recueillir les chats et chiens perdus. Pour se rendre indispensable.

L'ascenseur. Son cœur bat très fort. La peur. Elle la reconnaît, elle a appris cela au fil des ruptures... Elle se demande pour la première fois si Tania a vécu de tels moments.

Elle se dirige vers l'entrée d'une démarche hésitante, comme si ses jambes avaient perdu leur souplesse. Elle passe la main sur ses cheveux, pour rien, pour faire un geste féminin peut-être. Elle ouvre la porte avec un sourire qui se veut accueillant, mais qu'elle sent forcé, crispé par l'interrogation.

Adrian est là, les épaules basses, comme abattu. Beau comme jamais. Le teint mat, l'allure romantique, des yeux gris allongés, avec des éclairs verts dès qu'un rayon de lumière les atteint. Une bouche, large, charnue. Elle l'a tant dessinée de ses doigts, de ses lèvres ! Des cheveux foncés, pas vraiment noirs, à peine bouclés.

Il essaye de sourire, lui aussi. Il porte une veste et un pantalon beige clair, vêtements amples, « cool », un pull de coton à col roulé d'un beige à peine plus foncé, pour marquer la fin de l'été. « Il aime jouer avec les beiges et avec les femmes », pense Corinne.

Elle se jette dans ses bras. Cela lui permet de ne pas croiser son regard. De croire encore que tout est normal, elle l'attendait, il arrive.

— Bon anniversaire, mon chéri.

— Merci.

Ils s'embrassent, comme de loin. Corinne se sent trembler. Elle l'attire à l'intérieur.

— Comme je te l'ai dit, j'ai une surprise pour toi, ce n'est donc plus une surprise...

Elle lui donne le paquet dans son emballage brillant, d'un geste qui se voudrait désinvolte. Elle a joint une petite carte au paquet : « *Que le temps s'arrête sur notre amour.* »

Adrian a l'air absent.

— Tu ne le déballes pas ?

— Je ne sais pas si c'est une bonne idée. J'ai à te parler de nous deux. Et ce cadeau me rend la tâche très difficile. C'est pour cette raison que je t'ai proposé d'aller prendre un verre ailleurs.

Il regarde la table dressée, les bougies allumées. Toute cette mise en scène ressemble à un traquenard. Il ne veut plus se laisser faire. Il faut qu'il lui parle, maintenant. Même si cela doit lui causer de la peine. Mais comment s'y prendre? N'importe qui aurait compris, mais elle a la faculté de ne rien voir quand elle l'a décidé.

Et pour le cadeau? Faut-il le refuser? C'est inhumain. Il n'en a pas le courage.

Il le déballe en réfléchissant à ce qu'il devra dire, après. Elle l'observe, devine chacune de ses pensées.

À la vue de l'étui, il comprend.

—Oh! non, laisse-t-il échapper, stupéfait et dérangé dans ce qui aurait dû être un bonheur.

Il examine le paquet sans l'ouvrir, comme hypnotisé. Il n'avait pas envisagé cet aspect-là de la soirée, ce cadeau...

—C'est une folie, murmure-t-il.

—Ouvre-le!

Il obéit, découvre le bijou qui étincelle de tout son or.

Corinne prend la montre, la passe au poignet de son amant. Exactement comme elle l'avait imaginé. Elle se rend compte de l'impact d'un tel cadeau, mais aussi que quelque chose vacille et se brise.

—C'est magnifique! réussit-il à dire d'une voix atone.

Elle se dirige vers la cuisine. Continuer comme si de rien n'était, encore y croire. De toute façon, il devait bien se douter qu'il y aurait un cadeau, des préparatifs, dans quel monde vivait-il, dans quelle brume?

—Sers-toi un verre, je surveille le dîner. Car tu es très en retard.

Elle hausse un peu la voix :

— Dorénavant, tu n'auras plus d'excuses.

Adrian reste debout, embarrassé, le poignet suspendu en l'air, comme paralysé. Que faire ? Que dire ? Pourtant il faut parler. S'il se sert un verre, cela veut dire qu'il accepte la soirée, le dîner, la relation. Et le cadeau, ne l'a-t-il pas accepté ? Non, pas encore, il a été forcé.

Il élève la voix, lui aussi :

— Corinne, j'ai à te parler, maintenant. Laisse le dîner. Je n'ai pas faim, d'ailleurs. S'il te plaît, viens ici.

Il a parlé fort. Il ne reconnaît pas sa voix.

Elle sait, elle se dit qu'elle sait, que rien ne peut être pire que le moment où l'on sait. Se montrer forte surtout, ne rien laisser paraître. Il est libre, elle aussi. Elle connaît la scène par cœur. Souvent répétée. Souvent jouée, avec d'autres partenaires. Ne pas laisser voir que ses jambes tremblent. Que tout son être s'effrite, part en morceaux. Sourire. Elle s'assied devant la table de fête. Quelle mascarade ! Elle se force, elle fait semblant, comme lorsqu'elle était petite fille, on fait semblant à cet âge-là, pour rêver un peu plus.

En quelques secondes, elle voit en pensée cette soirée, ce repas, le champagne, le café, les bougies, l'élan qui jusque-là les a poussés l'un vers l'autre et qui aurait dû faire partie de cette fête.

Prendre le contrôle, elle doit prendre le contrôle. C'est dur. Elle fait un immense effort pour sortir un son. Coupable d'être victime. Si elle pouvait se laisser aller, éclater en sanglots !

— Assieds-toi, finit-elle par dire. Vas-y, parle.

Elle réussit à s'exprimer calmement, presque avec détachement, elle est habituée à agir ainsi.

— Dis ce que tu as à dire. Tu as toujours eu l'art de choisir ton moment.

Adrian est pris par surprise. C'est elle qui attaque. Il a un petit soubresaut. Il se lance dans une sorte de monologue.

— Je suis désolé, mais nous devons parler, en effet. Cela fait un moment déjà que je veux éclaircir la situation. Combien de fois t'ai-je lancé des messages ? Mais tu n'écoutes pas, ou plutôt tu n'entends pas. Combien de fois t'ai-je répété que je ne veux pas m'engager ? Tout ceci me fait penser à un piège.

Il s'interrompt, observe l'effet de ses paroles, comme étonné qu'elle ne le coupe pas au milieu d'une phrase...

— Je hais les engagements. Notre relation est devenue trop sérieuse. Je ne peux plus l'assumer. Toute ma vie, je me suis battu pour vivre libre. J'étouffe. Littéralement, j'étouffe. La nuit, je dors de plus en plus mal. Je fais des cauchemars. Il faut que tu m'écoutes, cette fois. Que tu entendes ce que je te dis. Que tu arrêtes de faire semblant de ne rien comprendre. Tout cela, je te l'ai déjà dit. Tu l'as entendu, du moins avec tes oreilles... Moi, je n'ai pas osé insister, et la vie reprenait son cours, comme si mes besoins n'existaient pas.

Il s'arrête de nouveau, à bout de souffle. Elle ne bouge pas. Pas un trait de son visage ne trahit son trouble. Elle écoute sa voix, son accent, elle est assez près de lui pour sentir l'odeur de son eau de toilette, de sa peau, de ses cheveux, de son haleine.

— Je ne comprends rien à ce que tu dis, répond-elle, hautaine, calme. Je voudrais te rappeler que c'est toi qui as tout fait pour me séduire. Tu m'as influencée, manipulée, je dirais même forcée, pour que nous vivions ensemble. Je ne voulais pas de toi. Tu me téléphonais six fois par jour. Tu m'envoyais des fleurs. Des billets doux par centaines, je n'avais même pas le temps de les lire tellement il y en avait ! Plus j'essayais de résister, plus tu en faisais.

Il vient pour répondre, mais elle coupe son élan :

— Attends, laisse-moi finir. Je te répétais que nous étions trop différents, mais tu m'assurais le contraire. J'ai résisté trois mois. Puis, un soir, tu m'as raccompagnée chez moi, et tu m'as dit combien tu avais besoin de moi pour vivre. C'était avec moi que tu voulais faire ta vie. Je t'apportais la certitude, la quiétude. Aucune femme n'avait pu te donner cela avant. Loin de moi, tu étais perdu. Tu voulais prendre soin de ma fille, lui donner un vrai papa. Tu allais tout faire pour me rendre heureuse. Et ce soir-là, j'ai cédé, conquise par toute cette mise en scène. Quelle femme n'aurait pas cédé ? J'ai décidé d'accepter. J'étais une reine pour toi, disais-tu. Et je me suis laissé prendre à ton jeu pervers. Tu n'en avais pas les moyens, et pourtant tu t'arrangeais pour m'emmener dans des auberges pittoresques où tu me déclarais ta passion ! Dis-moi, c'est bien de toi qu'il s'agit, non ?

Elle a parlé d'un trait. Elle reprend son souffle. Elle n'a plus rien à dire. Dupe depuis le début. Pourtant, son intuition avait déclenché dès les premiers jours un signal d'alarme qu'elle a refusé d'entendre. Elle avait tellement besoin de s'abandonner contre une épaule masculine, tellement besoin de tendresse, d'un peu d'amour, juste un peu. Elle aimait cet homme.

Elle fixe le mur, les tableaux, le rose des coussins. Adrian continue à parler, se répète. Ses cheveux bouclent de plus en plus. De temps à autre, elle capte des mots, des phrases qui ont l'air d'avoir du sens. De toute façon, au bout de ce discours, c'est le mot « fin » qui va s'inscrire.

— Je sais, Corinne, je sais. C'est moi qui suis à plaindre. Lorsque je t'ai vue pour la première fois, j'ai été fasciné par ta douceur. La façon dont tu t'occupais des journalistes, ta patience, ta manière de les écouter, de les guider. Et aussi par la profondeur et la beauté de tes yeux. J'ai été hypnotisé. Je t'ai aimée tout de suite. Le coup de foudre. J'ai pensé: «Cette femme est faite pour moi.» Et je le pense encore. C'est paradoxal ce que je vais t'avouer, mais c'est par amour que je dois te quitter. Je t'aime trop! Je me sens comme prisonnier. Je me suis noyé dans cet amour, tellement passionnel. Je sais, c'est fou ce que je dis là, mais c'est la vérité. J'ai l'impression d'être un animal en cage.

Le tableau, juste en face d'elle, elle l'a acheté pour faire plaisir à l'artiste, pour l'aider. La peinture est franchement laide. Une prairie bleue. Du rose dans le ciel. Elle a vu l'originalité, mais pas la lourdeur de l'œuvre. Pour aider l'artiste... Elle n'a pas été capable de lui dire non. Il faut qu'elle aide les artistes. Et Adrian la quitte parce qu'il l'aime passionnément... Et elle doit comprendre. Donner un sens à ces mots. Elle s'attendait à tout, sauf à cette raison-là. Décalage de sa vie comme décalage des couleurs sur le tableau en face d'elle.

Elle ouvre la bouche pour répondre, mais c'est pour elle-même qu'elle parle. Monologue à son tour. Elle ne voulait pas répondre. Ce qu'il aurait fallu, c'est prononcer des mots légers, qui ne laisseraient pas de trace, ne pèseraient pas.

— Pour préserver ta liberté, tu as gardé ton studio. C'était compliqué de te voir. Tu avais tant de choses à faire, peut-être tant de femmes à voir!

Il l'interrompt. Elle lui a donné des éléments de réplique, il possède l'art d'accommoder ce qui passe, ce qui est dans l'air.

— C'est bien la preuve que, depuis le début, j'avais peur de l'engagement. Je ne suis pas prêt à vivre une vie de couple, le train-train... J'ai tellement de projets en tête, tant de rêves, il n'y a pas de place pour une passion comme la nôtre. Si tu n'étais qu'une aventure, cela me serait égal. Mais tu me donnes tant ! Je ne peux pas te suivre. Je préfère te perdre.

Il hésite un instant avant de poursuivre. Il se sent devenir banal. Même son accent lui paraît commun.

Il cherche ses mots, hésite encore, passe une main dans ses cheveux. «Un geste de séductrice, pense-t-elle, un geste de femme». Puis il fait un pas vers la fenêtre, comme pour se fondre dans la nuit. Il ose dire :

— Tu es trop bien pour moi.

Elle ne relève pas. Il est passé dans le n'importe quoi, dans l'abrégé, le facile. Cette phrase aussi, elle l'a entendue déjà. Elle continue sur sa lancée :

— Tu étais si heureux d'avoir trouvé une femme qui te laisse vivre «ta liberté». «Quelle femme au monde pourrait accepter mes caprices ?» disais-tu.

— C'est vrai, mais je me sens coupable de t'imposer ce genre de vie. Je sais bien que ce que tu cherches, c'est tout de même de vivre avec moi comme ferait un couple normal. Je le sais, je le sens, mais je ne peux pas répondre à cette attente et je ne suis pas à l'aise. Je ne peux plus te regarder en face. J'ai l'impression de te manipuler, et l'instant d'après je pense que c'est toi qui me manipules, que tu te montres gentille, sympa, pour parvenir à tes fins. Tu vois, je deviens fou. Vivre dans cet état, ce n'est pas sain, ce n'est pas supportable. Tu ne crois pas ?

Elle ne croit rien, elle ne peut plus croire en rien. Tous ses repères ont éclaté. Tout ce qu'on lui a appris à l'école, dans les livres, dans les films, dans les récits de ses amies, dans sa propre vie, rien n'était vrai.

Rien de ce qu'elle a vécu jusqu'ici ne correspond à ces images idéales de l'amour. Des hommes-enfants !

Elle n'a rencontré que des hommes-enfants – existe-t-il seulement d'autres genres d'hommes ? Ou s'arrange-t-elle pour n'attirer que ceux-là ?

Dans toutes ses expériences amoureuses, ça a été la même rengaine, toujours, le même scénario. Elle n'arrive pas à garder un homme.

Elle donne tout, et lorsqu'ils ont suffisamment reçu, ils la quittent. Parce que son amour est trop fort. Au fond, c'est cela son problème : elle aime trop. Qu'est-ce que cela veut dire ? Comment peut-on aimer trop ? Ou pas assez ? Ou raisonnablement ? Peut-on dire à son cœur quelque chose comme : « Aime un peu moins » ?

Elle ne sait pas doser, ni tricher. Il faudrait faire semblant de ne pas tant aimer. Mentir. Dissimuler. « Les femmes qui font marcher les hommes les gardent »... Il faut se rendre à l'évidence, elle ne connaît pas le mode d'emploi de l'amour. Elle n'est pas digne d'être aimée, voilà tout. Et les hommes n'osent pas le lui dire.

Corinne se lève. Elle va se servir un verre d'eau dans la cuisine. *C'est fini*, se répète-t-elle

— Je boirais bien un verre d'eau, moi aussi ! crie Adrian.

Elle n'entend pas, revient dans la salle de séjour, s'appuie au carreau.

Elle regarde les fenêtres de l'immeuble d'en face, essaye de nouveau de deviner la vie des gens qui habitent là, derrière les rideaux tirés. « S'accrocher aux autres... » Pour ne pas se sentir trop seule, lorsqu'il sera parti. Instinctivement, son regard cherche quelqu'un, un être humain, vivant, heureux ou malheureux.

Là, à sa droite, quelques étages plus bas, une ombre est, comme elle, collée à la fenêtre. Elle l'a aperçue déjà à plusieurs reprises, toujours seule. Une femme que l'amour a oubliée, qui s'interroge sur sa féminité ? Qui se demande comment elle aura la force, jour après jour, de rentrer seule dans son appartement, de se faire à manger parce qu'il le faut, de se maquiller pour personne, même pas pour soi, de vieillir solitaire... De mourir sans quelqu'un pour la regretter. Elle a besoin de ce double, comme les enfants s'inventent un ami.

C'est trop dur. Un cauchemar. Totalement imprévu. Elle sent monter les larmes. Les réprime. *Ne rien laisser paraître.* Se montrer la plus forte. Son cœur bat fort, trop fort. Ce cœur fait pour aimer, qui semble prêt à éclater. Ou à s'arrêter. Elle éclate en sanglots, se cache le visage.

— Excuse-moi, dit-elle. Je ne veux pas te rendre la tâche difficile. C'est plus fort que moi.

Elle se reprend, se force à sourire.

— Tu restes dîner ? Notre dernier repas.

Adrian enlève la Rolex de son poignet et la pose sur la table.

— Il vaut mieux que nous en restions là. C'est préférable.

Son téléphone portable sonne. Il a un moment d'hésitation, mais prend l'appel.

— Oui, nous avons terminé. Je vais descendre. Oui, cinq minutes.

Et comme Corinne l'interroge du regard, il ajoute :

— On m'attend en bas. Nathalie m'a accompagné. Elle est dans la voiture. Il n'y a rien entre nous. C'est une amie. Je me suis confié à elle. Elle me comprend. Elle sait que cette démarche est difficile pour moi, elle est là pour me soutenir.

— Tu parles de Nathalie, ta collègue ? La petite intérimaire de vingt ans ?

Elle se sent « l'autre » tout à coup, elle comprend la portée de ce terme hideux qu'elle utilisait pour désigner Tania.

— Tu te confies à elle et elle te soutient... Tu lui dis « nous avons terminé » comme on fait un compte rendu. Il me manquait cet élément, tu ne m'as pas épargnée. Dois-je te remercier ? Tu as utilisé les grands moyens. Toi au moins tu ne laisses pas place au doute.

— Ce n'est qu'une amie, je te le répète, tu te fais des idées.

Corinne avance vers la porte, l'ouvre.

— Et elle attend... Tu lui as déjà appris l'attente... Elle signe son futur. Elle fait partie des connes qui se croient indispensables. Attendre est le propre de la femme. Cela fait partie de la séduction initiale... et finale. Maintenant, va-t'en !

Lorsqu'il passe devant elle, elle le gifle.

Une gifle, et encore une.

Et une autre.

Elle devient experte... Comme si elle n'avait fait que cela toute sa vie.

Adrian se laisse faire sans broncher.

Il est parti. Quelques secondes de silence. Son chat la regarde paisiblement. Enfin un regard vivant, presque humain. Il plisse les yeux, en signe de connivence. Elle arrache le tableau du mur. *Je vais laisser pousser mes cheveux.* Elle entend la porte de l'ascenseur s'ouvrir et se refermer, il a dû attendre, lui aussi.

Attendre l'ascenseur une fois de plus.

C'est fini.

II

Sur le gâteau, une inscription : « Le temps s'arrête sur notre amour. » Corinne en prend un morceau.

Voilà le temps avalé.

Le meilleur gâteau au chocolat de Bruxelles. Commandé pour l'homme de ma vie. Ce devait être une surprise. Eh bien, c'est réussi !

Elle a un rire sans gaieté.

Depuis le début, elle a refusé de constater l'évidence : personne ne l'aime. Pourquoi ne pas l'accepter ? Et vivre avec cela.

La révélation du siècle, gros titre, à la une. Personne ne m'aime, et après ?

Mais comment vivre avec cela ?

Elle n'est qu'une morte vivante. Elle a besoin d'amour, comme un vampire a besoin de sang.

Comment font-elles, les autres femmes ? Au fond, elle s'en moque, des autres femmes.

Et après ? Car il y a un après. *Maintenant Corinne, que vas-tu faire ?*

Faire, défaire... Elle en a assez de faire. Le courage n'a qu'un temps, deux peut-être, ou trois, guère plus. *Je n'ai plus de courage. Fatiguée, je suis fatiguée. Comment vivre le reste de ma vie ? Seule, toujours.* Pourquoi vivre, pour qui ?

Julie a douze ans, elle vit chez son père. Il est alcoolique, oui, et alors ? Elle ne vaut guère mieux. Elle n'est rien, c'est à peine si elle existe. Comment pourrait-elle guider une adolescente ?

Julie aurait dû venir ce week-end. Mais Corinne a tout organisé pour rester seule avec Adrian, et la petite est restée chez Patrick. Elle avait tout prévu. Le dîner en amoureux, le cadeau, puis l'amour, le sommeil et, au matin, le petit déjeuner partagé... Risible, vraiment. *Tu vis hors de la réalité. Il faut te rendre à l'évidence, ta vie ne ressemble pas à un conte de fées, Corinne.*

Elle reprend une part de gâteau, goût fondant et subtil de deux chocolats superposés.

Où est-il maintenant ? Avec la petite poufiasse qui le comprend si bien, qui le soutient dans les moments difficiles, qui va l'aider. Une de plus pour aider un homme, pour jouer à la maman. Des hommes-enfants... Tous.

Dans la salle de bain, elle regarde son reflet dans le miroir, se trouve laide. Visage sans expression, sans angoisse ni révolte. Des cheveux trop courts. Un teint pâle, crayeux. Elle est moche à faire peur.

Elle ouvre l'armoire à pharmacie, prend le flacon de somnifères. Un peu de calme, de tranquillité, c'est tout. Ne plus penser. Dormir. Se refaire dans l'oubli. Deux petites pilules roses, dans le creux de sa main. Pourquoi pas trois, quatre ?

Elle prend le flacon. Oublier.

Mais avant, écrire une lettre.

Assise devant la table de fête, elle y pose les coudes en une attitude jadis interdite. Posture d'enfant élevée librement, ou d'intellectuelle, de femme volontaire qui a réussi, de battante. Juste une lettre pour raconter une dernière fois, pour revoir des images nettes, essentielles, comme les images qui viennent avant la mort.

Pour qui, cette lettre ? À qui les donner à regarder, ces images qui ne vivent qu'en elle ?

Elle pense d'abord à Geneviève, l'amie de toujours. Puis elle se dit que Geneviève, infirmière, a déjà tant de malades qui déversent sur elle leur souffrance.

Julie, alors. Son enfant. Mais que lui dire ? Une maman qui abandonne le navire, qui lâche les amarres... Une coupable.

À Patrick, l'ex-mari alcoolique ? N'a-t-il pas lui-même essayé d'attenter à sa vie, plusieurs fois ? Mais que peut-il comprendre à sa souffrance ? Elle l'imagine, expliquant les choses à leur fille : « Tu vois, ta mère était folle... C'est sa troisième tentative de suicide. »

Leurs années de vie commune, des années d'enfer. Un coureur. Elle l'a revu il y a peu de temps, à sa demande, il avait besoin d'argent, pour ouvrir un commerce, a-t-il raconté. Incapable de gérer l'argent, il dépense même celui des autres. Insolvable, il trouve toujours une « poire », une femme éprise de lui qui le cautionne, qui paye à sa place quand tout finit par chavirer. La première poire de sa liste, ç'a a été elle. Encore aujourd'hui, elle continue à rembourser une dette pour laquelle elle s'est portée garante.

Adrian ? Elle aimerait lui écrire, pour lui faire prendre conscience que certaines choses ne se font pas.

Une femme que l'on quitte devrait pouvoir s'exprimer. Mais, elle le sait, il ne comprendrait pas. Il n'est pas sensible au désespoir des autres, trop occupé de son propre mal de vivre, trop centré sur lui-même, sur sa belle gueule. Être sensible aux autres donne mauvaise mine. D'ailleurs, il a dit le mot « fin ». Sa lettre ne représenterait qu'une malédiction de plus à exorciser... Un problème de plus à confier aux femmes qui croiseront sa route et voudront l'aider à oublier... Une raison de plus pour être pris en charge, c'est-à-dire pour être aimé.

Ses frères et sœurs ? Elle ne les fréquente qu'aux grandes occasions, anniversaires des parents, jour de Noël, enterrements. Et encore ! Elle est la seule de la famille qui ait « réussi » – si l'on peut dire – et ils l'envient, soupçonneux : « À qui doit-elle son ascension, à quel homme ? »

Elle est aussi la seule de la famille à avoir divorcé. Elle n'est décidément pas dans les normes. Son mari n'était pas un compagnon parfait, c'est vrai, mais qui donc est parfait ? On ne quitte pas un époux sur un coup de tête. On se bat pour sauver son couple. Le père de Julie avait besoin d'aide, et elle l'a abandonné en lui laissant sa fille. Normal qu'il ait sombré.

À qui écrire ? À quelqu'un du Magazine ? Grotesque. De toute façon, un suicide qu'on annonce, c'est ridicule. D'ailleurs, elle n'a aucune amie suffisamment intime, au travail, avec qui pouvoir partager un peu d'intimité.

Tout le monde la croit forte, volontaire. Au-delà du seuil de chez elle, du seuil de ses amours, personne ne pourrait comprendre ou imaginer sa détresse.

Elle comprend brutalement, comme une évidence, qu'elle est seule au monde. S'épancher, avoir une épaule sur laquelle s'appuyer, c'est pour les autres.

Elle pourrait disparaître là, à l'instant, sans personne à qui parler. Elle côtoie tant de gens dans sa profession, et reste seule avec elle-même. Où a-t-elle lu cette phrase qu'elle a gardée en mémoire ? « De toutes les personnes rencontrées au cours de ta vie, tu es la seule que tu ne perdras ni ne quitteras jamais. Tu es la seule réponse aux problèmes de ta vie. »

Elle s'approche de la fenêtre. Son regard cherche l'ombre anonyme qui, comme elle, interroge la nuit.

Elle est toujours là.

Corinne n'arrive pas à distinguer si c'est une femme ou un homme. Une femme, certainement. Les hommes ne parlent pas à la nuit. Faut-il qu'elle soit pitoyable dans sa solitude pour ainsi regarder vivre une ombre, pour se demander si cette silhouette partage le même chagrin, le même dégoût de vivre.

Corinne a presque l'impression de la connaître vraiment, l'inconnue qu'elle observe, l'impression qu'elle échange avec elle quelque chose qui ressemble à de l'amitié. Comme si sa douleur faisait écho à la sienne. Elle a l'impression de l'entendre répondre, elle *veut* l'entendre répondre. « *J'ai aimé. J'ai cru être aimée. Des blessures. Écorchée vive. Il ne reste plus rien de moi, que des souffrances. Je suis épuisée, je me suis battue pour exister. Je n'en puis plus. Fichez-moi la paix. Laissez-moi partir, mourir. J'en ai tellement assez, de traîner ma carcasse. Qui donc pense à moi ? Y a-t-il quelqu'un pour m'aimer ? Solitude. Combien de nuits ai-je passées, seule avec mon désespoir ? Je n'ai pas peur de mourir. Une délivrance. Je n'aurai plus à me forcer, à prouver quoi que ce soit.* »

Un vrai partage, elle ne sait plus qui parle, si c'est elle ou l'ombre inconnue. Elle a envie de lui crier qu'elle l'entend, qu'elle la comprend, qu'elles sont sœurs dans le malheur.

Elle avale deux cachets. Il lui faut écrire cette lettre, maintenant. Rien ne lui paraît plus important.

Elle choisit de l'adresser à la seule personne qui l'accompagnera jusqu'au bout de la vie, jusqu'au bout de sa souffrance, la seule qui ne l'ait jamais abandonnée, du moins jusqu'à présent. Elle-même.

Elle hésite. Chère Corinne ? Corinne ? Peu importe.

Chère Corinne,

En parcourant tes 36 années de vie, je me rends compte que ton existence ressemble étrangement à la mienne. Rien de ce dont tu avais rêvé ne s'est réalisé. Je parle du monde affectif. Tu as fait des projets qui sont restés figés. Tu as gâché ta jeunesse en attendant le prince charmant des contes de fées, qui, bien sûr, n'est jamais venu frapper à ta porte. Ou bien il a peut-être frappé, mais il ne s'est guère attardé.

Pourtant, tu sembles avoir réussi dans ta carrière, tu es ce qu'on appelle «un cadre», dirigeant de main de maître un groupe de dix-huit personnes. Une «Super nana». Rédactrice en chef de l'un des magazines féminins les plus populaires du pays. Tu as l'air de bien connaître les femmes, tu es bien placée pour en parler, n'est-ce pas ?

Mariée puis divorcée, tu as élevé ta fille comme tu pouvais. Est-ce que tu l'aimes ? Oui, autant que tu en es capable, à ta façon. Avec des mouvements de tendresse, des retraits, des angoisses, parfois tu ne sais plus, parfois tu ne supportes plus d'être dérangée, surtout lorsqu'un homme traverse ta vie. L'amoureuse prend le pas alors sur la mère, tu t'en passerais, de ta fille, mais tu te sens coupable.

Les gens te voient comme une femme de caractère, forte, qui affirme son identité. Féministe, tu luttes pour la revalorisation du rôle de la femme dans la société. Don Quichotte en jupon qui se bat contre des moulins à vent...

Refuser le rôle de la femme traditionnelle ne t'a pas empêché d'être, en amour, une «femme dépendante». Délaissée plusieurs fois. Au point d'en crever.

Elle se lève, fait quelques pas. Se dit qu'elle est folle. Elle veut mourir... À quoi bon cette lettre? Elle continue cependant.

Aînée d'une famille de quatre enfants, tu as eu des parents alcooliques. Ta mère était comme toi. Elle aussi vivait dans la crainte d'être quittée, et se pliait aux caprices d'un mari dont la vie se diluait dans l'alcool. Trop occupée à sauver sa peau, elle ne s'est jamais vraiment consacrée à ses enfants. À eux de se débrouiller! Et c'est toi, l'aînée, qui as pris tout le monde en charge. Non seulement tu as remplacé tes parents, mais tu as aussi été, en quelque sorte, les parents de tes parents. Tu étais la mère de ta mère, et le père de ton père. Parfois même, tu jouais à être la femme de ton père quand tu écoutais ses confidences sur sa vie sexuelle. Quelle merde! Tu as tout fait pour éviter de ressembler à ta mère, de tomber dans le même piège. Tu ne voulais pas d'enfant. Et bien sûr, tu en as eu. Tu as réussi à recréer ce que tu essayais d'éviter de toutes tes forces. Comme ta mère, tu es devenue la complice de l'alcool à qui tu t'abandonnes de plus en plus souvent.

Ton père est un raté. Pourtant, aux yeux des autres, il a réussi. Personne ne connaissait la vérité. Il n'a causé du tort qu'à sa famille. Ses relations avec ta mère étaient fondées sur la crainte. Il ne la touchait plus depuis longtemps. Il préférait l'alcool, et les autres femmes. Elle était au courant. Il ne lui cachait pas ses aventures. Elle acceptait tout, pour sauver son mariage. Elle y a mis toute son énergie.

La famille idéale, disaient nos amis. Nous avons grandi en entretenant cette image.

Ton enfance a été un enfer. Alors tu t'es juré de ne jamais vivre avec ce genre d'homme. Mais les individus qui ont croisé ta route étaient tous dépendants de l'alcool, de l'argent, du travail, du sexe...

De nouveau, elle marche de long en large, entre la vie et la mort, allant de l'une à l'autre. Regard sur le décor familier. Inutile, tout cela. Si loin derrière les sentiments. Pourquoi tant de rose chez moi ? Désuet, stupide. Pour entretenir mes illusions... Elle se souvient d'un article, dans le magazine : «Comment s'intégrer à son décor». Il était question d'y exprimer ses goûts, même les plus romantiques ou les plus saugrenus ; être soi, se couler dans son intérieur.

Maintenant, ce serait «Comment se désintégrer dans son intérieur», se dit-elle comme pour se moquer d'elle-même. Nouveau coup d'œil au miroir. *J'ai cent ans, je suis la belle au bois dormant. J'ai sommeil. Mais mon angoisse est toujours là.* Elle avale une autre pilule rose, une autre, encore une autre... Terminer cette lettre, ce testament. Écrire, de plus en plus vite.

Tu as rencontré Patrick. Tu terminais tes études de journaliste. Avec une bande de «doux dingues», il éditait une petite gazette révolutionnaire qui devait contribuer à «changer la face d'un monde pourri ». Tu as aimé son engagement. Il luttait pour un idéal. Il dégageait un charisme formidable. À ses côtés, n'importe qui se sentait rebelle. Toutes les filles en étaient amoureuses. Mais c'est toi qu'il a choisie.

Ton diplôme en poche, tu as quitté la maison pour emménager avec lui.

Quelques mois d'abord d'une vie commune exemplaire, une vraie vie de couple, et puis la déglingue. Le naufrage. Séparation, divorce. Il a gardé Julie, prétendant qu'il était plus responsable que toi. Tu l'as laissé faire. Tu avais de l'ambition, cela t'arrangeait bien, au fond, qu'il s'occupât de l'enfant.

Pourtant leur départ t'a complètement détruite. Tu t'es consolée dans l'alcool. C'est si facile, l'alcool, comme une présence qui vous attend à la maison. Cela a été le début d'une longue histoire d'amour entre la boisson, les hommes et toi. Tu buvais à tes heures, et tu t'envoyais en l'air avec le premier qui te trouvait belle. Ta vie affective partait en lambeaux.

Ta vie professionnelle, par contre, montait en flèche. Tu as été engagée au magazine, où l'on a apprécié tes articles originaux et plein de maturité. Très vite, tu es devenue rédactrice en chef. Comme cela a été le cas pour ton père, tu donnes le change. Personne ne connaît tes moments de déchéance dans la boisson, ni tes déboires sentimentaux. Tu n'as qu'une seule amie véritable, tant tu redoutes que l'on découvre la face ratée de ta vie. Geneviève n'est pas un danger pour toi ; c'est elle qui t'a aidée à sortir de la première tentative de suicide, après le départ de Patrick. C'était l'infirmière qui t'a prise en charge quand l'ambulance t'a emmenée à l'hôpital. Geneviève, infirmière en psychiatrie. Un parcours semblable au tien. Elle a entendu ton appel au secours. Vous avez beaucoup parlé, pas mal ri aussi. Et pour la première fois de ta vie, tu as ouvert ton cœur. Tu as déposé le masque. Tu t'es montrée telle que tu étais : assoiffée d'amour. Geneviève est devenue ton amie intime. La confidente à qui tu révèles tout. Celle qui t'écoute sans te juger. Grâce à elle, tu as repris goût à la vie.

Au cours des mois qui ont suivi, tu as rencontré Adrian, stagiaire au journal. Séduisant, séducteur jusqu'au bout des ongles, il essayait son charme sur toutes les femmes du magazine. Mais c'est toi qu'il visait, tu le sentais bien. Parce que tu étais la rédactrice en chef. Roumain, réfugié politique, il vivait dans une petite chambre d'étudiant. Sa mère était restée au pays. Il avait l'air perdu, seul en Belgique. Souvent vous alliez prendre un verre ensemble dans un bistro, près du journal. Il s'arrangeait pour rester avec toi, et vous parliez longuement, de tout et de rien. Tu as vu son manège, tu t'es méfiée. Pourtant, tu t'es laissée séduire. Toujours cette émotivité féminine...

Une alarme puissante s'est pourtant mise à hurler quand un soir il t'a parlé de Tania, « l'autre », qui l'aidait à terminer ses études. Pourquoi Tania agissait-elle ainsi ? Elle était tombée amoureuse de lui, sans plus. Lui aussi, au début, puis elle est devenue, peu à peu, une amie, rien d'autre. Une amie très chère.

Il a tenu à garder son indépendance, à conserver sa chambre d'étudiant. S'ils se voyaient régulièrement, il ne partageait cependant pas son existence. Elle en a souffert, mais a respecté son choix. Bien sûr, il savait qu'elle espérait le voir vivre un jour avec elle. Il ne pouvait rien y faire. N'avait-il pas toujours été très clair à ce sujet ? Il n'avait rien à se reprocher. Et puis, il devait bien l'avouer, elle lui était utile encore, financièrement. Il ne pouvait pas se montrer trop dur. Quand il aurait son diplôme, dans quelques mois, il travaillerait, la rembourserait et serait libre, enfin.

Tu l'écoutais, Corinne, avec une sorte de malaise. Quelque chose te criait de le fuir, tant qu'il était encore temps. Mais une autre partie de toi, celle qui aimait, celle qui souffrait de solitude, te disait le contraire. Grâce à cet exilé, tu avais la possibilité de redevenir, à tes propres yeux, une femme capable d'apporter à autrui aide et soutien. Tu pouvais, par tes relations, lancer ce jeune homme dans la vie active, lui donner sa chance. Qui sait ? peut-être même allais-tu arriver à te faire aimer, enfin.

Tu as résisté quelque temps à ses assauts aussi passionnés qu'imprévisibles, mais il était trop fort pour toi. Il t'a fait une cour assidue, digne des meilleurs films d'amour. Il a dépensé pour toi une telle énergie, et ceci avec tant de fougue, que tu as cru impossible qu'il ne soit pas vraiment amoureux. Il t'a adressé des dizaines de petits mots, et jusqu'à dix cartes par jour, déposés à toute heure dans ta boîte à lettres, accompagnés chacun d'une rose. Pendant trois mois. Un soir, tu l'as invité à monter. Cela aurait pu n'être qu'une nuit comme tant d'autres, avec un homme, un de plus. Mais lui, il t'a promis un futur. Il voulait partager ta vie et celle de ta fille, vous protéger, être là dans les moments difficiles. Il t'a chanté la rengaine que tu avais envie d'entendre, une rengaine à laquelle tu ne demandais qu'à adhérer. Et tu es tombée dans le panneau, pauvre conne ! Et Tania ? L'autre femme, celle qui entretenait Adrian, qu'allait-elle devenir ? Tu as cru qu'il allait la quitter, n'est-ce pas ? Qu'il allait lui parler, lui dire qu'il était tombé follement amoureux, que l'on ne résiste pas à un tel amour. Bien sûr, puisqu'elle n'était qu'une amie pour lui, elle allait tout comprendre et lui donner l'absolution...

Pendant les mois qui ont suivi, tu as vécu l'enfer. Il te jurait un amour éternel, mais il allait rejoindre l'autre, l'amie de cœur, plusieurs fois par semaine. Les jours où il n'était pas avec toi, il était avec elle. Ou avec une autre encore. Une étudiante, une serveuse... Officiellement, il s'enfermait dans sa chambre, il avait besoin de solitude, besoin de se retrouver, ou de préparer un examen. Tu savais qu'il mentait. Quand il n'était pas avec toi, tu n'arrivais pas à dormir. Alors, tu avais recours à l'alcool, ce compagnon des nuits solitaires.

C'est ainsi que, un soir d'ivresse, l'idée t'est venue de la tuer, celle qui, par l'emprise qu'elle exerçait sur Adrian, vous empêchait de vivre heureux. Il lui devait tellement d'argent, il ne savait comment la quitter... Tu savais, toi. Il te suffisait d'aller sonner chez elle, de t'arranger pour entrer, et de tirer sur elle avec ce joli revolver reçu jadis d'un autre homme qui voulait te protéger, lui aussi.

Combien de fois n'as-tu pas joué ce rôle de meurtrière, dans ta pauvre tête malade ? Tu as peaufiné le scénario, jusqu'à vouloir, vraiment, passer à l'acte. Tu t'es rendue chez elle, certaine d'être capable du geste dont tu rêvais. Elle était absente, heureusement. En voyage... avec Adrian. Une escapade amoureuse de trois jours, sur la côte belge.

Tu l'as appris par la concierge, qui gardait le chat de Tania pendant son absence. Elle a même ajouté quelques détails insupportables. « Un couple charmant. Adrian, un si bel homme. Et tellement attentionné. Il lui offre des fleurs si souvent ! Ils attendent qu'il ait une bonne situation pour se marier... »

Alors, tu les as guettés dans ta voiture, devant la maison. Tu voulais connaître la vérité, tu voulais voir, par toi-même, ce qu'il en était. Ils sont rentrés le dimanche soir assez tard, se tenant par le bras, proches l'un de l'autre. Tu t'es montrée, au moment où Tania introduisait la clé dans la serrure. Quelle gêne sur le visage d'Adrian ! Il ne savait plus où se mettre. Tu as tout raconté à Tania. Toute votre histoire, les lettres, les roses, les trois mois de persévérance pendant lesquels il pleurait d'amour pour toi... Tania qui n'était qu'une amie pour lui, avec qui il ne restait que par reconnaissance et par devoir. Curieusement, elle t'a crue. Elle aurait pu t'injurier, te dire de partir. Elle a laissé le ciel lui tomber sur la tête, comme si elle l'attendait, comme si elle s'y était préparée. Elle lui a demandé de choisir entre elle et toi... C'est toi qu'il a choisie.

Tu avais tant besoin d'amour... Il n'y a pire aveugle que celui qui refuse de voir. Vous viviez ensemble la plupart du temps, même s'il avait tenu à garder son studio. Il défendait sa liberté. Toi, tu te sentais rarement très bien. Quand il n'était pas là, il te manquait, tu n'arrivais pas à trouver le sommeil, tu pensais à Tania et au danger qu'elle représentait. Alors tu cherchais la consolation dans l'alcool.

Un soir où il était censé être chez lui, tu es allée te poster devant sa porte. Tu te détestais d'agir ainsi. Pourtant tu ne pouvais pas t'en empêcher ; tu préférais souffrir, mais il fallait que tu en aies le cœur net. Car tu es absolue, Corinne, intransigeante. Tu veux la vérité, en dépit de tout. Tania faisait le guet, elle aussi, dans sa voiture. Tu t'es approchée. Embarrassée, elle t'a expliqué qu'elle attendait Adrian «pour le prévenir qu'il devait se présenter au commissariat, en raison de son statut de réfugié». Il n'avait pas le téléphone, c'est son numéro à elle qu'il avait donné aux services de l'immigration. Elle n'était là que pour lui rendre service. Tu as fait semblant de la croire; vous avez un peu bavardé, presque comme des amies... Quand il vous a trouvées ensemble, il a semblé enfin secoué, déstabilisé. Ramené à sa juste mesure, une toute petite mesure.

Pendant quelque temps, il a paru s'assagir, dormant presque tous les soirs chez toi, gentil, attentif. Très amoureux. Tu étais heureuse, enfin. Mais, peu à peu, il s'est remis à disparaître sans prévenir. Des jours entiers, parfois des semaines. Son sens de la liberté t'imposait de ne pas lui demander des comptes. Et toi, tu voulais respecter ses besoins. Tu avais fait ce pas gigantesque : admettre ce qu'il était.

Un jour, il t'a parlé de liberté sexuelle. Vous auriez le droit d'avoir des aventures chacun de votre côté. Pas de relation amoureuse sérieuse, juste pour le plaisir. Puis il est allé plus loin. Cela pouvait se faire à plusieurs, des échanges en couple, pour ne pas s'endormir dans le train-train sexuel qui tue l'amour. Tu aurais pu tout accepter pour ne pas le perdre. Alors tu as dit oui, pour un seul soir, dans un endroit très privé, chez des étrangers. La peur d'être reconnue, peut-être. Et puis la honte. Le dégoût, qui t'a suivie pendant des jours et des jours, jusqu'à la nausée.

Il y a eu aussi les problèmes d'argent. Tout ce qu'il gagnait passait dans les bars et dans le jeu, tous les jeux possibles. Il vous arrivait de vous saouler ensemble. Deux êtres à la dérive.

Et ce soir... Il te quitte. Il veut sa liberté, une liberté totale cette fois. Il a tant de rêves et de projets, et tu n'en fais pas partie. Tu es même l'obstacle majeur. Tu as toujours été un obstacle. Tu le sais bien, Corinne. Ta mère te l'a répété assez souvent. Tu es venue au monde par accident. Elle a essayé de se faire avorter, mais tu t'es accrochée, imposée. Tu es responsable du malheur de tes parents. Et tu reproduis le même schéma dans ta vie d'adulte. Tu t'imposes. Partout. Toujours. Avoir tant lutté, et pour quel résultat ? Ta réussite professionnelle comblerait tant d'autres femmes. Mais quel échec, en réalité. Tu n'es pas désirée là où tu voudrais l'être ; rends-toi à l'évidence, et retourne d'où tu viens. Va-t-en ! Laisse la place aux autres. Ne reste pas là, avec ton existence inutile. Même ta fille préfère vivre avec son père, elle te l'a dit. Il est plus disponible, plus tolérant, plus drôle. Rends-lui sa liberté, à elle aussi.

Elle voudrait arrêter. Tout a été dit. Elle n'en peut plus maintenant. Mais il reste Julie. Comment s'en aller sans lui dire adieu ?

Ta mère s'en va, Julie. Ne t'en fais pas, elle n'était pas vraiment là, de toute façon. Ses malheurs l'empêchaient de te consacrer le temps dont une enfant a besoin. Comment une maman en manque d'amour pourrait-elle en donner ? Car on donne ce que l'on reçoit, c'est une loi de la vie. Pour toi, cela ne fera pas une grande différence. Deux fois déjà,

ta mère a essayé de quitter ce monde douloureux.
Cette fois sera la bonne. Elle s'en va vers un monde
meilleur. Réjouis-toi pour elle. Réjouissez-vous,
tous. L'emmerdeuse disparaît pour de bon.

Sa tête se fait lourde. Corinne se lève en titubant, se sert un scotch qu'elle avale avec quelques pilules roses. Un cocktail d'enfer. Pour changer d'univers. Il faut qu'elle soit sûre, cette fois. Elle ne veut plus se réveiller dans ce merdier, ce monde intolérable et intolérant, dur aux femmes trop romantiques. Elle se sent tellement bien, maintenant. La mort est douce. Elle a lu cela quelque part, on ne souffre pas de mourir. Elle se sent bien, apaisée. Presque heureuse. Sans regrets.

Dire au revoir, peut-être... à... Geneviève. Sa seule amie. Elle ne se rappelle plus son numéro. Dans son agenda. Où l'a-t-elle rangé ? Elle ne sait plus... Elle a mis de l'ordre pour l'anniversaire d'Adrian... Peut-être dans la chambre... et dire au revoir à ce lit, une dernière fois, elle se traîne, se cogne aux meubles... Sur la table de chevet, le carnet d'adresses... Elle le feuillette... sa vision est trouble... ce lit recouvert d'un patchwork magnifique, il l'aimait, il disait qu'il était plein de couleurs et de surprises, comme elle, elle ne peut plus déchiffrer les noms... Se concentrer... Elle a des vertiges... Dormir... Ne pas fermer les yeux, surtout... Pas encore... Geneviève... La lettre *G*... Voilà...

Elle compose le numéro... Se trompe... Recommence... Sonnerie...

— Allô ?

Une voix. Geneviève. Comment sa voix peut-elle être aussi paisible, aussi proche de la vie ? De la vie... Elle veut parler, mais cela demande trop d'efforts.

— Qui est à l'appareil ?

Elle réussit à marmonner quelques sons, indistincts.

— C'est moi, pense-t-elle, mais les mots qui sortent de ses lèvres sont comme brumeux. Déformés. Elle ne peut plus articuler, sa voix ne lui obéit plus.

— C'est toi Corinne ?

Elle voudrait répondre, s'entend marmonner des bribes de phrases, « ... te dire au revoir. Tu es ma seule amie, tu as été... »

— Tu as bu ? Corinne ? Tu as vu Adrian ? Corinne ? Prends ton temps, un mot après l'autre. Tu as bu, n'est-ce pas ?

— Tu es mon amie... et... l'amitié...

Corinne laisse tomber le téléphone. Sa tête est lourde, lourde. Ses yeux se ferment. Tout tourne autour d'elle. Il n'y a plus rien. Dormir... Elle se laisse tomber sur le lit... Dormir...

Enfin...

III

Une sensation de douceur l'enveloppe. Un bien-être profond, qui lui rappelle les jours de maladies enfantines, ceux qui lui permettaient d'éviter l'école, de rester au lit. Malade, elle était cajolée par sa mère. Sa mère ne la cajolait que dans cette situation. L'instinct animal, sans doute.

Les yeux fermés, Corinne essaye de discerner l'environnement.

Elle n'est pas chez elle, mais elle se sent en sécurité. Un vague sourire se dessine sur son visage. Comme une détente. Elle s'étire légèrement. Une douleur lui déchire la poitrine et la gorge. Elle se raidit brusquement, effrayée. À l'écoute de son corps, elle prend conscience que cette blessure est intérieure et fraîche encore. Elle a du mal à avaler.

Elle soulève les paupières. La lumière est aveuglante, elle referme les yeux. Elle n'a pas eu le temps de voir où elle se trouvait. Elle fait l'effort de rouvrir les yeux, lentement. Elle se trouve dans une chambre d'hôpital, blanche, avec des murs nus, un store vénitien vert pâle à demi fermé. Il y a une table et deux chaises blanches, un petit fauteuil.

La mémoire lui revient. Adrian ! Son anniversaire. Les pilules. La lettre d'adieu. Elle est vivante... Elle s'est encore ratée, une fois de plus. Un sourire triste s'esquisse sur ses lèvres.

Manifestement, la Mort ne veut pas d'elle. C'est la troisième fois qu'elle rate son départ.

Elle déglutit et, de nouveau, cette douleur perçante lui brûle la gorge. Comme un début d'angine. Elle laisse ses yeux se refermer, plonge de nouveau dans le sommeil, dans cet univers de douceur, de chaleur et de bien-être du corps dont les pensées sont exclues.

Lorsqu'elle se réveille, une infirmière se tient devant elle.

— Comment vous sentez-vous ?

Sans attendre de réponse, elle s'affaire dans la chambre, concentrée tout entière sur quelque occupation dont elle seule connaît le sens.

— Vous êtes bien réveillée ?

Corinne n'a pas envie de répondre. C'est d'ailleurs le genre de question qui ne demande pas de réponse. L'infirmière lui prend le poignet, les doigts sur l'artère où la vie continue à battre. Corinne se laisse faire.

Ses yeux croisent le regard de la femme en blanc. Un regard attentif, plutôt gentil, des yeux marron sans grande expression mais brillants, illuminant un visage à la peau mate.

— J'ai mal à la gorge, articule péniblement Corinne.

— On vous a fait un lavage d'estomac. Vous avez eu de la chance, il était moins une, *cette fois*.

« *Cette fois*. » L'infirmière sait que ce n'était pas sa première tentative. Elle a parlé gentiment, presque avec humour. Corinne fait un mouvement de la tête.

— La lumière est forte, dit-elle.

L'infirmière se tourne vers la fenêtre, fait glisser le store, en oriente les lamelles vers l'intérieur. Corinne remercie.

— Vous avez faim ? interroge l'autre, d'une voix plus douce.

Non, elle n'a pas faim. Elle n'a besoin de rien.

Laurence Delbuys.

Corinne déchiffre le nom de l'infirmière, sur le badge épinglé à sa blouse blanche. La vie reprend, avec tous ces petits détails qui en font la trame quotidienne.

Une femme de quarante ans. Grande et svelte. Un sourire un peu passe-partout, mais sincère. Des cheveux châtain foncé qui retombent en masse épaisse sur ses épaules découvrent un front haut, sans ride.

— Je suis votre médecin, dit-elle. C'est moi qui vous ai tirée de là. Je ne suis pas sûre que vous allez me remercier. Ce ne serait pas dans l'ordre des choses. Du moins dans l'immédiat.

Corinne détourne la tête.

— Vous supposez juste, dit-elle, le souffle court. Il y a toujours quelqu'un sur ma route pour m'obliger à souffrir la vie. Ça m'est égal, ce n'est qu'une répétition générale. La prochaine fois sera le véritable spectacle.

— Je vous fais confiance, dit le médecin en consultant un tableau suspendu au pied du lit. C'est votre vie.

Corinne se demande comment elle est arrivée là. Qui a donné l'alarme, *cette fois* ?

Elle sent ses paupières s'alourdir. Ce court dialogue l'a épuisée. Elle se laisse glisser dans une torpeur bienheureuse.

De très loin, elle perçoit la voix du médecin. Une voix ferme et douce.

— Corinne ? Corinne, vous m'entendez ? Continuez à dormir. Si vous m'entendez, c'est bien, si vous ne m'entendez pas, c'est bien aussi.

Corinne tente d'ouvrir les yeux.

— Vous êtes fatiguée, gardez les yeux fermés. Vous pouvez entendre ce que j'ai à vous dire, même les yeux clos.

Corinne laisse retomber ses paupières. L'engourdissement l'envahit. Elle ne résiste pas. Tout est loin, maintenant... Loin... Les seuls sons qui parviennent jusqu'à sa conscience sont des mots vagues, dénués de sens... Déformée, la voix... du médecin... Laurence...

— Corinne... vous êtes comme morte... Même si... *vous vous en sortez*, vous recommencerez... Vous le savez... Corinne... uniquement... si vous le voulez vraiment... si... *il y a encore de la vie en vous*... si... *vous avez envie de vivre*... Je vous laisse une adresse sur la table de chevet... une adresse... n'allez pas à cette adresse... Votre nouvelle vie se trouve à cette adresse... Donc ce serait insensé d'y aller, n'est-ce pas ? Corinne ? Bougez légèrement la tête pour dire « oui ». Corinne, vous n'irez pas à cet endroit, d'accord ?

Quel endroit ? Pourquoi est-ce qu'on ne la laisse pas tranquille ? Elle veut dormir... dormir...

— Bougez la tête pour dire oui, Corinne. Un oui de la tête. Irez-vous à cette adresse ? Sur la table de chevet, vous trouverez l'adresse. Vous n'irez pas, d'accord ? Bougez la tête si vous êtes d'accord...

Dans un énorme effort, Corinne remue légèrement la tête. Elle a été obéissante, soumise. Qu'on la laisse en

paix ! Elle ne veut plus rien entendre... À cette adresse...
quelle adresse ? sur la table de chevet... oui... elle veut la
paix... sa nouvelle vie... elle est morte... mais elle vit...

— C'est bien Corinne... c'est très bien... l'adresse
est sur la table de chevet...

Quand elle s'éveille de nouveau, elle se sent reposée,
détendue. Comme au matin d'une bonne nuit.

Le soleil illumine la chambre. Les stores ont été
relevés. Elle cligne un peu des yeux. Il y a des fleurs,
dans un vase posé sur le rebord de la fenêtre. Puis elle
perçoit une présence à sa gauche.

Elle tourne la tête et découvre Geneviève, qui
l'observe en silence.

Corinne lui sourit avec un mouvement d'épaules
fataliste.

Geneviève est blonde et paisible, avec des yeux
très clairs. Ses cheveux sont attachés à la nuque. Elle
ressemble à une collégienne.

— C'est toi qui as prévenu ? demande Corinne.

— C'est le rôle d'une amie, non ?

— Si tu étais vraiment une amie, tu m'aurais
laissé partir. Enfin, je présume que je te dois un
merci quand même... Alors merci. Mais comment
as-tu su, *cette fois* ?

— C'est toi qui m'as appelée, tu ne te souviens
pas ? Tu avais la voix plus que pâteuse, presque inau-
dible, tu tenais des propos incohérents.

— C'est toujours pareil quand j'ai bu... Pourquoi
donc t'es-tu inquiétée ?

— Disons que c'est mon intuition fulgurante, in-
faillible lorsqu'il s'agit de la vie de mes amies...

Elle a un petit rire.

Corinne voit une boîte de chocolats, sur la table de
chevet.

— Tu me gâtes, dit-elle.

— C'est pour les infirmières et les médecins, c'est eux que je gâte... Certainement pas toi ! Je ne veux pas associer une récompense à chacune de tes tentatives de suicide. Je soupçonne d'ailleurs que tu fais tout ça pour obtenir des douceurs, chocolats et autres marques d'amitié.

Elle lui prend la main et la serre tendrement. Corinne sent monter les larmes. Elle pleure, sans fin. Son corps se détend, ses douleurs semblent se diluer dans les larmes. Très vite, elle sombre de nouveau dans le sommeil, épuisée.

Geneviève remonte la couverture sur les épaules de son amie. Puis elle se met à feuilleter un magazine en attendant que Corinne reprenne conscience.

Une infirmière entre, réveille Corinne pour prendre sa tension. Elle aperçoit Geneviève et lui adresse un sourire de connivence. Elles se connaissent.

Après son départ, Corinne reste silencieuse, le regard dans le vide.

— Tu veux un peu d'eau ? demande Geneviève.

Elle l'aide à boire. Les mains de Corinne tremblent. Quand elle a reposé le verre, Geneviève l'interroge doucement.

— C'est à cause d'Adrian ?

— C'est à cause de la vie, d'une façon générale. Elle ne me veut rien de bon. Que veux-tu que je te dise... que reste-t-il encore à rajouter ? Toi aussi, tu es passée par là, non ? Alors tu sais ce que c'est... Je n'ai rien à t'apprendre. Adrian m'a quittée, le jour de son anniversaire ! Ça, c'est le côté comique de l'histoire. Il est venu m'annoncer cette bonne nouvelle, accompagné de sa nouvelle nana qui l'attendait en bas. Il avait peur de venir seul, le trouillard. Il lui fallait une maman... Les hommes sont tous des lâches.

Elle reprend son souffle. La gorge lui fait mal.

— Je ne sais pas ce qu'on leur trouve, pour continuer à leur courir après. Il répétait dix fois par jour qu'il m'aimait. Qu'il ne pouvait vivre sans « sa fée ». Il m'appelait sa fée ! Je me demande comment il appelle l'autre... Peut-être du même nom, c'est plus commode.

Il y a un silence encore, puis Corinne reprend :

— Quel est le mode d'emploi de l'amour ? Il faut croire que je ne l'ai jamais reçu.

Geneviève pose la main sur celle de Corinne.

— Quand vas-tu prendre ta vie en main ?

Corinne se mord les lèvres.

— Et toi, comment as-tu fait pour t'en sortir ? Tu as traversé des situations pires que la mienne ! Et puis, comme par enchantement, ta vie s'est équilibrée. Tu as un compagnon qui te respecte, deux grands enfants qui t'adorent... Comment vont-ils, Geneviève ?

— Ils vivent leur vie et ont leurs propres soucis.

— Tu es tellement forte, poursuit Corinne. Il me manque cette vigueur. De l'extérieur, c'est vrai, j'ai l'air de savoir m'y prendre, du moins sur le plan professionnel. Je suis considérée comme une femme solide, qui sait ce qu'elle veut. Pour ce qui est de la vie privée... c'est le chaos le plus total...

Elle s'interrompt de nouveau, sourit faiblement. Elle a l'impression de ne plus pouvoir penser. Elle veut continuer cependant.

— Tu sais, je pense que chez les hommes comme chez les animaux, ce sont les plus forts qui survivent. Je n'en fais pas partie, voilà tout. Ceux qui me ressemblent et qui errent, sans but, ceux-là cherchent à disparaître. La prochaine fois sera la bonne, je le sais. Il n'y a pas de place pour les êtres fragiles.

Elle baisse la voix.

— La plupart des gens ont une idée fausse de la mort. Toi, tu peux comprendre, car tu es aussi passée par là : *la mort est douce*. C'est ma troisième tentative de suicide, et je peux affirmer qu'on ne souffre pas de mourir. En franchissant la frontière de la vie, on perd conscience avec une sorte d'allégresse. Avec délice, même. Je ne sais comment dire : chaque fois, j'ai pénétré insensiblement dans un état de profonde volupté. Malgré la boisson et les pilules, au moment où j'ai accepté de partir, j'ai vu une lumière vive, un peu bleutée. Et puis, une vision... je me sentais transportée dans une ambiance céleste. J'entendais des chœurs angéliques, des voix caressantes. On rêve pour mourir comme on rêve dans le sommeil. Les souffrances de la vie s'éloignent. La mort est une acceptation. Une autre vie m'attend là-bas, et je... je...

L'émotion l'empêche de poursuivre. Elle est épuisée. Geneviève la prend dans ses bras.

— Tu m'as posé une question : comment ai-je fait pour traverser des situations aussi pénibles ? Quand tu voudras vraiment entendre la réponse, fais-moi signe. Maintenant, il faut que je file. Je reviendrai te voir demain, si tu veux encore de moi. Tu as le numéro de mon portable aussi.

— Je voudrais me lever, dit Corinne, me donner un coup de peigne. Je dois être hideuse.

— Reste un peu tranquille encore. Et ne t'inquiète pas, tu n'es pas trop moche, pour quelqu'un qui vient d'où tu viens, ajoute-t-elle avec un petit rire.

Corinne l'observe, qui rassemble ses affaires et se dirige vers la porte. Elle a comme un cri.

— Geneviève, attends !

L'autre s'immobilise, plonge son regard dans celui de son amie, sans un mot. Pendant un moment qui semble une éternité, les deux femmes se regardent en silence. Puis Corinne pose la question qui lui brûle les lèvres.

— Comment as-tu fait pour t'en sortir ?

Geneviève ne répond pas. Elle attend un moment, puis se met à fouiller dans son sac avec une lenteur calculée. Elle en sort une petite carte qu'elle pose sur la table de chevet.

— Surtout ne va pas à cette adresse, lui dit-elle d'une voix ferme.

« *Surtout ne va pas à cette adresse !* »

Cette injonction paradoxale plonge Corinne dans la confusion. Ses yeux fixent la carte de visite... Le médecin... cette femme... Laurence. Son demi-sommeil... elle s'en souvient, maintenant. Corinne fait un effort pour s'asseoir, cherche. Où est donc passée l'autre adresse, celle que le médecin... ? Elle se penche, examine le sol. Elle inspecte minutieusement les alentours, ouvre le tiroir de la table de chevet, déplace des magazines. En vain. A-t-elle rêvé ? Peut-être une infirmière a-t-elle jeté le papier ?

Sur la carte de Geneviève, elle déchiffre un nom, une adresse, un numéro de téléphone :

Gérald Rikson

Psychiatre

Sur rendez-vous

Un psychiatre ! Encore un. N'en a-t-elle pas assez sous la main, ici ? Elle hausse les épaules. Elle n'ira pas. On le lui a dit, déjà, que la vie vaut la peine qu'on s'y accroche. Elle a suffisamment pleuré sur son enfance. Crié sur sa mère. Injurié son père. Craché sur les hommes. Et pourquoi ? Pour se retrouver pour la troisième fois à l'étage des soins intensifs, en psychiatrie. Pour la dernière fois, d'ailleurs. La dernière fois.

La porte s'ouvre brusquement devant une femme en tablier, chargée d'un plateau qu'elle pose sur une petite table, contre le mur.

— Il faudra vous lever. Voulez-vous un coup de main ?

— Merci, dit Corinne en se redressant, ça ira. Je suis une suicidée qui a raté son coup, pas une handicapée. Mes jambes devraient fonctionner, enfin, je l'espère.

Dès qu'elle pose les pieds sur le sol, la chambre se met à tournoyer.

— Vous avez le vertige ? Cela ira mieux quand vous aurez quelque chose dans l'estomac. Tenez, asseyez-vous.

Corinne s'installe volontiers sur la chaise, ferme les yeux pendant quelques instants. Quand elle les rouvre, l'étourdissement s'est dissipé.

— Ragoût de mouton aux légumes, annonce la femme au tablier vert. Cela vous remettra d'aplomb. Je vous ai aussi apporté de la tisane de queues de cerise. C'est diurétique.

Devant le regard étonné de Corinne, elle ajoute :

— Cela vous permettra d'éliminer toutes ces drogues que vous avez avalées. C'est ce que préconisent les bons médecins après une tentative de suicide aux médicaments. Je ne parle pas des psychiatres, eux ils vous refilent encore plus de drogues. Je veux parler des naturopathes. Vous avez déjà consulté un naturopathe ?

Sans attendre la réponse, elle continue :

— Comme leur nom l'indique, ils soignent « naturellement ». C'est ce que je conseille à tout le monde, malade et bien-portants. Je parle de la tisane. Moi, j'en bois un thermos par jour. Et toute ma famille y a droit, mon mari, mes enfants, jusqu'aux amis qui viennent en visite. Moi, je suis résolument « nature ». Tenez, le ragoût, je ne vous le conseille pas, allez savoir d'où vient cette viande... On dit que les moutons aussi sont touchés par la maladie de la vache folle... Ce n'est pas sûr, mais cela ne m'étonnerait pas.

Elle parle de façon hachée, rapide, comme si elle avait peur que le temps lui manque, avec un petit accent difficile à identifier.

— Demain, je peux vous apporter un repas végétarien. Mais il faut le demander à l'avance. Quant au ragoût, si vous n'en voulez pas – ce que je comprendrais –, mangez seulement les légumes. Il y a moins de risques. Quoique... On ne sait plus, avec les pesticides ! Pour ce qui est de la tisane, allez-y sans crainte. Cela fait vraiment du bien. Mais si vous n'en voulez pas, laissez-la. Peut-être auriez-vous aimé autre chose que de la tisane ?

Corinne a envie de rire.

— Je préférerais du café, si vous êtes d'accord, un bon café serré.

— Oh ! Moi, vous savez, je ne suis pas chez moi, ici. Je vous donne des conseils, c'est tout. Je vais vous en apporter, mais je me demande si vous faites bien. Le café, c'est un excitant, et comme son nom l'indique, cela excite. Comme un médicament, quoi ! Cela commence par irriter l'estomac, puis ça fait carrément des trous. Vous, on vous a lavé l'estomac, alors, si vous voulez un conseil, évitez le café et tout ce qui fait des trous, pendant quelque temps.

Au grand soulagement de Corinne, un homme en blouse blanche entre dans la chambre.

— Tenez, si vous ne me croyez pas, demandez au docteur, lance la femme. Moi, vous m'excuserez, j'ai d'autres assassinés à servir. Si vous avez besoin de quoi que ce soit, sonnez-moi. Je m'appelle Sonia. Pour demain, de la viande ou végétarien ?

— Je ne sais pas encore, répond Corinne, en lançant au médecin un regard qui ressemble à un appel à l'aide.

L'homme s'adresse à Sonia d'un ton peu aimable.

— Pourriez-vous nous laisser ?

— Elle nous pose quelques problèmes, explique-t-il quand elle est sortie. Elle doit être un peu « désaxée ». Comme nous tous, en psychiatrie. Et quand je dis tous, je me compte aussi. Il est vrai qu'avec le genre de pensionnaires que nous avons... au bout de quelques années, cela déteint un peu.

Corinne voudrait s'en aller. Être ailleurs, dans la rue, dans un square, n'importe où, mais pas ici.

Le médecin continue :

— Elle commet la faute courante que nous faisons tous : elle pense pouvoir aider ceux qui n'ont rien demandé.

Il hausse les épaules en signe d'impuissance, avant d'ajouter.

— Je suis le médecin-chef.

Corinne déchiffre le nom, sur son badge : André Vrydag, psychiatre.

Elle en a vu d'autres, des psychiatres, des sommités médicales, des gens connus mondialement. Pour qui se prend-il, celui-là ?

— Et moi je suis Corinne Bauwens, rédactrice en chef du magazine *Femme nouvelle*, rétorque-t-elle sur le même ton.

L'homme a un bref sourire.

— Je vais vous laisser à votre repas, mangez un peu, ne négligez pas le yaourt, votre calcium a dû chuter fortement. Je reviens dans cinq minutes.

Elle prend quelques bouchées de légumes. Son corps voudrait reprendre des forces, en dépit de sa volonté. Contrairement à ce qu'elle a imaginé, le repas est bon. Elle s'amuse à reconnaître les saveurs : carottes, haricots mange-tout. « *Cela attache à la vie* », pense-t-elle avec lassitude.

Le psychiatre réapparaît alors qu'elle termine la part de repas qu'elle est capable d'absorber. Démarche ondulante, comme s'il essayait d'esquisser des pas de danse... Il prend une chaise, s'assied en face d'elle.

— Vous devez avoir mal à la gorge, n'est-ce pas ? Je vous ai introduit un tube dans l'estomac. Vous l'avez échappé belle. D'après votre dossier, vous en seriez à votre troisième tentative de suicide.

— La docteure Laurence Delbuys m'a déjà fait la leçon, répond Corinne.

Il semble étonné. Corinne le regarde en silence. Pas très grand. La cinquantaine, rondouillard. Le front dégarni. Les joues bien remplies, la peau un peu rouge dès qu'il rit ou parle avec chaleur. Des petites lunettes d'intellectuel. «*Un médecin d'hôpital du modèle courant*», pense-t-elle. Un psychiatre comme les autres. Qui doit connaître ses limites. Qui ne veut plus changer le monde. Le monde est ce qu'il est ? Très bien, qu'il le reste. Il doit être sympathique chez lui, dans son jardin, lorsqu'il explique les petites choses de la vie à ses enfants, ou avec des amis, devant un repas bien arrosé. Un bon vivant. Dans son travail, pas d'une grande efficacité, mais gentil, inspirant confiance. Et qui prescrit volontiers des remèdes, pour prévenir les problèmes, pour se sentir protégé, lui aussi. Question psy, elle a de l'expérience.

— Vous voulez parler ? interroge-t-il doucement. Mais auparavant, recouchez-vous, vous êtes encore faible.

Corinne s'approche du lit à petits pas, comme une femme très âgée. Elle aurait besoin d'une canne, pense-t-elle. Elle se sent mieux dès qu'elle peut s'appuyer à l'oreiller. Le médecin s'approche. Elle fait un effort.

— Écoutez, docteur, je vais vous dire pourquoi je ne vais pas vous parler : tout simplement parce que je sais que vous ne m'écouterez pas vraiment. Vous faites votre travail, mais nous savons tous deux que vous ne pouvez rien auprès de patients déterminés.

Elle s'arrête, reprend son souffle, lui laisse la possibilité de répondre. Il ne dit rien. Elle continue :

— C'est vrai, d'une façon ou d'une autre, que ce soit conscient ou inconscient, je me suis ratée, *cette fois encore*. En dernière minute, j'ai prévenu mon amie, et elle est accourue. Mais elle aurait pu ne pas être chez elle. Bon, il se fait qu'elle était là. La prochaine fois, j'espère pouvoir aller jusqu'au bout. Ne plus avertir. C'est ma vie, et j'estime que j'en fais ce que je veux. Et toutes vos salades n'y changeront rien. C'est la troisième fois que je suis ici, non ? On m'a déjà prise en charge. J'ai déjà été «thérapeutisée», sans succès. Je suis peut-être «inthérapeutisable». La thérapie ne peut m'apporter ce dont j'ai besoin. Et vous devez savoir ce dont j'ai besoin : tout simplement d'amour. Vous avez de l'amour qui traîne dans un coin ? Non ? Alors, laissez-moi tranquille.

Le psychiatre ouvre la bouche. Elle parle avant de le laisser s'exprimer :

— Je vous en prie, ne me faites pas la leçon. Je sais tout ce qu'il faut savoir. J'ai besoin d'amour, parce que je n'en ai pas à l'intérieur de moi, n'est-ce pas ? C'est bon, je connais ces trucs-là. *Je devrais apprendre à m'aimer*. Mais dites-moi, sur quel bouton dois-je pousser pour pouvoir m'aimer ? Hein ? Dites-moi, vous le savez ? Vous vous aimez, vous ? Si c'est le cas, vous avez fait quelque chose pour y arriver ? Cela m'étonnerait. Quand puis-je rentrer chez moi ?

— Je pense que vous devriez rester quelques jours encore en observation. Vous avez ingurgité une grande quantité de médicaments. Vous êtes donc fragile, physiquement autant que psychiquement.

— J'aimerais rentrer demain, si c'est possible. Je vais vous signer une décharge. Dites-moi, qui est le docteur Gérald Rikson ?

— Je ne le connais pas.

Corinne prend la carte de visite sur la table de chevet et la présente au psychiatre. Celui-ci y jette un coup d'œil rapide et hausse les épaules.

— Non, je ne le connais pas, dit-il en lui rendant la carte. C'est votre psy ?

— Mon amie m'a donné son adresse. Elle est infirmière. Et aussi, je pense, la docteure Laurence Delbuys, qui m'a prise en charge au service de garde, et qui m'a sauvée, disons, qui a tout fait pour me sortir du coma, *provisoirement*. Elle m'a laissé une adresse sur la table de chevet. Une adresse où « ... *je ne dois pas me rendre, tout en m'y rendant !* » Je n'ai pas trouvé cette adresse. Je suis curieuse de savoir si c'était la même que celle de Geneviève. Geneviève, c'est mon amie. Elle travaille ici, au service de pédiatrie. Est-elle en service ?

— Qui donc ?

— Mais je viens de vous le dire : la docteure Laurence Delbuys. Une femme distinguée.

Le psychiatre la regarde sans comprendre.

— C'est moi qui vous ai sortie du coma, *provisoirement*. Je n'ai pas de docteure Delbuys dans mon service.

— Je ne sais plus très bien, j'étais dans les vapes. C'était peut-être une infirmière.

— Il n'y a pas non plus d'infirmière du nom de Laurence Delbuys. Vous savez, vous avez traversé en deux jours une multitude d'états. Le cerveau est un phénomène bizarre. Soumis aux drogues, il réagit d'une façon qui nous échappe. On ne sait pas grand-chose sur son fonctionnement.

Elle a un petit rire.

— Vous avouez donc ! Et vous voulez m'aider…
Allons, docteur, vous voilà pris la main dans le sac.

Le psychiatre rit comme un enfant pris en faute. Il a
devant lui la patiente classique, qui contrôle la situation.
Celle « à qui on ne la fait pas ». Qui ne lâche pas prise. Et,
bien sûr, qui ne fait pas confiance aux autres. La seule
ouverture possible, dans ce cas, c'est de la rendre responsable de sa thérapie.

— Que comptez-vous *faire* ?

— Je vais rentrer chez moi, et je ne vais rien *faire*
d'autre que ce que je *fais* d'habitude. La plupart d'entre
nous, docteur, fonctionnent au lieu de vivre. Je vais recommencer à fonctionner. Je vais poursuivre ma vie de
femme solitaire. Rentrer seule chez moi, tous les jours,
après le boulot. Manger sans avoir faim, devant la télé
qui balance chaque soir de féeriques films aussi stupides qu'anesthésiants. Téléphoner régulièrement à ma
fille, pour essayer de rétablir la communication – elle vit
chez son père à qui le juge en a confié la garde, la mère
étant indigne d'élever correctement son enfant. Me
doucher tous les jours pour être propre physiquement,
me parfumer de quelques gouttes d'un élixir prestigieux
qui devrait aider à enivrer les mâles et, peut-être, à trouver l'amour. D'ailleurs, le parfum est l'une de ces petites
choses qui remontent le moral, chaque matin. Comme
le fait d'acheter des fringues, après des centaines
d'essayages, ou d'acquérir quelques bibelots « adorables »
à disposer sur le rebord de la cheminée, ou sur la petite
table du salon, pour épater les rares invités qui n'en ont
rien à foutre de tous ces trucs en porcelaine.

Elle s'arrête, essoufflée. Elle respire, reprend :

— Recouvrer aussi mon titre ridicule de rédactrice
en chef, ce titre convoité par certaines collègues. Un titre
dont la fonction est de sélectionner chaque semaine des
articles sur les relations humaines, sur des enquêtes

soi-disant psychologiques, sur des régimes amaigrissants, et sur des tas d'autres sujets de magazines féminins, qui seront lus par des idiotes comme moi, atteintes d'un inguérissable mal de vivre. Retrouver les lettres des lectrices, souvent peu aimables et parfois même désobligeantes. Et puis il y a les directives venues d'en haut, de chez Dieu le Père, auxquelles il faut se plier, sinon on disparaît vite fait. Il y a deux ou trois ans, il fallait placer le mot « pratique » partout : guides pratiques, fiches pratiques... Les pauvres femmes, on les nivelait. Maintenant, c'est le sexe, il faut en mettre partout, même dans les fiches de cuisine, et de préférence sur la couverture du journal, pour aguicher, niveler d'une autre façon.

Elle poursuit avec une sorte de violence :

— Je vais aussi retrouver la boisson, ma complice des soirs de mélancolie, grâce à laquelle je peux me taper quelques mecs irresponsables, qui me murmurent des mots d'amour pour quelques heures, ceux que j'ai l'habitude d'attirer, les déchets de la société, que les femmes en mal d'amour recherchent désespérément pour les aider à s'adapter à la vie, de manière à se faire aimer en échange de l'aide prodiguée, et qui les quittent une fois qu'ils ont obtenu ce qu'ils désirent et qui boivent, bien sûr, eux aussi, pour pouvoir s'envoyer une *nana-maman*, comme moi. Des mecs qui me dégoûtent, le lendemain matin, au réveil. Et j'attendrai de nouveau le trop-plein de désolation, pour en finir à jamais avec *tout ça*. Avec la « *vie* ».

Elle croit qu'il va parler, mais il reste impassible. Son métier est d'écouter ou de sembler écouter. Elle continue, habituée aux très longues tirades devant les psychiatres de service.

— Vous, docteur, vous n'aurez plus rien à faire avec moi, la prochaine fois. Plus personne à sauver. Rassurez-vous, je vais m'arranger pour vous éviter un travail inutile. Certainement, vous en aurez d'autres, des rebuts de la société dont il faudra s'occuper. La vie, je suppose, vous apporte un flot continu de suicidés. Vous n'aurez donc jamais la paix. Ou peut-être l'avez-vous, au contraire. Vous devez être blindé pour faire ce métier, non ?

Elle se tait. Le psychiatre la regarde pensivement.

— Votre constat de l'existence est presque parfait, reconnaît-il. Vous auriez dû devenir psychiatre. Il est vrai que la vie nous apporte notre flot quotidien de désespérance. Mais contrairement à ce que vous pensez, je n'y suis pas insensible. Et je me désole de ne rien pouvoir faire pour des personnes comme vous. Nous avons nos limites, madame, et ces limites, ce sont nos patients qui nous les fixent. Vous avez raison, votre vie vous appartient et vous êtes libre d'en faire l'usage que vous voulez. Personne ne peut vous en empêcher. Je ne le ferai pas. En vous avertissant que vous êtes fragile, ce que je voulais dire, c'est que vous ne voyez, pour l'instant, qu'une facette de la vie : celle de la désillusion. Mais il y a une autre facette, que vous occultez. Il est juste que vous preniez une décision en évaluant correctement votre place en ce monde. Vos difficultés, frustrations, manques d'amour et autres *injustices* vous empêchent de juger l'ensemble de votre histoire. Notre rôle, *mon* rôle, est de vous permettre d'en voir l'unité. Il y en a une. Votre responsabilité, alors, consistera à prendre la meilleure décision de vie – ou de non-vie – en fonction de ce que vous aurez réellement observé. Aujourd'hui, dans votre situation, vous n'êtes pas à même d'entrevoir l'autre flanc du monde.

Il la regarde dans les yeux. Il a l'air doux, comme s'il parlait à un enfant.

— Voulez-vous vous laisser une chance d'observer la totalité, avant de décider ?

— Je n'ai que trop bien observé. Cela fait trente-six ans que j'observe, étudie, examine, pèse le pour et le contre. J'ai fait mon choix, merci. Si vous voulez faire quelque chose pour moi, alors s'il vous plaît faites-moi sortir d'ici au plus vite.

— Vous me signez une décharge, et vous êtes libre.

Il ajoute :

— Pour des raisons administratives, ce ne sera pas avant demain à 14 h.

— Merci docteur. Vous avez fait ce que vous pouviez, comme on dit.

Le psychiatre se lève. Il secoue la tête, perdu dans ses pensées.

— Je reviendrai vous voir demain matin.

— Ce n'est pas la peine, je vous en remercie néanmoins. Si j'ai besoin de vous, je vous ferai appeler. Encore merci.

Après le départ du psy, Corinne s'assoupit quelque temps. Dans la soirée, elle est réveillée par le téléphone. C'est Geneviève.

— Alors, s'enquiert celle-ci, tu as vu le médecin ?

— Oui, je sors demain à 14 h. C'est moi qui ai demandé à sortir, et il n'a pas fait d'objection.

— Tu as mangé ?

— Un peu, oui, des légumes.

— Et lui, qu'a-t-il dit ?

— Qui donc ?

— Le psy. Il t'a proposé une thérapie ?

— Il a essayé, mais j'ai refusé. Je ne veux plus de thérapie. Cela ne marche pas avec moi. Dis-moi, qu'est-ce que c'est que cette adresse, le psychiatre Rikson ? C'est une plaisanterie ?

— Corinne, tu m'as demandé comment je m'en suis sortie. Cette carte de visite est ma réponse. Mais je ne t'ai pas conseillé d'y aller. Tu as mal entendu. Je t'ai dit de ne pas y aller. Il est un peu spécial, un peu sorcier dans son genre.

Corinne se met à rire.

— À quoi joues-tu ? C'est un sorcier ? Un gourou ? Il t'a envoûtée ?

— Qu'est-ce que tu risques ? Tu es déjà morte.

Il y a un silence épais. Corinne encaisse le coup, se mord les lèvres. Elle s'appuie fort à l'oreiller, comme pour chercher un refuge.

— Tu as raison, finit-elle par souffler. Tu as raison. Excuse-moi.

Elle marque un temps avant de demander, embarrassée :

— Est-ce que tu pourrais venir me chercher, demain ?

— Ce serait avec plaisir, mais je serai de service. Veux-tu que je demande à ta mère ?

— Surtout pas. Je ne veux pas que mes parents sachent, ni personne. C'est un secret entre nous. J'ai oublié de te demander : as-tu averti le bureau ?

— C'est la première chose que j'ai faite ce matin, pour que l'on ne s'angoisse pas en t'appelant sans résultat. Pour le boulot, tu as eu une syncope due au surmenage. Tout le monde a trouvé cela tout à fait normal. Tu travailles trop. Tes collègues t'ont prévenue plusieurs fois. Tu n'en fais qu'à ta tête. Mais tu ne dois pas t'inquiéter, c'est une certaine Monique qui prend le relais. Qu'elle se repose, qu'elle prenne le temps qu'il lui faut, m'ont-elles dit. Elles vont passer te voir demain après-midi. Tu ne seras plus là, tu pourrais leur téléphoner avant. Je m'étonne que tu n'aies pas encore eu de leurs nouvelles !

— Moi pas. Elles doivent être bien contentes, au fond, que je craque. Et même jubiler. Mais je m'en fiche. Comme tu l'as si bien dit, je suis déjà morte. Je n'ai donc plus de raison de m'inquiéter.

IV

Corinne se fait couler un bain. Il y a trois jours maintenant qu'elle est rentrée chez elle. Le psychiatre de l'hôpital lui a prescrit le repos absolu. Interdiction de reprendre son travail avant quatre semaines, au moins. Qu'elle parte en vacances, à la mer, à la montagne, qu'elle fasse du lèche-vitrine, qu'elle aille au spectacle, ou Dieu sait où... a-t-il dit, mais pas au travail.

« Il sera toujours assez tôt pour retrouver le stress quotidien, a-t-il dit. Prenez du temps pour vous, du temps pour faire le point, pour vous reconstruire. »

Au journal, c'est Angela, la rédactrice en chef adjointe, son bras droit, qui la remplace provisoirement. Elle n'attendait que cela. « Une ambitieuse prête à tuer père et mère pour obtenir ma place. Elle y arrivera un jour », se dit Corinne en fermant les yeux et en laissant la chaleur de l'eau l'envelopper. Elle joue avec la mousse, gestes machinaux comme des gestes d'enfance. « Je suis injuste, se reprend-elle, elle est ambitieuse, enthousiaste, elle rêve d'une belle carrière, mais elle est pleine de gentillesse, et elle a deux enfants en bas âge qui comptent plus que tout pour elle. »

Sa tension se relâche. L'image d'Adrian traverse ses pensées. Il a essayé plusieurs fois de l'appeler, a laissé de nombreux messages. Ayant appris le malheur, il avait l'intention de la soutenir, disait-il, comme le ferait tout véritable ami dans un moment difficile. Il se sentait « un peu responsable » de ce qui était arrivé. Il avait besoin de la voir, de s'expliquer. Il se rendait compte qu'il avait été brutal, il regrettait la façon maladroite dont il s'y était pris pour lui annoncer la rupture, il ajoutait qu'il était soulagé, tout de même, qu'elle s'en soit bien sortie...

Chaque jour, il lui a fait livrer des bouquets, des roses, des orchidées, des fleurs des champs. C'est son truc à lui, les fleurs. Elles devraient effacer tous les différends, être ses porte-parole, transmettre l'essentiel.

Cette pensée aurait provoqué chez Corinne une terrible colère si elle n'avait pas décidé de se ménager. En tout cas, il est hors de question qu'elle revoie ce salaud, ce pervers ! Pourtant, elle n'arrive pas à lui en vouloir vraiment. Il est ce qu'il est, un pauvre type incapable de s'engager, comme la plupart des hommes ! Adrian rêve d'un lien durable, elle en est persuadée, et pourtant il saborde toute relation à long terme. Il ne sait ni où il va, ni ce qu'il veut... En attendant, il bousille les femmes qu'il approche.

Elle sort du bain et, pour la première fois depuis le « soir de l'anniversaire d'Adrian », elle se regarde dans la glace. « J'ai une "petite mine", se dit-elle, mais je ne suis quand même pas trop moche. » Elle a son expression habituelle, son apparence de femme qui va de l'avant, qui marche la tête haute en dépit de tout. Ses cheveux sont trop courts. Elle décide une fois de plus de les laisser pousser. Elle ne veut plus de ce visage nu, elle a envie de le cacher, de le protéger, de l'adoucir.

En ce qui concerne sa vie amoureuse, elle ne peut s'en prendre qu'à elle-même. C'est elle qui jette son dévolu sur des types de l'espèce d'Adrian, elle qui s'épuise à les entretenir, à leur donner tout ce qu'elle est capable de donner, sans chercher à rien obtenir en retour, elle qui les installe dans une relation de mensonge et de trahison. Elle met en scène des hommes qui ont peur de la vie, qui fuient l'intimité et qui reculent devant toute implication durable. Elle n'est pas capable de se faire aimer d'un partenaire normal. Ni de se faire respecter. Ni même de se supprimer. Est-elle à plaindre ou à blâmer ? Que vaut-elle en tant que femme ? Si elle n'arrive pas à former vraiment un couple, avec un homme digne de ce nom, au moins, la prochaine fois, elle réussira son départ.

Le lendemain, elle reçoit un appel téléphonique du docteur Vrydag, qui lui demande de passer à hôpital, le plus vite possible.

— Pourquoi ?

— Nous avons fait une prise de sang, lorsque vous êtes entrée aux urgences, par précaution. Nous venons d'examiner les résultats et il semblerait qu'il y ait quelque anomalie. Il doit s'agir probablement d'une intoxication du sang attribuable aux médicaments absorbés. Pourriez-vous passer demain matin, à huit heures, à jeun ?

— À jeun ?

— On va vous faire une nouvelle prise de sang. Rassurez-vous, c'est une analyse de routine pour s'assurer que les traces ont bien disparu.

Sa voix est sèche, professionnelle. Désagréable, pense Corinne avec une pointe d'agacement.

À peine a-t-elle raccroché que Patrick arrive avec Julie, leur fille. Ils ont convenu ensemble de lui cacher la tentative de suicide. Version officielle : surmenage et coup de déprime. Tout le monde peut craquer.

Sa fille l'embrasse plus tendrement que d'habitude. Elle-même ressent un immense plaisir à la voir. Patrick lui trouve une « petite mine » et propose de garder Julie pendant quelques jours pour que Corinne puisse se reposer.

Corinne, qui se sent très fatiguée, accepte. La fillette apprête son sac, pendant qu'elle prépare un café pour Patrick.

— Une fois encore…, dit-il simplement.

— Une fois de plus sans résultat, rétorque-t-elle, amère. Et toi, est-ce que tu ne rates jamais rien ? Tes tiercés, par exemple ?

— J'ai gagné dix bonus 4… sur un quinté, répond-il avec une voix de collégien. Tu sais, c'est rare, et c'était un jour où ça payait bien, j'avais eu une bonne intuition…

Il passe sa vie à se justifier d'une chose ou d'une autre. Il paraît plus jeune que son âge. « L'alcool conserve », pense-t-elle. Ou les errances de gamin.

Elle le regarde : il a toujours du charme, avec ses yeux bleus et ses cheveux foncés. Mince, de la classe, sauf lorsqu'il est « bourré ». Et encore : même là il ne tombe jamais dans la vulgarité, simplement il parle trop, avec une gaieté exagérée.

Elle serre Julie contre elle, tendrement. Comme lors de retrouvailles après un au revoir qui aurait dû être définitif. « Tu as grandi », dit-elle. Elle contemple le petit visage fin au regard interrogateur, du même gris-bleu que celui de son père, encadré de cheveux châtain coupés au carré. Des cheveux légers, encore enfantins.

La deuxième prise de sang a confirmé le bilan de la première, et Corinne doit se soumettre à une série d'examens désagréables. « Il y a quelque chose »... mais quoi ?

Corinne se sent tenue à l'écart. Elle vient de publier un article sur la désacralisation actuelle du médecin, sur la coopération avec le malade. On est loin du compte ! On la traite comme si son corps ne lui appartenait pas.

— Comment est la radio, pouvez-vous me donner quelques indications ? demande-t-elle au radiologue.

— Je ne sais pas, vous verrez ça avec votre médecin.

Il semble absent. Elle ressent une sorte d'angoisse.

— Personne ne sait jamais rien dans les hôpitaux, lance-t-elle. Qu'est-ce que c'est que ces mystères ? Vous êtes un radiologue, vous pouvez me donner un avis ! D'ailleurs, pourquoi une mammographie ? Il me semble que j'ai le droit de savoir, non ?

— Je suis désolé, madame, mais un constat ne peut être fait que par le médecin responsable qui a réuni tous les éléments. Je ne suis pas à même de vous fournir une quelconque information, et je n'en ai pas le droit. Patientez un peu. Après la biopsie, nous en saurons davantage.

Une biopsie ? Voilà qui ne la rassure guère, mais que faire d'autre que se soumettre aux règles du milieu hospitalier ?

Enfin, on lui parle d'une petite excroissance, un kyste au niveau du sein gauche. Rien de grave sans doute, mais il faut vérifier. La routine, encore !

Et la revoici dans le cabinet du docteur Vrydag, assisté pour la circonstance du docteur Vogels, un jeune chirurgien particulièrement doué pour les opérations délicates, apprend-elle. Deux médecins pour lui annoncer un diagnostic, cela ne présage rien de bon...

Elle se sent nerveuse. Que va-t-il lui arriver encore ? La vie, décidément, lui en veut ! Qu'a-t-elle bien pu faire de si abominable, dans une existence antérieure ? Dieu seul le sait... Mais Dieu existe-t-il seulement ?

Le psychiatre parle le premier, cite des chiffres, utilise des termes scientifiques parmi lesquels, au vol, Corinne entend le mot « tumeur ». L'autre, le chirurgien, prend le relais. Il se lève, présente à Corinne une radiographie qu'il commente :

— Vous voyez cette ombre ? lui demande-t-il.

— Oui, répond-elle, inquiète. De quoi s'agit-il ?

— Un néoplasme, une petite tumeur dans le sein gauche.

— Une tumeur... répète-t-elle en se refusant à comprendre ce qu'il essaye de lui dire.

Il se tient droit comme un i dans sa blouse blanche, avec ses lunettes de myope à verres épais et son air de futur vieux garçon. Il parle sans la regarder, en fixant le fond de la pièce, comme s'il était très gêné ou très indifférent.

— Nous avons vérifié. Le prélèvement de tissu, c'est-à-dire la biopsie, ne trompe pas, il s'agit d'une tumeur maligne.

Les mots, comme une lame coupante, lui traversent la poitrine, le cœur, le corps entier.

— Vous êtes en train de me dire que j'ai un cancer du sein, c'est ça ?

— Ne voyez pas cela comme une sentence, répliqua le chirurgien, je peux vous certifier que, pour ce type de pathologie, nous avons des solutions efficaces et des résultats satisfaisants, bien au-dessus de la moyenne.

La réplique escamote habilement le mot « cancer ». On tente de la tranquilliser, mais Corinne n'écoute plus. Elle tremble de tout son corps, remplie d'angoisse.

— La vie est juste, bredouille-t-elle enfin. Je... voulais mourir... et je me suis ratée. Le destin fait bien les choses... il n'y a pas de hasard.

Elle éclate en sanglots. Le docteur Vogels s'approche, pose une main sur son épaule. Il attend qu'elle se calme, puis reprend la parole.

— Madame, accordez-moi toute votre attention. Nous pouvons agir de deux façons différentes. Vous allez devoir faire un choix. Personne ne peut le faire à votre place. Chacune de ces méthodes a ses avantages et ses inconvénients. La première est le traitement par chimiothérapie que vous devrez subir pendant environ huit semaines. S'il réussit, c'est-à-dire si la prolifération des cellules malignes cesse, si la tumeur régresse et disparaît, vous pourrez vous considérer comme guérie au bout de trois ans. Nous préférons parler de rémission, car le risque d'une rechute existe toujours. Nous ne savons pas pourquoi, mais les cellules saines peuvent s'affoler à tout moment, et reprendre leur progression anarchique. Vous ne serez jamais totalement à l'abri.

Corinne écoute sans entendre vraiment.

— La deuxième méthode, celle que je préconise dans votre cas, consiste à enlever le sein malade. Cela peut sembler effrayant mais, je le répète, dans votre cas, c'est ce qui vous donnera le plus de chance d'être débarrassée de toute menace future.

— Vous allez me mutiler...

— Nous allons vous guérir, madame. Je vous promets que la chirurgie plastique fait des merveilles. Personne, pas même les proches les plus intimes, ne peut deviner la présence d'une prothèse.

Les deux hommes échangent un regard, lui expliquent qu'elle doit réfléchir, peser le pour et le contre, en parler peut-être à des proches.

— Vous pouvez demander un autre avis également, bien sûr. Mais il ne faudrait pas trop attendre.

— Non, dit-elle brusquement. Pas besoin d'attendre. Je ne suis pas d'accord.

Le chirurgien hoche légèrement la tête. C'est une réaction qu'il connaît bien.

— Sur quoi n'êtes-vous pas d'accord ? demande le psychiatre.

— Sur tout. Sur rien. Je refuse ce que vous me conseillez. Je voulais me détruire, c'est l'occasion ou jamais. J'en ai assez de cette vie ratée. Je ne me vois pas affronter l'existence, ainsi mutilée. J'ai voulu mourir faute d'avoir réussi une relation avec un homme. Qui donc va m'aimer estropiée ? Vous parlez de quelque chose qui vous échappe, vous les hommes. Vous pensez me sauver ? Mais vous me condamnez à végéter, à me cacher, à raser les murs de la vie. Savez-vous ce que cela représente, pour une femme, les seins ? La féminité, la beauté... Non... Je regrette, c'est non, je préfère mourir. Mourir, je sais ce que c'est. Vous parlez à une initiée.

Elle baisse la voix avec un geste de la main :

— Imaginez un instant... Vous tenez une femme dans vos bras... vous êtes sur le point de lui faire l'amour... vous vous déshabillez, et vous dévoilez un pénis amputé, ou rafistolé... vous voyez le tableau ? Savez-vous combien d'hommes, par crainte de n'être pas à la hauteur, ne bandent pas ? Moi je le sais, j'en ai connu assez. Et ceux-là étaient normaux. Entiers. C'est la prestation qui leur fout la trouille à tous, pas l'organe. Ils sont sensibles à la démonstration. Au spectacle. Comme un acteur avant le lever de rideau, ils sont totalement paralysés par le trac. Alors, avec un pénis diminué, je vous laisse deviner les dégâts... Nous, les femmes, nous pouvons tricher, faire semblant, le temps de nous adapter au partenaire. On peut simuler la passion, il n'y a rien qui fasse obstacle à l'acte... sauf... un corps... répugnant. Une femme sans poitrine, détruite, amputée, avec des cicatrices partout... une morte-vivante. Une momie.

Elle a une grimace.

— Non. C'est non à tout. Vous ne m'aurez pas. La vie ne m'aura pas. Je refuse tout net. Vous pouvez m'oublier.

Elle se lève, rassemble ses affaires et se dirige vers la porte.

— Attendez ! crie le docteur Vrydag. Vous prenez là une terrible décision. Je ne crois pas que vous puissiez bien vous en rendre compte pour le moment. Vous êtes sous le coup de l'émotion. Donnez-vous le temps de la réflexion... Oui, prenez le temps de réfléchir, de peser votre décision.

— Vous n'avez pas compris : je ne suis que la rescapée d'un suicide. Je ne veux plus vivre. Je refuse tous les aléas et, dorénavant, je dessine moi-même les plans de mon destin – un destin qui prend fin – heureusement.

Dans le couloir de l'hôpital, elle reconnaît la femme de service qui lui a servi son repas et recommandé d'éviter la viande. Elle pousse un chariot couvert de plateaux. Lorsqu'elle voit Corinne, elle l'appelle.

— Madame...

— Oui ?

— C'est pour vous, dit-elle en tirant de sa poche un feuillet plié en deux.

Corinne prend le papier, le déplie, lit: *Docteur Gérald Rikson. N'y allez pas.*

Elle a un choc. Elle lève la tête, regarde autour d'elle.

— Qui vous a remis cela?

— Madame Delbuys.

— La docteure Laurence Delbuys? Une femme brune, un médecin?

— Oui, une brune à cheveux longs, en blouse blanche. Elle m'a dit «de la part de la docteure Laurence Delbuys».

— Où puis-je la trouver?

— Je ne sais pas, répond la femme. Je ne l'avais jamais vue, auparavant.

Puis elle dévisage Corinne.

— Dites, vous n'allez pas mieux, d'après ce que je vois. Vous avez pris de la tisane de queues de cerise? Non, n'est-ce pas? Vous avez le teint brouillé. C'est diurétique, la cerise, ça vous permet d'éliminer, ça lave l'intérieur du corps.

Puis elle reprend son chariot et poursuit sa route. Le regard de Corinne la suit cependant qu'elle s'active dans le couloir, s'arrêtant à chaque chambre pour déposer les repas. «Avoir des idées fixes, être heureuse des petits détails de la vie, quelle chance!»... Mais son esprit est ailleurs. Qui est cette femme médecin entrevue au réveil et qui prétend l'avoir sauvée? Tout se mélange dans sa tête. N'est-ce pas le docteur Vrydag qui l'a ranimée? Lui non plus n'a pas l'air de connaître cette femme à longs cheveux bruns. Peut-être est-ce une stagiaire?

Elle relit le message: «Docteur Gérald Rikson. N'y allez pas!»

Dehors, le soleil de midi la frappe au visage. Les bruits de la rue, les gaz d'échappement des voitures, la vue des passants, les couleurs de l'existence, tout cela lui fait tourner la tête. Elle se sent mal, tout à coup, s'appuie contre un mur et, penchée en avant, se met à vomir. Il lui semble que ce sont trente-six années de souillures qui sortent d'elle, par saccades. Elle vomit l'imparfait, le sale, le non-résolu de sa vie, tout son mal-être. Seule.

Quand le malaise est passé, elle regarde autour d'elle. Personne ne s'est inquiété de la voir dans l'embarras. L'a-t-on remarquée, seulement ? Les gens passent, vaquent à leurs occupations, chacun préoccupé de résoudre ses propres problèmes. Seul à la naissance, seul dans l'existence, seul dans la mort.

Elle respire profondément. Elle perçoit les couleurs de la rue, comme si c'était la première fois. Tout lui paraît lumineux. Elle a l'impression de comprendre enfin le mystère de la vie et de la mort. Elle n'a plus peur de rien. Elle a atterri un jour sur cette planète, s'est agitée, jour après jour, sans but réel, comme une fourmi passe sa vie à s'occuper sans jamais parvenir à connaître le sens de son activité fébrile. Elle disparaîtra comme elle est venue, et d'autres prendront la relève.

Ce n'est rien de bien sérieux, la vie. Elle se sent en paix avec elle-même, en accord avec le monde entier. Elle fait l'expérience de son appartenance à la création, à quelque chose de plus grand, qui n'a pas de nom. Elle sait maintenant que comprendre quoi que ce soit, à son niveau, n'a pas la moindre importance. Dans le chaos, il y a un ordre. Sa venue et son départ en font partie. Elle n'a pas besoin d'en savoir plus.

Sa résolution est prise. Elle va rentrer chez elle, et se supprimer. Personne ne l'attend. Cette fois, ce sera pour de bon. C'est son droit.

La porte de son appartement est ouverte. Elle est certaine, pourtant, de l'avoir bien verrouillée. Un cambriolage ? se demande-t-elle. Elle entre prudemment. Tout a l'air en place. Rien n'a été dérangé. Un bruit léger lui parvient de la cuisine. Elle s'immobilise, l'oreille aux aguets. Quelqu'un marche dans la pièce voisine.

— Qui est là ? demande-t-elle.

— C'est moi, répond la voix de Patrick.

— Qu'est-ce que tu fais là ? Où est Julie ?

Ce n'est pas dans ses habitudes de passer à l'improviste. En dix ans, cela ne lui est jamais arrivé. Quelque chose de grave a dû se passer.

— Julie a un problème ?

— Julie n'a rien, répond-il calmement, elle est dans sa chambre.

Corinne devine une présence. Elle tourne la tête et voit Julie, près de la porte, mince, fragile dans son jean gris et son pull blanc. Son visage est décomposé. Un instant, la mère et la fille se regardent en silence. Puis Julie se jette dans les bras de sa mère.

— Maman ! Je ne veux pas que tu meures.

Patrick s'assied sur le canapé, touché par la réaction de sa fille, un peu jaloux. Il se sent comme un intrus, exclu de l'intimité retrouvée entre son ex-femme et sa fille. Jamais il n'a réussi à établir avec l'enfant une union aussi profonde. Malgré tout ce qu'il a fait pour elle, malgré les calomnies déversées sur sa mère – un vrai venin reconnaît-il parfois – Julie aime sa maman, d'un amour qui dépasse la raison. Il a été pour elle un père attentionné, il a même sacrifié son avenir professionnel pour être le plus présent possible. Tout cela ne compte pas, il le voit bien. Quelque chose de très fort et de mystérieux lie la mère et la fille, quelque chose d'indestructible qui l'irrite et le blesse.

Il attend qu'elles se soient calmées, toutes les deux. Corinne essuie les yeux de sa fille, comme elle le faisait au temps de sa toute petite enfance.

— Je connais quelqu'un, à l'hôpital, qui a jugé bon de me prévenir, dit-il enfin.

Elle a un geste brusque.

— Oui, je sais, c'est interdit, il y a le secret médical... Mais voilà, je sais tout sur ta maladie. On m'a demandé si tu avais des parents, quelqu'un qui puisse prendre soin de toi. Je sais que tu ne veux pas voir tes parents se mêler de ta vie. J'ai préféré passer te voir. Tes médecins ont peur que tu fasses une bêtise. Je suis venu avec Julie, car elle a le droit de savoir.

Il s'arrête un long moment.

Corinne encaisse le coup. Puis elle s'adresse à sa fille.

— Julie, je t'en prie, laisse-nous quelques instants. Juste quelques instants. Si tu pouvais aller dans ta chambre, ce serait bien, j'ai à parler à ton père.

Corinne attend que la porte se soit refermée derrière l'enfant et, sans élever la voix, s'adresse à son ex-mari :

— Il n'était pas prévu que quelqu'un soit chez moi à mon retour de l'hôpital. J'aimerais que vous sortiez d'ici et que vous me laissiez seule. J'ai besoin d'accomplir la chose la plus importante de ma vie, ma mort, et cela ne te regarde pas.

Patrick ne paraît pas étonné. Il s'approche de la fenêtre, regarde la ville, scrute le ciel, comme pour deviner quel temps il fera demain. Puis il revient vers elle. Il lui paraît étriqué, plus petit que d'habitude.

— Je suis d'accord avec toi. Cela ne regarde personne. Et ce n'est certainement pas à moi de te dire quoi que ce soit. Un jour, peut-être, je ferai comme toi. Nous sommes dans la même galère. Si je suis ici, c'est pour

Julie. Elle entre dans l'adolescence, et malgré tout ce que j'ai fait pour l'élever à ta place, je pense qu'elle a besoin de sa mère. Elle te réclame à tout moment. J'ai pourtant tout fait pour la détourner de toi, je l'avoue.

Son ton se fait amer :

— Que veux-tu, je suis un monstre, je le sais. Si tu n'avais pas les problèmes que tu as, je ne t'aurais pas parlé de cette façon. Je suis désolé pour toi, pour ta maladie… C'est cruel, ce qui t'arrive. Mais s'il te reste du temps de vie, offre-le à Julie, elle en a besoin. J'ai fait des tas de conneries et j'en ferai encore, mais pour la première fois de ma vie, je prends mes responsabilités… Nous avons une fille. Elle n'aura jamais aucune autre mère. Tu ne t'en es jamais occupée, j'ai d'ailleurs tout fait pour te mettre des bâtons dans les roues. Je te le répète, oublie-moi, je m'efface ; aujourd'hui, c'est Julie qui compte… Comprends-moi bien : elle ne m'a pas demandé l'autorisation de revenir vivre chez sa mère ; elle l'a *décidé*. Elle veut vivre avec toi. «Une maman, ce n'est pas la même chose qu'un papa.» C'est ce qu'elle m'a dit.

Il a un rire :

— Je ne sais pas où elle a entendu cette phrase, mais je ne peux rien faire pour la dissuader. À moins que tu ne veuilles pas d'elle, ce que je pourrais comprendre, car tu as pas mal de choses à régler.

Corinne a écouté son ancien compagnon avec des sentiments mélangés. Il a l'air sobre, pour une fois. De quel droit lui donne-t-il des leçons, lui, l'épave qui vit aux crochets des autres, des femmes de préférence, en leur débitant des discours écologiques destinés à masquer le vide de sa vie ? Ce gamin fixé à tout jamais dans l'adolescence, qui refuse de grandir, voilà qu'il lui parle de responsabilités… Connaît-il seulement le sens de ce mot ?

— Il fallait que la menace de la mort pèse sur moi pour que tu deviennes humain, dit-elle. Je n'ai pas besoin de ta pitié. Je ne crois pas un mot de ce que tu racontes. Ce que je crois, c'est que tu m'offres notre fille comme une consolation, peut-être pour te déculpabiliser de tout ce que tu m'as fait. Tu crois que tu vas t'en tirer comme ça, n'est-ce pas? Que tout est oublié, lavé, pardonné? Il y a une chose qu'il faut que tu saches: je ne veux plus vivre. Plus rien ne me touche, aujourd'hui. J'ai tout raté. Toi aussi, d'ailleurs. Je pense que tu te fiches pas mal de ce que Julie ressent, tu veux juste lui prouver ta grandeur d'âme. Le père qui est prêt à perdre sa fille pour donner quelques mois de bonheur à sa mère. Tu m'écœures. Tu es un manipulateur.

Elle allume une cigarette dont elle aspire une longue bouffée. Elle est soulagée d'avoir exprimé ce qu'elle avait sur le cœur. Quelque chose pourtant sonne faux. Elle n'est plus très sûre de vouloir mourir. Depuis si longtemps, elle a fait tout ce qui était en son pouvoir pour que Julie se tourne vers elle, sans jamais avoir senti un geste, un élan d'amour venant de sa fille.

Elle se souvient de toutes ces années. La petite, sans doute, ne se sentait pas le droit d'aimer sa mère tant Patrick la manipulait, lui racontait des horreurs... Pendant les «droits de visite», l'enfant passait des heures au téléphone, à parler à son père. Aucun appel à Corinne, par contre, lorsqu'elle était chez lui. Quand la mère appelait pour prendre des nouvelles, Julie répondait à peine. Oui... non, lâchait-elle butée, décidée à ne pas se livrer. Corinne soupçonnait Patrick de se tenir à proximité. Julie suivait les consignes de son père: surtout ne pas aimer sa mère qui était, d'après lui, «une traînée» qui l'avait quitté pour une histoire de cul. Une mère indigne. La preuve? La société, la loi, les juges l'avaient condamnée en confiant son éducation au meilleur des deux parents : lui.

Quel dilemme pour Julie : si elle montrait de l'amour pour sa mère, elle trahissait les sacrifices que son père avait faits pour se consacrer à son éducation ; si elle obéissait à son père, elle reniait sa mère. De quoi rendre fou n'importe quel enfant. Et voici que tout est changé...

Tous ses plans sont bouleversés. Il y a quelqu'un qui l'aime. Sa propre fille. Son bébé. Son sang.

Elle se sent remplie d'émotion. Des larmes coulent sur ses joues, des larmes qui lui sont douces... Julie lui revient. Miracle de la vie et de la mort. Sa fille a besoin d'elle. Elle a osé défier l'autorité de son père. Elle a détruit ce mur de haine qui les séparait, malgré les risques. Car si sa mère la renvoie à son père, Julie aura tout perdu. Il ne lui pardonnera jamais son revirement. Elle se retrouvera seule. Oui, elle mérite qu'elle lui consacre du temps. Mais quel temps ? N'est-il pas trop tard ? Elle est condamnée. Où va-t-elle trouver la force de se battre ? Si elle veut ajouter de la vie à sa vie, il lui faudra encore souffrir, se laisser mutiler. Sacrifier sa féminité pour obtenir, peut-être, un délai... Où puiser l'énergie nécessaire ?

— J'ai besoin de toi, maman.

Julie, revenue dans le salon, se blottit dans les bras de sa mère. Corinne respire l'odeur de ses cheveux, la même que lorsqu'elle était bébé.

— Tu m'as manqué, dit Julie, d'une toute petite voix. Je ne veux plus te perdre. On va se sortir de tout ça, ne t'en fais pas, je vais t'aider, maman.

Corinne pose la main sur la tête de sa fille. « Quelle chose curieuse que la vie ! » se dit-elle. Elle se sait impuissante devant l'adversité. Elle a acquis la certitude que les bonnes intentions ne suffisent pas.

Elle sera seule à devoir accepter la décrépitude de son corps. Dans quelques années, Julie sera une femme. Elle fera sa vie, loin de sa mère dont elle n'aura plus besoin. Et elle se retrouvera seule de nouveau, avec son corps délabré.

Elle ne peut rien promettre. Elle doit réfléchir. Elle n'est plus tout à fait certaine de vouloir mourir. Ni de vouloir vivre. Elle se souvient, brusquement, de ces mots mystérieux: « Docteur Gérald Rikson. N'y va pas ! »

— Laissez-moi un peu de temps pour m'organiser, dit-elle. Je dois consulter quelqu'un. Je dois comprendre dans quoi je m'engage. S'il subsiste une quelconque lueur d'espoir dans tout cela, il est possible que je puisse agir de façon positive. Pour le moment, je suis à bout, je ne sais plus où j'en suis. C'est aussi une preuve d'amour que de me laisser tranquille.

Elle relève le menton de sa fille pour la contraindre à la regarder dans les yeux.

— Julie, je te demande d'habiter encore un peu chez ton père, j'ai des démarches à effectuer. Et puis, je me sens tellement fatiguée.

— On l'appellera tous les jours, intervint Patrick.

Elle caresse doucement le visage contracté de sa fille qui la regarde non plus avec des yeux d'enfant mais avec un regard plus profond, plus inquisiteur, un regard d'adulte.

— Je ne prendrai aucune décision sans t'en parler ma chérie, promet Corinne. C'est juré.

Une fois seule, Corinne prend le téléphone, compose le numéro de Geneviève. Absente ! Elle laisse un message sur le répondeur, lui apprend son cancer.

Lorsque Geneviève rappelle, sa voix est calme malgré l'émotion.

— Dès que j'ai pris connaissance de ton message, j'ai appelé le docteur Vogels, c'est un ami. C'est moche de recevoir ce genre de nouvelle, mais ne t'inquiète pas, je suis bien placée pour le savoir, le cancer du sein se guérit très bien, la plupart du temps.

— La plupart du temps, reprend Corinne sur un ton sarcastique. Ça, c'est pour les gens normaux. Mais avec ma chance habituelle... Les médecins me proposent un choix cruel : chimio ou chirurgie. Quel cadeau que ce choix entre le moins bon et le pire ! De plus, l'option est illusoire, car c'est l'ablation du sein qu'ils préconisent. Tu connais donc le docteur Vogels ?

— C'est un chirurgien doué. Il opère avec sûreté, c'est rassurant de savoir qu'il s'occupe de toi. Bien sûr, il manque un peu de diplomatie ; il va droit au but, sans se perdre en conjectures. Il va à l'essentiel. S'il t'a conseillé la chirurgie, tu peux lui faire confiance. Mais qu'est-ce qui t'empêche de consulter quelqu'un d'autre ? Pourquoi n'irais-tu pas voir le docteur Henri Quintin ? C'est une sommité en oncologie. C'est un vieux bonhomme, retraité, mais on fait encore appel à lui pour confirmer un diagnostic. Le personnel médical de plusieurs hôpitaux où j'ai travaillé ne tarit pas d'éloges à son sujet. Je te donne son adresse ?

Corinne ne répond pas. Il y a un silence des deux côtés.

— Tu es toujours là ?

— Écoute, Geneviève, en rentrant de l'hôpital, j'ai eu la visite-surprise de Patrick. Il m'attendait chez moi avec Julie. Quelqu'un lui a parlé de mon cancer. Ce n'est pas déontologique, mais finalement, ce n'était pas une mauvaise idée. Il en a parlé à Julie, et par mon épreuve, elle a enfin trouvé la force de s'affirmer : elle veut vivre chez moi. Elle réclame sa maman. J'imagine le courage qu'il lui a fallu pour braver l'autorité paternelle ! Elle m'a réconciliée avec ma fonction de mère. Tu vois, j'avais envisagé de rentrer et de me supprimer une bonne fois pour toutes. Je ne sais pas si tu te rends compte de la somme de catastrophes qui s'abat sur moi. J'en ai tellement assez ! Lorsque ce n'est pas une tuile, c'en est une autre. Bref, j'étais déterminée, mon plan était clair... Tu m'as dit un jour qu'un suicide qu'on annonce est un peu ridicule. Je passe ma vie à être ridicule. Maintenant, je ne sais plus où j'en suis.

— Quelle a été la réaction de Julie ?

— Elle ne veut plus me perdre, elle veut m'aider à m'en sortir. Elle est naïve, c'est une enfant. C'est son bien-être qu'elle recherche, cela n'a rien à voir avec moi. Il faut préciser que Patrick a rencontré une nana qui ne semble pas apprécier de prendre en charge une gamine de douze ans. Du jour au lendemain, il ne sait plus quoi faire de sa fille. Ma maladie représente pour lui la très bonne occasion de se débarrasser d'elle tout en sauvant la face. C'est soi-disant pour le bien de Julie qu'il daigne revenir sur son droit de garde. Il a l'intention de vivre le grand amour, une fois de plus. Il n'a toujours rien compris. Julie a une intuition très développée, comme tous les enfants de couples séparés, une sorte de sixième sens. Elle a grandi dans l'insécurité, comme un animal toujours aux aguets, a développé une intelligence instinctive qui lui permet de déceler et d'interpréter parfaite- ment aussi bien les changements de comportements que d'intonations de son entourage. Elle se sent en danger chez son père. Tu vois, chacun pense à soi. Moi, si je décide de me battre, comme on dit, je vais endurer l'insupportable. Est-ce que cela en vaut la peine ? N'ai-je pas assez donné ?

— Il est temps de penser à toi, répond Geneviève. Quelle que soit ta décision, prends-la en fonction de toi, et de toi seule.

Nouveau silence, puis Corinne interroge.

— Dis-moi, j'ai besoin de savoir : Gérald Rikson, c'est quoi au juste ? Vas-y, n'y va pas… Je te demande de me parler clairement. Je veux savoir pourquoi tu m'as parlé de lui. Je dois te dire que j'ai montré la carte de visite au docteur Vrydag, il ne le connaît pas.

— Moi, je le connais.

— Je n'y crois plus, Geneviève. J'en ai tellement vu des thérapeutes…

Corinne voudrait un encouragement, une certitude. Une petite lueur d'espoir, au moins… Mais son amie ne va pas dans ce sens.

— Je te comprends, répond-elle d'une voix blanche. Rien n'est sûr. Moi, il m'a aidée quand j'étais au bout du rouleau, mais c'est peut-être un concours de circonstances. Sans doute étais-je prête à prendre la main qu'il me tendait. Je ne pouvais que remonter, j'étais plus bas que bas. Il était ma dernière chance. Toi, tu cumules deux problèmes : dépression et cancer. En tant que psychiatre, que peut-il faire ? Je ne sais pas. De plus, il n'accepte pas tout le monde. Il est un peu bizarre. La plupart des personnes qui viennent le voir s'enfuient au premier contact. Il ne se consacre qu'aux patients motivés. Il n'est pas certain qu'il t'accepte. Mais s'il travaille avec toi, il y a quelque chance…

— … que je guérisse ?

— J'ai dit « quelque chance », Corinne.

— C'est vague…

— Oui, c'est vague.

— Comment l'as-tu connu ?

— Oh ! C'est toute une histoire. Disons pour simplifier : par un ami qui était là au bon moment.

— Qui ?

— Simon, un Parisien. Tu ne le connais pas, il fait partie de mon ancienne vie. Je te le présenterai en temps voulu. On forme une petite bande d'anciens désespérés qui ont survécu. Comme les alcooliques anonymes. Les anciens du docteur Rikson...

— Connais-tu une certaine Laurence Delbuys ? Elle est médecin. Elle aussi m'a parlé du docteur Rikson. Elle m'en a parlé avant toi, elle était dans ma chambre à mon réveil, j'étais encore dans le brouillard. C'est une belle femme brune, assez grande, les yeux clairs, genre femme du monde. Alors que je me rendormais, elle m'a soufflé à l'oreille le nom de ton psychiatre, avec l'injonction de ne pas y aller. Elle a ajouté que sa carte de visite serait sur la table de chevet, mais je n'ai rien trouvé. Ensuite, tu m'as parlé du même psy, et tu m'as effectivement donné sa carte. Ce matin, alors que je sortais du cabinet de Vogels, une femme de service qui paraît un peu dérangée, m'a remis un petit mot de la part de cette Laurence Delbuys. Elle non plus ne l'a jamais vue à l'hôpital. Tu ne trouves pas tout ça étrange ? J'ai interrogé Vrydag, il ne la connaît pas. Qu'est-ce que je dois en penser ? Qui est cette femme ? Que me veut-elle ?

— Qu'est-ce qu'il y avait sur le mot ?

— «Docteur Gérald Rikson. N'y allez pas !» Tu connais la formule, non ? Tu m'as dit exactement la même chose. C'est une machination ?

— Ce doit être une coïncidence... Non, je ne vois pas qui ce peut être. Une « ancienne » du docteur Rikson, je suppose, et qui te veut du bien, manifestement. Je vais me renseigner au service du personnel. Si elle portait une blouse blanche et se trouvait dans ta chambre, elle doit forcément faire partie des employés de l'hôpital.

— Mais pourquoi me dites-vous : « N'y allez pas ! » ? Si moi je peux t'aider en t'envoyant chez quelqu'un de compétent, je te dirai «Vas-y», et pas le contraire. À quoi joues-tu ? Réponds-moi, je t'en prie.

— Corinne, personne ne t'oblige à y aller. Il y a certainement d'autres individus qui peuvent t'aider. Si tu ne le sens pas, n'y va pas.

— Tu continues... dit Corinne, dépitée. Merci quand même.

— Que vas-tu faire ?

— Je ne sais pas... Sans doute prendre rendez-vous et voir de qui il s'agit. Moi non plus, je n'accepte pas n'importe quel thérapeute, même recommandé par une amie.

— Corinne ?

— Oui ?

— Si jamais tu y vas, accroche-toi bien : il besogne dans l'extrême. C'est tout ce que je peux te dire.

Corinne reste un moment songeuse. Où a-t-elle fourré la carte de visite de ce psy nébuleux qui besogne dans l'extrême ? Elle fouille dans son sac, qu'elle finit par vider sur la table. La carte est là, au milieu d'un bric-à-brac d'objets et d'accessoires féminins.

De son côté, après avoir raccroché, Geneviève se mord les lèvres, puis esquisse un léger sourire. Sa main reste posée un long moment sur le combiné du téléphone. Après quoi, elle compose un nouveau numéro.

— Gérald ? C'est Geneviève. Je t'appelle au sujet de Corinne, l'amie dont je t'ai parlé. Ça y est ! On la tient. Je pense qu'elle va prendre contact avec toi dans peu de temps. Elle est mûre. Tu n'as plus qu'à faire le nécessaire. Tout le nécessaire. Je te rappelle son nom : Corinne Bauwens. Dis-moi quel comportement je dois adopter avec elle dorénavant.

— Je n'y manquerai pas.

V

Corinne compose nerveusement le numéro de téléphone du fameux docteur Gérald Rikson.

Son visage est sans expression. Elle ne pense plus,
elle agit.

Une voix masculine lui répond.

Elle attend quelques instants, le cœur battant.
Elle qui a interviewé toutes sortes de personnalités,
elle a le trac, là, en appelant le psychiatre « qui ne reçoit
pas n'importe qui ».

— Je suis Corinne Bauwens, finit-elle par dire d'une
voix de petite fille, une amie de Geneviève Froissart. Elle
m'a suggéré de m'adresser à vous. Elle m'a affirmé que
vous lui avez sauvé la vie... Je voudrais vous rencontrer
assez rapidement, si c'est possible.

— Je suis en consultation, pourriez-vous rappeler
dans une heure ?

La voix est grave et ferme, mais très douce.

— Oh ! Je m'excuse, dit Corinne. Bien sûr, je vous rappelle dans une heure. Et excusez-moi encore de vous avoir dérangé en consultation.

— Il n'y a pas de quoi.

Corinne raccroche, contrariée. Elle supporte mal qu'il ne lui ait pas donné immédiatement un rendez-vous. Elle n'a pas envie d'attendre. Le temps est un ennemi. Elle s'en veut, aussi, de s'être sentie intimidée.

Elle allume une cigarette.

Il n'a pas l'air commode, ce psy, malgré sa voix douce ; en plus, il veut parler avec elle avant de lui donner un rendez-vous. Parler de quoi ? Veut-il voir si son cas est suffisamment intéressant ? Pour qui se prend-il ? Pour le docteur Freud lui-même ? Quel manque de considération pour les autres, quel dédain ! Elle n'a plus envie d'y aller. Encore un tordu. Elle oscille entre la vie et la mort, et lui, il veut causer !

Elle a raison de préférer la mort. De toute façon, elle ne pourra pas y échapper, personne ne peut la sortir des marécages dans lesquels elle patauge depuis toujours. Elle se débat dans des sables mouvants, elle s'y enfonce irrémédiablement... Chaque fois qu'elle fait un effort vers la vie, on lui renvoie sa misère en pleine figure... Elle n'aurait pas dû naître, elle aurait dû refuser de venir sur terre.

Elle se lève, se sert un scotch qu'elle absorbe lentement, à petites gorgées, avec volupté. L'alcool lui réchauffe la poitrine. La poitrine... Un léger pincement se fait sentir dans le sein gauche. Dans ce petit sein presque inexistant. Des seins si petits, et tant de problèmes ! Elle n'a pas été gâtée sur ce plan-là non plus... Pas de chance, ma fille... Et voilà que tu pourris de l'intérieur...

93

Elle décroche une nouvelle fois le combiné et appelle Adrian, à son travail.

— C'est moi, dit-elle simplement.

— Enfin ! dit-il, la voix gaie, ou faussement gaie. Comment vas-tu ?

— Je ne vais pas bien, répond-elle d'une voix désespérée. Pas bien du tout.

Et elle éclate en sanglots.

— Je peux passer quelques instants, propose-t-il d'un ton qui paraît sincère.

— Oui, dit Corinne, viens, j'ai besoin de toi, je t'aime tellement...

Elle raccroche, regrette ses mots, se sent ridicule. Une fois de plus, elle a trop parlé. Dépendante encore une fois, en attente de l'homme. Elle se sert un autre scotch, qu'elle avale d'un trait, cette fois. Remplit son verre de nouveau.

Vingt minutes plus tard, Adrian est chez elle.

Il est debout, gauche comme un enfant pris en faute. Beige de la tête au pied, toujours ses nuances préférées. Il n'en a jamais marre, de ses beiges, il n'y a que là qu'il donne dans la subtilité...

Il veut parler, n'y arrive pas, se met à pleurer. Son émotion paraît sincère.

Elle est déjà passablement éméchée par l'alcool. La tête lui tourne, mais elle se sent bien. Son homme est là, elle l'a appelé et il est accouru sans réfléchir, délaissant son travail pour elle. C'est la première fois qu'elle le voit pleurer. Comme il est beau ! Ces larmes, c'est son premier vrai message d'amour. Elle va le récupérer, elle le sent tout à coup, tant il a besoin d'elle. Il l'aime d'un amour passionnel, étouffant, il l'a dit, et elle sait que c'est vrai. Il n'a jamais dit qu'il ne l'aimait plus. Bien sûr, elle est trop exigeante, comme toutes les femmes. C'est ce qui éloigne les hommes, elle le sait. Ils ont besoin de liberté, elle le sait aussi. Qu'il vive comme bon lui semble, cela lui est égal, pourvu qu'il reste avec elle, pourvu qu'il l'aime.

Il dispose de peu de temps, lui explique-t-il. On l'attend au bureau. Il s'approche d'elle, la déshabille, la prend avec fougue là, sur la moquette. Elle s'abandonne, heureuse de se retrouver à nouveau femme, vivante, aimée. Elle existe pour quelqu'un, elle existe pour lui. Elle ne veut pas mourir délaissée. Elle ne veut pas mourir du tout. L'envie de vivre lui revient. Elle ressent, comme chaque fois avec lui, une impression de totalité, d'unité. Son corps envahit l'espace. Elle n'est plus qu'une femme face au plaisir qui voudrait monter en elle, qui cherche sa place. Elle le remercie intérieurement. Tout son corps le remercie. Le vide se fait en elle. Et puis tout s'éparpille, comme un écrasement, sans qu'il y ait eu cependant aucune détente. La pensée reprend ses droits. Elle se répète qu'elle ne mourra pas délaissée, elle renouera des relations avec ses copines d'autrefois, celles d'avant Adrian. Elle s'était isolée pour lui. Tout va changer. Elle lancera des invitations, fera la fête ! Elle veut des amis. Sa fille lui est revenue. Son ex-mari a renoué avec elle, de façon amicale. Elle a besoin d'être entourée.

Le docteur Rikson ? Qu'il aille au diable !

VI

Le docteur Gérald Rikson propulse son fauteuil roulant face à l'un des sièges du petit salon. C'est là qu'il s'installe pour les thérapies, dans cet endroit qui ressemble à un cabinet de lecture ou de musique du siècle passé.

Des meubles d'acajou. Beaucoup de vert, partout. Les murs sont recouverts d'un papier à rayures gris et vert clair, il y a un canapé Chesterfield de cuir vert, un bureau recouvert d'une écritoire verte.

À l'une des fenêtres, un rideau brise-bise est tiré. À l'autre fenêtre, pourtant sur le même mur, un grand rideau de dentelle. Le tout produit une curieuse impression de dissymétrie.

L'homme est étrange, lui aussi. Il ressemble à l'un de ces portraits de musiciens ou de poètes romantiques. Petites lunettes ovales qui semblent mal tenir sur son nez et le font ressembler à Schubert, favoris, cheveux noirs bouclant sur le front, chemise blanche à col droit, veste d'une coupe désuète, une redingote plutôt.

Il a bien soixante-cinq ans, des rides déjà profondes marquent son front et lui donnent un air de maturité ou de très grande concentration.

Le patient a pris place dans le fauteuil, en face de lui. L'homme doit avoir environ soixante ans. Il est grand, le visage carré et énergique, avec des cheveux gris soigneusement coiffés.

Il ne manque pas d'un certain charme qui transparaît dans ses gestes, dans sa façon d'avancer les mains, de les soulever, puis de les abaisser, très las tout à coup.

Vêtu d'un costume classique de bonne coupe, d'une chemise blanche impeccable et d'une cravate neutre à rayures bleues ton sur ton, il porte des chaussures noires presque neuves, parfaitement lustrées. Il a l'air d'un homme important, l'un de ceux que l'on appelle « Monsieur le Directeur ».

— Comme je vous l'ai dit au téléphone, dit-il d'une voix calme, je suis envoyé par un ami, Dominique Villemin. Depuis longtemps, ma vie se porte mal si je puis dire, mais j'ai toujours remis cette consultation à plus tard. Vous savez comment cela se passe, on a l'impression de pouvoir s'en sortir tout seul, n'est-ce pas ?

Le docteur Rikson l'écoute en silence.

— Je suis avocat, continue l'homme. Spécialisé dans les cas de divorces. Je ne manque pas de travail. Par les temps qui courent…

Il a un petit rire, lance un regard au médecin :

— Ma vie professionnelle fonctionne, j'ai de l'argent, des biens… Je suis divorcé d'une femme qui m'aimait, malgré la façon dont je me suis comporté avec elle depuis vingt-six ans. J'ai de grands enfants correctement établis, qui m'estiment. En fait, lorsque je regarde ma vie, je peux être satisfait. Je devrais être un homme heureux. Mais je ne le suis pas. Je pense l'avoir ratée, cette vie. Je vieillis et cela me fait peur, cela me terrorise même.

Il cesse de parler, hésitant.

— De quoi avez-vous peur ?

— Je ne sais pas. J'ai peur de ne plus être à la hauteur.

— À la hauteur de quoi ?

— Je... J'ai de nombreuses maîtresses, finit-il par avouer après un silence gêné. J'ai consacré ma vie à séduire les femmes, malgré mon mariage qui a tenu bon pendant toutes ces années. Je n'ai vécu que pour elles. J'ai eu ma première relation sexuelle à seize ans. Depuis, j'ai eu des relations avec un bon millier de femmes, au bas mot. Je sais, cela peut paraître beaucoup... C'est justement là qu'est mon problème, je collectionne les aventures. Autant avec des femmes convenables qu'avec des professionnelles ou des femmes légères.

— Comment vous y prenez-vous ?

— Mon métier me facilite les choses. Lorsqu'elles viennent me consulter pour un divorce, elles sont le plus souvent perdues, vulnérables, blessées, et j'en profite, je l'avoue. Elles me racontent à quel point leur conjoint les méprise, leur ment, accumule les aventures extraconjugales. En général, quand elles arrivent, elles sont résignées, tout juste désireuses de régler la séparation à l'amiable. Mais quelque chose se passe en moi, quand je les entends me confier la façon dont elles ont été traitées. Je vois rouge. Je prends les choses en main, je me mets à leur service, et je décide de détruire l'adversaire.

Il continue, s'animant, parlant plus vite :

— Je me transforme en justicier, une sorte de défenseur de la veuve et de l'orphelin.

Il s'arrête, regarde ses chaussures, comme pour y chercher de l'inspiration. Un petit sourire semble s'être figé sur ses lèvres fines. Le docteur relève la tête, attendant la suite. Ses lunettes ont légèrement glissé sur son nez, son regard semble ailleurs. L'homme continue, plus calme :

— Je ne peux absolument pas supporter des autres ce que moi-même j'inflige aux femmes. Car je suis un tortionnaire, identique à ceux que je poursuis implacablement. Je veux leur peau. Et je l'obtiens presque à tous les coups. Vous savez pourquoi ? Parce que je connais parfaitement l'adversaire, je sais comment il agit, comment il pense, je connais sa façon d'approcher une femme, de la séduire… C'est mon double. Il ne peut pas m'échapper. Il n'a aucune chance. Non seulement je l'écrase, mais je me fais une joie de l'anéantir.

L'homme respire profondément. Il a émis sa tirade avec tant de rage qu'un peu d'écume lui est montée aux lèvres. Les joues rouges, il regarde le sol, fuyant le regard de son interlocuteur. Il respire à petits coups rapides, comme un sportif après l'effort. Un long silence s'installe.

— Je… Je n'arrive plus à m'endormir, j'ai des insomnies, murmure-t-il, comme s'il se parlait à lui-même. Pourtant, je n'ai pas vraiment de problèmes, j'ai tout ce qu'il me faut. Le stress, sans doute. J'ai tout retourné dans ma tête, j'ai bien analysé la situation : ce doit être la peur de vieillir. Peur de perdre ma raison de vivre, de devenir un vieillard impotent ou, pire, impuissant. La sexualité est toute ma vie, alors… Vous comprenez… Un vieux séducteur. Je n'ai pas envie de me taper des vieilles. Je parle des femmes. Comme tous les hommes, j'aime les femmes jeunes, celles qui ont un corps ferme et attirant. Je sais, c'est horrible de parler de cette façon, je suis assez intelligent pour m'en rendre compte. Si je viens vous voir, c'est parce que je veux être entendu sans être jugé. J'ai appris que, par l'hypnose, vous pouvez faire des miracles. Je veux retrouver l'insouciance d'autrefois. Je veux baiser sans me poser de questions d'ordre moral.

L'homme redresse la tête et ses yeux rencontrent ceux du docteur Rikson, qui détourne le regard.

— Pouvez-vous faire quelque chose pour moi sur ce plan-là ? supplie l'homme.

— Sur quel plan ? demande le psychiatre, comme s'il n'avait pas suivi.

— Je vous l'ai dit, je veux baiser comme autrefois, sans me poser de questions. Jadis, je baratinais n'importe quoi aux femmes pour arriver à mes fins, alors qu'aujourd'hui... je deviens... plus humain. Quand je réalise que je vais faire du mal à ma partenaire, elle perd de son attrait. Je... Je n'arrive même plus à bander. Je la traite alors comme une amie. Et je suis frustré, sexuellement. Tant d'énergie dépensée pour rien !

Il a un geste nerveux qui déplace une lampe sur un guéridon, à sa droite. Il la remet en place, s'excuse, et continue :

— Quand je poursuis une femme, je mets toute la pression qu'il faut, je déploie une mise en scène très élaborée, je n'économise pas les fleurs, les lettres, les invitations...

Il se lève, fait quelques pas puis, réalisant que le psychiatre le suit du regard, se rassied.

— Elles tombent toutes dans le panneau, comme toutes les autres avant elles. Mais quand elles rendent les armes et qu'elles s'abandonnent, je n'en ai plus envie. Elles perdent leur attrait. Pire : elles me dégoûtent. Je n'ai plus de désir. Même si quelques-unes arrivent encore à me faire bander, je jouis sans plaisir. Dingue, non ? Je n'ai plus qu'une envie, alors, c'est qu'elles ramassent leurs affaires et disparaissent. C'est fini, je ne veux plus rien avoir à faire avec elles. Après cela, pendant un petit temps, je me calme, mais dès qu'une jeune femme séduisante pénètre dans mon cabinet, tout recommence... – il hésite un instant, accentue ses mots – ça recommence à me démanger, et c'est reparti pour un tour. J'en ai assez. Je veux, comme avant, profiter pleinement de mes conquêtes. Je veux baiser et y prendre du plaisir. Un jour je serai vieux, et je vais mourir. Pourquoi ne pas profiter pleinement du temps qui passe ?

L'homme a repris de l'assurance, et plaide sa cause avec fougue.

— Pouvez-vous faire de moi une bête à baiser ? Je veux bander devant n'importe quelle femme comme un mâle le ferait devant n'importe quelle femelle. Sans me poser des questions. Une bête ne se pose pas de questions, n'est-ce pas ? Mon mental me joue des tours. Rendez-moi mon corps. Par l'hypnose ; je pense que cela doit être possible, j'ai lu des livres sur les thérapies brèves, sur l'école de Paolo Alto. C'est cela qu'il me faut, une thérapie hors du commun.

Sûr de lui, il attend le verdict, la tête haute, les bras croisés. Il a bien parlé, il le sait.

Le docteur Rikson s'étire lentement, il sort un paquet de cigarettes de la poche de son veston, prend le temps de l'ouvrir et, avec une lenteur désespérante, en prend une qu'il visse entre ses lèvres. Il a l'air heureux, comme s'il goûtait l'instant. Puis, sans se presser, il cherche des allumettes. Il tâtonne plusieurs fois dans ses poches, sans succès. Le client s'impatiente.

— Voulez-vous du feu, c'est bien ce que vous cherchez ? propose-t-il en tendant son briquet.

L'autre a un geste de refus et retire la cigarette de ses lèvres.

— Merci, mais je ne fume plus. Il y a douze ans que j'ai cessé. Je garde le rituel pour me rappeler ma dépendance. Je fais comme si... Et ça marche. Cela me suffit. Mais peut-être que vous... ?

Il a un petit rire, regarde longuement son client, comme s'il le découvrait.

— Excusez-moi, j'ai oublié de vous offrir une cigarette. Depuis que j'ai arrêté, j'ai l'impression que le monde entier est non-fumeur.

— Sans façon, dit le patient avec le même geste de refus que le psychiatre ; j'ai un briquet pour proposer du feu aux femmes, cela fait partie de ma panoplie de séducteur, mais je ne touche pas à cette saleté.

— Vous avez raison, il faut se... débarrasser des saletés, des toxines qui nous empoisonnent l'existence. Cela n'a pas été facile pour moi... j'ai dû m'y reprendre plusieurs fois. C'est comme avec le café. Vous en voulez une tasse ? J'en ai une pleine cafetière.

— Non, merci.

Le docteur fait pivoter son fauteuil, se rend dans la pièce voisine, revient une tasse fumante à la main.

— Avec le café par contre, mon truc n'a pas fonctionné. Le rituel ne suffit pas. Tant pis. Nul n'est parfait...

Il boit une gorgée, l'air heureux, repose la tasse sur une petite table basse.

— Donc, si je vous ai bien suivi, vous voulez baiser comme avant. Disons les choses comme elles sont, comme un animal. C'est bien ça ? J'ai bien compris ?

— C'est ça, comme avant, répond l'homme, soulagé d'avoir été compris. Je veux bander à tous les coups, quelle que soit la femme. Toutes les femmes devraient être baisées, les petites, les grandes, les minces, les grosses, les jolies ou les moches. Jadis, je pouvais. Maintenant, je les évalue beaucoup trop, et je trouve toujours un défaut qui, comme un grain de sable, enraie la mécanique.

À ce moment précis, le téléphone sonne.

— Excusez-moi, dit le psychiatre en décrochant.

Le patient ne peut cacher son irritation. Lui, lorsqu'il reçoit quelqu'un, il donne l'ordre à sa secrétaire de bloquer les communications téléphoniques et de ne pas le déranger. Par respect pour le client. Parce qu'il lui doit ce temps où ils parlent ensemble. Ici, il n'a vraiment pas l'impression d'être respecté, ni pris en considération. Tout juste s'il a été écouté.

Au lieu de répondre à sa requête, ce psy handicapé lui parle de ses problèmes de cigarettes et de café! Heureusement, Dominique l'avait prévenu. Sans quoi il aurait déjà pris la porte. «Il est un peu spécial, accroche-toi.»

Il a l'air un peu maniéré, oui. Complètement ailleurs, dans un autre monde, avec ses lunettes qui glissent à tout moment, son fauteuil roulant qu'il tente de maintenir stable par de fréquentes corrections des roues, son regard parfois dans les nuages. Comment pourrait-il aider ses patients à régler leurs problèmes, alors que lui, avec ses cigarettes, son café, ses rites...

Le praticien reconnaît la voix, au bout du fil.

— Excusez-moi, docteur, je suis Corinne Bauwens, je vous ai appelé il y a deux semaines, mais vous étiez occupé. Je devais vous recontacter, mais je suis en dépression... Le fait de rappeler, ce jour-là, m'a paru insurmontable. Je voudrais un rendez-vous. Je vous rappelle que je suis envoyée par une de vos anciennes patientes, madame Geneviève Froissart.

— Je me souviens de vous. Je suis en consultation. Pourriez-vous rappeler ce soir, après 18 h?

— Écoutez docteur, je voudrais vraiment vous parler ! Je suis suicidaire, je n'en peux plus, je suis au bout du rouleau. Ne me demandez pas de rappeler, une fois de plus, je n'en ai plus la force. J'ai un cancer. Vous êtes ma dernière chance. Donnez-moi une heure, un quart d'heure, n'importe quoi, la nuit, s'il le faut, et je serai là, cette fois. Je voudrais vous parler.

Le médecin prend une voix presque mondaine.

— Madame, je vous entends parfaitement, mais je ne peux pas vous accueillir en tant que patiente, je n'ai plus de place. Mon carnet de rendez-vous est complet pour des semaines, pour des mois. Je peux vous recommander un collègue qui travaille selon les mêmes méthodes que moi, vous pouvez avoir entièrement confiance en lui. Il s'agit de...

— Docteur Rikson, je vous en prie, c'est vous que je veux voir. Des psychothérapeutes, j'en ai consulté des dizaines et vous voyez où j'en suis... Ce sera vous ou personne ! Et vous porterez cela sur votre conscience...

— Si vous le prenez sur ce ton, je vais raccrocher, dit le psychiatre, sèchement.

L'autre se radoucit, insiste, supplie :

— J'ai vraiment besoin de vous, c'est une question de vie ou de mort. Donnez-moi une heure, ou quelques minutes, c'est tout ce que je vous demande. Vous avez sauvé du désastre ma meilleure amie. Moi, j'ai besoin de repères, de références, d'une certaine sécurité. Qu'est-ce qu'une heure, bon dieu ! Il n'y a donc plus personne sur cette terre qui ait du cœur...

Le docteur l'entend sangloter. Lui aussi s'adoucit. Il se ravise.

— J'ai un rendez-vous ce soir, à 20 h, qui pourrait bien être annulé. Donnez-moi votre numéro de téléphone, et je vous appellerai dès que j'aurai des nouvelles.

Il griffonne quelques chiffres, raccroche. Il reste un moment pensif avant de revenir à son patient, jette un regard vers le ciel, par la fenêtre.

— Il pourrait pleuvoir avant la fin de la journée, dit-il.

Puis, comme s'il continuait une conversation :

— Donc le café, ce n'est pas dans vos goûts...

— Je n'ai pas dit cela, répond l'autre. Je n'en ai pas envie en ce moment, c'est tout. Sinon, oui j'en bois le matin, une ou deux tasses, et aussi après le déjeuner, et parfois encore une tasse dans l'après-midi. Pas le soir, puisque, comme je vous l'ai dit, et que vous l'avez peut-être entendu, j'ai quelques insomnies...

Le docteur Rikson reprend son air docte, l'air du thérapeute qui connaît le sujet. Il répète d'une traite :

— Vous voulez baiser comme autrefois... Comme un animal... Hum... j'ai quelque chose à vous proposer, Monsieur Jespers. Voulez-vous travailler pour moi ? En échange, je pourrais régler votre problème.

— Travailler pour vous ? Comment ?

— J'ai besoin de votre connaissance des femmes, de votre talent de séducteur, de votre savoir-faire de baiseur, en somme.

— Pour quoi faire ?

— Baiser l'une de mes patientes.

VII

Corinne est en avance d'un bon quart d'heure. Le psy, finalement, l'a rappelée.

— Je peux vous recevoir à 20 h... mais j'aurai peut-être un peu de retard. Vous m'attendrez dans la salle d'attente, je viendrai vous chercher.

Elle regarde autour d'elle. Salle d'attente classique, avec des chaises en plastique blanc, une petite table en verre, sur laquelle traînent trois piles de magazines datant de Mathusalem, et dont les couleurs sont usées par les doigts des lecteurs.

Au mur, quelques photographies de paysages de montagnes. Derrière la porte d'entrée, un petit cadre, avec une citation retranscrite à la main :

« Le secret de la vie est l'action, pas la pensée. » Contre toute attente, il a l'air classique et démodé, ce psychiatre, tout comme la pièce où elle se trouve.

« De bien mauvais goût », juge-t-elle.

Corinne attrape le premier magazine, sur le dessus d'une pile. Il s'agit d'une publication professionnelle. En couverture, la photo d'un homme d'une soixantaine d'années, dans la position du *Penseur* de Rodin, le coude posé sur un bureau et la main soutenant le menton. Il écoute une femme qui se trouve face à lui, de l'autre côté du bureau, dont on n'aperçoit que le dos. Vraisemblablement un psy et sa cliente.

Le titre lui saute aux yeux :

« Gérald Rikson : un thérapeute hors normes »

C'est donc lui ! Un vieillard avachi qui écoute ses patients, l'air à moitié endormi. Corinne parcourt le magazine, sans trouver l'article annoncé par la couverture. Quelqu'un a arraché la page.

Elle se rabat sur la photo de couverture dont elle se met à étudier les détails, essayant de se faire une idée. L'homme paraît rusé. Il a l'air de décrypter chaque mot de sa patiente. Il ne doit pas être un type facile. S'il laisse traîner sa photo sur la table, c'est qu'il doit être imbu de sa personne. « Regardez-moi, semble-t-il dire, je suis un maître dans le domaine. Vous êtes bien tombé, je vais vous sortir de là en moins de deux ! Il n'y a pas à discuter. Mes honoraires, donc, ne sont pas négociables. Ça va vous coûter très cher, mesdames et messieurs. La célébrité se paie. C'est à prendre ou à laisser. »

Elle n'aurait pas dû venir. Ce genre d'individu la rebute. Elle va faire marche arrière, quitter la salle d'attente en douce. Ni vu ni connu.

Elle se lève, bien déterminée à quitter cet endroit, quand la porte s'ouvre lentement, comme poussée par une main invisible. Dans l'embrasure de la porte, il n'y a personne.

— Madame Bauwens ?

La voix vient du hall. Elle fait quelques pas, franchit la porte et sursaute : un homme handicapé se tient à sa gauche, dans un fauteuil roulant. Elle reconnaît le docteur Gérald Rikson. Il paraît plus âgé que sur la photo.

— Vous m'avez surprise, bredouille-t-elle, gênée de son trouble.

Il la dévisage en silence.

Par-dessus ses petites lunettes d'intello, le regard glisse le long du corps de Corinne cependant que sa tête, curieusement, accompagne le mouvement par saccades, comme ferait un automate. Il fixe un instant les pieds de sa cliente, avant de remonter, toujours par à-coups, vers son visage. Il reste ainsi quelques secondes, ses yeux dans les siens, des secondes qui semblent une éternité.

— J'ai été victime de la polio à l'âge de 22 ans, explique-t-il, avec un sourire affable. Deux assauts en vingt ans, mais je suis toujours bien vivant. Et heureux de l'être, ajoute-t-il en tournant son fauteuil et en le propulsant vers son cabinet.

— Entrez, et fermez la porte.

Corinne sort de sa léthargie, déstabilisée par cet accueil singulier. Elle s'était attendue à tout, mais pas à rencontrer un handicapé. Elle entre dans le bureau et referme lentement la porte derrière elle, avec des gestes lourds et lents, comme au sortir d'un sommeil profond.

Elle découvre un cabinet classique de psychiatre, meublé confortablement, mais en désordre : un bureau couvert d'un fouillis de papiers, un téléphone, un cendrier, une lampe, une grenouille en céramique verte qui fait office de presse-papiers, une bibliothèque chargée de quelques centaines de livres, de dossiers et d'objets hétéroclites qui la font penser à ces souvenirs bon marché qu'achètent les touristes naïfs.

Les deux fenêtres sont largement ouvertes sur un jardin, d'où parviennent les voix de plusieurs personnes qui discutent.

Le docteur Rikson immobilise son fauteuil.

— Fauteuil ou canapé ?

— Aucune importance, répond-elle en posant son sac et son imperméable sur le canapé et en choisissant de s'installer dans un fauteuil, face au psychiatre.

Elle se sent mal à l'aise. Il l'observe avec une telle intensité qu'elle se sent presque déshabillée.

— Merci de m'avoir accordé ce rendez-vous, commence-t-elle. Comme je vous l'ai dit au téléphone, je suis une amie de Geneviève Froissart. Je suis ici un peu malgré moi. Il y a encore quelques semaines, j'étais sur le point de commettre l'irréparable pour la troisième et dernière fois. Je viens d'apprendre que j'ai un cancer, mais ce n'est pas le plus important, j'avais déjà l'idée de mourir depuis bien longtemps. Je me sens moche et inutile. Ma vie est un échec. Je vis seule, j'ai raté ma vie affective. Je n'arrive pas à garder un homme, ils profitent de moi, de l'aide que je peux leur apporter sur le plan professionnel, ensuite, ils me quittent. Personne ne m'aime vraiment pour ce que je suis.

Elle a parlé très vite, comme pour se libérer d'un seul coup. Elle raconte, dans l'ordre et dans le désordre, son passé chaotique. Le docteur l'écoute attentivement avec de légers gestes d'encouragement. Elle se sent comprise par cet homme « diminué » qui, certainement, ne pourra lui faire de mal : un infirme !

De temps à autre, il l'interrompt pour lui proposer une tasse de café ou une cigarette. Corinne refuse, et continue cependant qu'il se sert, porte à ses lèvres une cigarette qu'il n'allume pas.

— Je suis une femme qui aime trop, résume-t-elle enfin.

Pour la première fois, le docteur Rikson lui pose une question :

— Que voulez-vous dire par « trop » ?

— Je suis une femme dépendante en amour. J'ai peur de l'abandon, alors pour éviter d'être quittée, j'en fais trop, j'étouffe d'attentions les hommes qui m'approchent. Au départ déjà, il semblerait que je choisisse des partenaires instables, et ensuite, je fais tout ce qu'il faut pour qu'ils s'éloignent effectivement. Quand j'aime, je suis à la merci de l'autre. Je n'existe plus pour moi-même. Je deviens un paillasson. Je donne trop d'amour. Je vous l'ai dit : je suis une femme dépendante de l'amour de l'autre. Et ils le sentent bien, les hommes, ils font de moi ce qu'ils veulent...

Elle lui jette un regard suppliant :

— Si je suis ici, aujourd'hui, c'est pour ma fille. Elle veut revenir vivre chez moi. Elle m'aime. Pour elle, je veux bien reprendre le combat. Mais c'est tellement dur. Je ne suis pas sûre d'y arriver. Je ne suis plus sûre de rien.

Elle regarde autour d'elle, sans poser le regard nulle part, comme si elle cherchait un allié invisible.

— Je suis ici pour ma fille, répète-t-elle.

Le docteur leva la main.

— Madame, si vous êtes là pour votre fille, nous en avons fini. Je ne peux rien pour vous. Je vous propose d'aller consulter un autre thérapeute.

— Que dites-vous ?

— Un jour votre fille va vous quitter. C'est une certitude. Vous n'êtes pas prête à vous prendre en charge pour vous-même. Je ne peux donc rien pour vous. On choisit son thérapeute en fonction des résultats escomptés, le saviez-vous ? Je vous propose de vous adresser ailleurs.

Corinne n'y comprend rien. Est-il en train de lui dire qu'il refuse de l'aider ?

— Je viens de vous expliquer que vous êtes ma dernière chance, docteur, et vous prétendez que je ne suis pas prête à me prendre en charge ? Je suis consternée ! Tout... Tout simplement consternée ! C'est comme ça que vous aidez vos patients ? J'ai besoin de vous, docteur, vraiment besoin de vous. J'ai déjà tout essayé pour m'en sortir, et si vous me laissez tomber, vous aussi, je vais crever seule dans mon coin ; d'un cancer... ou d'autre chose.

— Vous l'avez dit : vous allez crever d'un cancer. Je suis psychiatre, je ne vois pas ce que je peux faire pour vous, sinon vous écouter et vous apporter un peu de sympathie jusqu'à la mort. Cela vous suffirait ?

— Bien sûr que non. Si je viens vous voir, c'est parce que je ne crois pas que mon cancer soit attribuable au hasard. On va me mutiler, me charcuter. Je ne veux plus souffrir. J'étais persuadée que personne ne pourrait rien pour moi, mais j'ai reçu votre adresse et j'ai repris un peu d'espoir. En vain !

— Je regrette, madame. Je ne suis pas sorcier. Je ne trempe pas dans la magie noire. Ouvrez les yeux. Vous avez déjà suffisamment souffert dans votre enfance à cause de parents agressifs et alcooliques, les hommes que vous aimez *trop* vous quittent les uns après les autres en ayant bien profité de vous ; vous buvez plus qu'il n'est normal, et par-dessus le marché, vous avez développé un cancer du sein qui annonce un nouveau calvaire. N'est-ce pas trop pour une pauvre femme solitaire ? Et n'est-ce pas trop demander à tout psychiatre sensé ? Je ne veux pas vous prendre votre argent et votre temps pour rien. Je suis désolé.

Corinne sent la colère monter en elle. Il est désolé ! Pour qui se prend-il ? En la rejetant, il la condamne, tout bonnement.

— Voulez-vous une tasse de café ? ajoute-t-il, aimable.

Elle se lève, saisit son sac et son imperméable.

— Non, merci. Je ne suis pas venue vous voir pour me gaver de café. Dites-moi ce que je vous dois, qu'on en finisse, Docteur Rikson.

— Deux cents euros.

Corinne prend quatre billets dans son sac.

— Permettez-moi de vous signaler que votre tarif est hors de prix, s'exclame-t-elle, en se dirigeant vers la porte.

Le psychiatre la rappelle, de justesse.

— Madame Bauwens !

Elle s'immobilise, se retourne, lui fait face, les épaules relevées, prête à l'affronter.

— Il y a peut-être quelque chose à faire…, mais je ne suis pas sûr que vous soyez disposée à y mettre le prix.

— Que voulez-vous dire ?

— Je ne suis pas un psychiatre traditionnel. Je suis hors normes, comme vous l'avez souligné.

— En matière d'argent, certes !

— Je ne parle pas seulement d'argent. Si vous êtes décidée à vous engager vraiment, je peux vous sortir de là.

— Vraiment ? Vous pouvez me guérir ?

— Je peux vous motiver à vouloir guérir, c'est la même chose. Vous insuffler suffisamment de soif de vivre, pour que votre cerveau fasse le nécessaire.

— Par l'hypnose ?

— J'emploierai les moyens que je jugerai nécessaires. Mais je vous préviens que ces moyens seront déconcertants, bouleverseront les règles.

Le médecin tourne son fauteuil vers elle. Il attend un moment. Corinne lâche la poignée de la porte, fait quelques pas en sa direction.

C'est précisément ce qu'il attendait d'elle : qu'elle fasse le premier pas.

— Combien cela va-t-il me coûter ?

— Asseyez-vous.

Corinne a un mouvement vers le fauteuil dans lequel elle se trouvait il y a quelques instants, mais il l'arrête.

— Essayez plutôt le canapé.

Corinne obéit, interloquée.

Le docteur Rikson baisse sensiblement la voix, ralentit son débit.

— Quelle heure avez-vous ?

Corinne consulte sa montre.

— 9 h 20.

Le psychiatre pointe le doigt vers le mur, derrière lui, et murmure :

— Fixez un point sur le mur, n'importe lequel.

— Vous allez m'hypnotiser ?

— Je vous demande seulement de vous concentrer attentivement sur un point sur le mur. Restez les yeux ouverts, et gardez-les ouverts... C'est très bien... Vous pouvez rester consciente de tout ce qui se passe autour de vous... tout en fixant ce point... sur le mur... Je ne veux pas que...

Il change d'intonation.

— ... vous entrez en hypnose... Soyez attentive à tout ce que je dis... de manière à vous en souvenir... c'est très bien... très bien Madame Bauwens... et tout en fixant ce point... vous devinez ma présence avec votre vision périphérique... tout en fixant le point... sur le mur...

Silence.

— Maintenant, je vais vous poser quelques questions auxquelles je vous demande de réfléchir et de me répondre à votre prochaine consultation. Écoutez-moi bien, Madame Bauwens. À combien s'élèvent vos économies? Je vous demande de me faire une liste de tous vos avoirs, mobiliers et immobiliers. Êtes-vous propriétaire? À combien est estimé votre logement? Si vous me choisissez comme thérapeute, je veux que vous me cédiez la gestion de vos biens. Je vous laisserai juste le nécessaire pour survivre. Vous me suivez? Restez les yeux fixés sur le point... Quoi que vous entendiez... quoi que vous pensiez... laissez votre regard posé sur ce point... C'est très bien...

Corinne fixe le point, mais n'a qu'une envie, planter son regard dans les yeux du psychiatre et lui faire savoir sa façon de penser. Elle n'en croit pas ses oreilles. Un escroc! Elle est tombée sur un arnaqueur qui se cache dans un fauteuil roulant. Un psy? Un voleur, oui, qui plume les malades désespérés. De toutes ses forces, elle essaye de reprendre ses esprits, mais elle a l'impression qu'une force surnaturelle l'en empêche. Geneviève l'avait bien mise en garde: «C'est un psychiatre qui œuvre dans l'extrême.» Lui céder mes avoirs... Est-ce une mise à l'épreuve? Est-il sérieux?

Elle arrive à articuler, péniblement:

— Vous êtes sérieux?... Qu'allez-vous faire de mes biens?... Pourquoi toute cette mise en scène?... Je ne trouve pas cela... normal...

— Rien de ce que je vais vous proposer ne vous semblera normal... rappelez-vous... je suis un thérapeute hors normes... savez-vous ce que cela signifie, «hors normes»?

Corinne ne répond pas. Elle n'arrive plus à mettre de l'ordre dans ses pensées.

— Fixez toujours ce point, sur le mur... vous avez bien entendu ce que je vous ai dit, n'est-ce pas? Et ce n'est pas tout... Vous avez peut-être une chance de vous en sortir... Écoutez bien ce que je vais vous dire encore: vous allez quitter votre travail, vous allez déménager, vous n'allez plus donner signe de vie à votre ami Adrian, plus du tout, plus rien, vous allez oublier que vous avez eu un mari, et vous allez laisser votre fille Julie sans nouvelles de vous jusqu'à nouvel ordre. Vous m'avez bien compris ? Gardez vos yeux fixés sur le mur... et ne pensez à rien d'autre qu'à ce que je vous dis... Autre chose : vous allez vous éloigner de vos parents... plus aucun contact avec eux... vous m'entendez... plus aucun contact avec vos parents... ils ne doivent pas savoir ce que vous devenez, où vous habitez... vous prendrez un nouveau numéro de téléphone, secret... et vous ne donnerez ce numéro à personne...

Corinne sent la colère monter en elle. Une énorme colère. Elle sait qu'il lui serait facile d'arrêter tout cela... De détourner son regard, d'abandonner ce point sur le mur... Et de lui répondre... Mais pour une raison qu'elle n'arrive pas à saisir, sa volonté ne lui obéit plus... Peut-être qu'elle veut savoir jusqu'où ira... ce manipulateur... Heureusement, elle peut encore raisonner... Comprendre ce qu'il dit... Oui, elle est encore maîtresse d'elle-même...

— Je répète et je résume ce que je viens de vous dire. Vous quittez votre emploi, vous quittez définitivement votre ami Adrian... définitivement... vous m'entendez... Il n'est pas nécessaire que vous soyez d'accord avec ce que je vous dis... je vous demande seulement d'y réfléchir... et si vous me choisissez comme thérapeute... de vous conformer à tout ce que je vous demande... vous ferez une liste de vos avoirs... et vous me céderez leur gestion... sur papier... signé de votre main... vous m'entendez... ? Bougez légèrement la tête pour me signifier que vous avez bien entendu ma prescription... pas que... (il change d'intonation) vous êtes d'accord...

Corinne acquiesce, d'un mouvement.

— Très bien, Madame Bauwens, très bien... maintenant, clignez trois fois des yeux, prenez une profonde inspiration, et bougez votre corps pour vous dégourdir... très bien... quelle heure avez-vous ?

Elle fait un effort pour remuer le poignet, le lever, il est aussi lourd que du plomb. Le fait de rester immobile, pense-t-elle... Tout son corps est dans le même état : ankylosé...

Elle interroge son bracelet-montre, étonnée.

— Il est 23 h 20.

Où est passé le temps ? Elle a fixé un point sur le mur pendant quelques minutes, les yeux bien ouverts, consciente de tout ce qui se passait. Qu'est-il arrivé ? L'a-t-il hypnotisée ? A-t-elle perdu conscience ? Mais non, elle se rappelle tout ce qu'il a dit. Tout. Dans les détails.

— Comment vous sentez-vous ?

— Un peu engourdie...

— C'est la concentration, l'immobilité. Vous rappelez-vous bien tout ce que je vous ai dit ?

— Oui, docteur, et je ne sais pas ce que je dois en penser... C'est curieux ce que vous me demandez... Je ne sais pas si tout cela me semble bien correct... Je dois vous céder tous mes avoirs... Pourquoi ?

— Et pourquoi pas ? Vous avez tenté de vous suicider à trois reprises, n'est-ce pas ?

Corinne acquiesce.

— Et je suis votre dernière chance, c'est bien ce que vous avez dit ?

Elle approuve encore.

— Cela veut dire que si je ne vous aide pas, vous allez remettre cela, mais cette fois, vous ne vous raterez plus, c'est bien ce que vous pensez ?

— Oui, dit Corinne. Cette fois sera la bonne.

— Madame Bauwens, considérez que vous êtes déjà morte.

Corinne reste interdite, sans voix. Les mots résonnent dans son cerveau. Elle est déjà morte, en effet. Elle est une morte vivante.

— Puisque vous êtes morte, que vous importe votre argent ?

Il laisse passer un long moment de silence.

— Puisque vous êtes morte, que vous importent vos avoirs, vos amis, votre famille ? Deux fois, déjà, vous avez tout perdu... même votre fille.

Il hausse la voix.

— Madame Bauwens, regardez-moi : vous êtes déjà morte. Je suis votre seul espoir de revenir à la vie, c'est vous qui l'avez dit. Si vous me choisissez comme thérapeute, je vous donne rendez-vous demain à 20 h précises. Si vous n'êtes pas là, ou si vous êtes en retard, ne serait-ce que d'une minute, vous aurez laissé passer votre dernière chance. Si vous n'êtes pas là demain à l'heure, et d'accord avec tout ce que je vous ai demandé, cherchez un autre psychiatre. Je n'ai pas le temps de jouer. Maintenant, je vous demande de sortir d'ici sans rien ajouter à ce que je viens de vous exposer. Partez en silence, réfléchissez à notre contrat. Il n'est pas négociable. C'est à prendre ou à laisser. Un mot encore, à propos de votre amie Geneviève. Ne croyez pas ce qu'elle vous dit. Sa vie n'est pas un exemple. Arrêtez de la fréquenter, elle est dangereuse pour vous. Bonsoir, madame.

Corinne se lève, ramasse ses affaires et quitte l'immeuble.

Elle sort dans la nuit, regagne sa voiture. Elle enfonce la clé de contact et déclenche le démarreur. Le moteur se met à ronronner. Elle tourne le volant, la voiture quitte lentement son emplacement, prend de la vitesse et se glisse dans la circulation urbaine.

— Ce type est complètement fou, marmonne-t-elle entre ses dents, en appuyant sur l'accélérateur.

VIII

— Bonsoir, Albert, c'est Corinne.

— Bonsoir, Corinne. Comment vas-tu ?

— Bien, enfin, pas plus mal. Est-ce que Geneviève est là ?

— Je te la passe. À un de ces jours.

Un moment de silence. Une voix enjouée.

— Allô, Corinne... Alors, ce psy ?

— C'est à son sujet que je t'appelle. Écoute bien ce que j'ai à te dire : ce type est un escroc. Si jamais je le choisis comme psychiatre, je devrai lui régler d'avance 20 séances à 200 euros chacune. Dis-moi, sérieusement, tu as déjà entendu une chose pareille ? Non, attends encore, je le soupçonne de m'avoir hypnotisée à mon insu. Il m'a fait fixer un point et après un moment, j'ai senti mon corps se paralyser, j'en suis sûre, car lorsque je me suis réveillée, le temps s'était raccourci. J'ai perdu au moins une heure pendant laquelle je ne sais pas ce qui s'est passé. C'est un handicapé, et vieux, en plus, tu ne me l'avais pas dit.

— Corinne...

— Je n'ai pas fini. Le plus curieux de tout, c'est qu'il m'oblige, que dis-je, il m'ordonne de déménager, de vendre mon appartement à n'importe quel prix. Et aussi de ne plus voir Julie, ma fille, rien que ça ! D'oublier mes parents, Adrian, et pour couronner le tout, tu ne devineras jamais...

— Je ne vois pas...

— Il te dénigre. Il prétend que tu es dangereuse. Je dois te fuir. C'est fou, non ? Et il veut que je quitte mon travail. Pas pour un moment, pas pour cause de maladie, ou pour prendre une année sabbatique, non, définitivement ! Immédiatement, sans préavis. Comment vais-je payer mes consultations ? Ça, il n'y a pas pensé. Ce type est un truand, tout simplement. Je me demande ce qu'il t'a ordonné à toi. Dis, Geneviève, il t'a demandé quoi, pour te prendre en charge ? J'aimerais bien que tu me répondes !

— Il m'a aidée à m'en sortir. Je ne peux pas vraiment t'en dire plus, car il n'y a rien d'autre à dire.

— Tu veux dire que tu as payé 200 euros la séance ?

— J'ai fait ce qui était nécessaire, rien de plus, rien de moins.

— Il t'a obligée à quitter tes enfants, tes parents, à lâcher ton travail ?

— Il ne m'a obligée à rien du tout.

— C'est facile, comme réponse. Il y a des moments dans la vie où l'on n'a pas vraiment le choix, et l'on est à la merci du premier venu. Je pense qu'il profite de la situation. Je suis aux abois, j'ai un cancer, j'ai besoin d'aide, et il le sait.

— Corinne, je te rappelle que tu n'es pas obligée d'aller chez lui. La nuit porte conseil, dit-on. C'est vrai que si tu dois tout lâcher, tout quitter... cela demande réflexion.

— Surtout qu'Adrian m'est revenu...

— Adrian ?

— Enfin... Presque... J'étais mal, je l'ai appelé, il m'a proposé de passer me voir sur-le-champ. Il m'aime très fort, je le sais. Il a passé la porte, et il a éclaté en sanglots. Il pleurait... Comme un enfant, si tu l'avais vu... Notre histoire n'est pas finie. Je suis prête à l'accepter tel qu'il est. Même à le partager, s'il le faut. Tu vois, j'en suis encore follement amoureuse. Je ne pourrais pas le quitter. C'est impossible. J'en crèverais...

— Alors, que comptes-tu faire ?

— Je ne sais pas, peut-être consulter un autre psy. Mais je ne vois pas qui... Je ne sais plus. Je suis fatiguée, Geneviève, tu ne peux pas savoir... Toute décision me demande un effort. J'ai envie de me coucher et de ne plus me réveiller...

Il y a un silence. Corinne a l'impression désagréable que Geneviève l'écoute à peine. Elle soupire, reprend.

— Je t'ennuie encore avec tous mes chagrins. Je vais laisser passer la nuit là-dessus. Merci quand même pour l'adresse... Il est bizarre, ton psy, mais peut-être sait-il ce qu'il fait... Peut-être que tout cela fait partie de la thérapie... Je te dirai demain ce que j'aurai décidé. Bonsoir.

— Bonsoir, Corinne.

Corinne se déshabille, se glisse dans le lit. Elle éteint la lumière et attend le sommeil, en vain. Elle revit sa visite chez le mystérieux docteur Rikson. Chaque instant est gravé dans sa mémoire. Les images défilent au ralenti, comme dans un film qu'elle peut faire avancer ou reculer. Tantôt elle est bien décidée à suivre la voie de la raison, qui lui conseille de ne plus mettre un pied dans le bureau de cet homme, tantôt elle le voit, dans son fauteuil roulant, elle entend sa voix :

— Je peux vous tirer de là, mais vous devrez y mettre le prix.

S'isoler du monde, est-ce le prix à payer ? Perdre Adrian, le seul homme au monde qui pleure comme un enfant en la voyant dans la tourmente ? Qui l'aime, à sa façon, certes, mais qui l'aime quand même ? Et Julie, sa fille qu'elle vient de retrouver, elle devrait l'éloigner, sans lui donner de nouvelles. N'est-ce pas inhumain de demander cela à une mère ?

Entre veille et sommeil, les images se télescopent dans son pauvre cerveau brisé. Le passé, le présent... Elle lutte contre la force d'inertie qui la pousse à tout laisser tel quel, sans déranger l'ordre des choses. La vie... Chacun reçoit sa part de malheur à assumer... Mais une autre partie d'elle-même la pousse à réagir, à bouleverser le cours du destin.

Peut-on modifier le destin ?

N'est-elle pas née pour souffrir comme d'autres le sont pour jouir ? Le monde a l'air bien équilibré, finalement. Pourquoi lutter ? De toute façon, quoi qu'on fasse, on vieillit et on meurt. Tout le monde y passe. Il reste la vie, tout simplement.

Exister... Vivre quand même, quelles que soient les circonstances. Oui, cela vaut la peine d'éprouver toutes ces sensations, ces émotions ! Finalement, elle veut faire partie du tableau grandiose de la création. Elle veut en être.

Instinctivement, elle porte la main à cette part d'elle qui se trouve menacée, effleure le sein malade, le mamelon. Ce petit sein, fragile, qui n'a jamais vraiment mûri. Maintes fois caressé, frôlé, baisé, léché, avec douceur ou brusquerie, mais toujours sans qu'elle ressente l'ivresse attendue. Ce sein qui n'a pas connu le plaisir et déjà se meurt.

Exister encore rien que pour cela, pour ce spasme puissant qu'elle ne connaît pas. Une fois, une seule fois, mais de manière intense, violente. Mourir s'il le faut, mais apaisée.

Comme elle en a envie, tout à coup, d'exister encore un peu, le temps de connaître, elle aussi, la symphonie sacrée de la passion !

Est-ce trop demander ?

Elle ouvre les yeux et ne rencontre que la nuit. Il lui semble percevoir une sorte de mélodie, de chant divin.

Elle écarte les couvertures, comme la chenille rejette son cocon. Cela vient de l'intérieur d'elle-même, comme une musique cristalline qui la transperce.

La femme en elle s'éveille. Elle sent son sexe se gonfler, s'ouvrir, palpiter d'un désir inconnu. Des larmes coulent sur ses joues, elle en goûte le sel et la chaleur qui, mystérieusement, exhalent un parfum inconnu, le parfum de la vie...

Elle enfile un peignoir, gagne la terrasse. Un vent frais la saisit soudain. Elle ouvre la bouche, respire profondément.

Le ciel, derrière les ténébreux nuages, laisse deviner le jour naissant. C'est la nuit, mais déjà on pressent l'aurore.

Là-bas, au-delà des immeubles endormis, plus loin encore, de l'autre côté des autoroutes, au-delà de tout ce qu'elle a connu, un être en devenir l'attend. Une autre elle-même, une Corinne qui n'est pas encore née. Une créature en gestation.

Son regard se pose sur la fenêtre de l'immeuble d'en face, occupé par l'inconnue dont elle a un jour deviné l'ombre derrière le carreau. Elle doit dormir.

Tout est sombre à l'intérieur chez elle. «Comme moi, elle doit rêver d'une existence meilleure», se dit Corinne.

Elle serre le peignoir sur sa poitrine, s'assied sur la chaise qui, elle aussi, semble attendre la lumière du jour...

Elle reste là, immobile, avec une pensée pour sa voisine inconnue:

«Je ne sais pas ce que tu feras de ta vie, a-t-elle envie de lui dire, mais sache que moi, je vais vivre. Intensément. Je ferai tout ce qu'il faut pour cela. Tout. Rien ne pourra m'en empêcher.»

IX

Dans la salle d'attente, Corinne croise et décroise les jambes. Cela fait une demi-heure qu'elle attend.

Pourquoi faut-il que les psys et les médecins, tous ces soi-disant spécialistes de la relation d'aide, ne respectent pas les heures de rendez-vous qu'ils ont eux-mêmes fixées ?

— Je préfère vous voir jeudi à 20 h, a-t-il dit. C'est la seule plage horaire possible.

C'est ça. Et moi je n'ai qu'à m'arranger !

Elle remet sur la table le magazine qu'elle vient de feuilleter.

Des foutaises, ces articles. Si les gens savaient comment ils sont rédigés…

Et les horoscopes ! On prend les anciens et on recommence. Mais si les gens le savaient, ils les liraient quand même, elle en est certaine.

Du vent, du rêve et de l'espoir, voilà ce que les femmes achètent chaque semaine. Des enquêtes bidon, avec des témoignages de névrosées dont aucun journaliste ne vérifie l'exactitude, trop heureux d'avoir quelque chose à se mettre sous la dent. Normal. Si on vérifiait, il n'y aurait plus un témoignage qui tiendrait. Alors on joue le jeu.

Cela fait des années qu'elle le joue, le jeu. Chaque semaine, on choisit un sujet, toujours en relation avec l'amour, le couple, ou la sexualité ; aussitôt, des exhibitionnistes professionnels sortent leurs histoires.

Elle se souvient de ce projet, il y a un mois à peine. Il avait été question d'un article traitant de « couples » un peu particuliers, ou plutôt de « trios » : deux hommes et une femme, ou deux femmes et un homme, ou trois femmes ensemble... Le nombre de témoignages reçus était à peine croyable.

Et ces gens disaient que tout se passait bien, qu'ils avaient trouvé l'équilibre parfait. Point de jalousie, d'envie, de colère, de mesquinerie... « Tu passes la nuit avec lui ? Mais je t'en prie, après toi, si, si, c'est ton tour, moi j'ai eu mon orgasme il y a deux jours, tandis que toi, tu as loupé le tien hier soir. Fais-toi plaisir ! Si tu veux, je me joins à vous et je te donne un coup de main. »

Corinne regarde sa montre. Que fait-il ? N'est-ce pas un manque de respect que de la laisser ainsi attendre ?

Ah ! Une porte grince, des voix, une porte se ferme. Un moment de silence, puis des bruits qui se rapprochent. La porte de la salle d'attente s'ouvre, le vieux docteur est là, souriant dans son fauteuil roulant :

— Bonsoir, madame, veuillez entrer je vous prie.

Corinne le suit dans son cabinet, le ventre noué. La peur... Elle la reconnaît. Peur de quoi ? Elle n'a pas eu peur de se suicider, pourtant. La peur de vivre ?

Sans un mot, le docteur a placé son fauteuil roulant face au canapé.

Corinne s'assied et ressent un profond soulagement. La tranquillité d'être prise en charge. Elle en a tellement assez de contrôler sa vie ! Elle a besoin, comme tout être humain en difficulté, d'être portée, ne serait-ce qu'un moment. Oui, elle a besoin qu'on s'occupe d'elle.

— Vous m'avez fait attendre, dit-elle avec un léger reproche dans la voix.

— Si vous êtes là, c'est que vous avez bien réfléchi, n'est-ce pas ? dit le docteur sans relever sa remarque. Aujourd'hui, nous allons construire les fondements de notre collaboration. Nous allons voir ensemble les règles d'engagement de votre thérapie. Lisez-les-moi tout haut, une par une.

Corinne met un moment à comprendre ce qu'il veut. Sur la première feuille, de grandes lettres :
Règle prioritaire :
« *Je m'engage à prendre soin de moi en toutes circonstances.* »

— Oui ? dit Corinne avec un regard d'interrogation.

— Si vous n'êtes pas d'accord avec l'une de ces règles, je vous demande de me dire pourquoi. Vous avez la possibilité de refuser une règle. Il vous suffit de noter, à côté de la règle concernée, que vous n'êtes pas d'accord, et de signer.

Corinne relève la tête, dubitative. Qu'est-ce que c'est encore que cette mascarade ?

— Écoutez, dit-elle, si je suis ici, c'est que je suis d'accord, non ?

— Si vous êtes d'accord, qu'est-ce qui vous pose un problème ?

— C'est... tout ce cinéma. J'ai l'impression d'être une enfant, de me retrouver à l'école primaire. Vous me demandez de prendre soin de moi en toutes circonstances, qu'est-ce que cela veut dire au juste? Est-ce que je cours tant de risques, pour devoir me protéger ainsi?

Le thérapeute dessine un cercle sur une feuille de papier.

— Ce cercle représente votre zone de confort, ce que vous faites et répétez chaque jour, que cela vous donne ou non satisfaction. Les habitudes sont nécessaires pour nous faciliter la vie. Enfant, vous avez appris quantité de choses, par exemple à ouvrir une porte en tournant la poignée. Ce geste a été enregistré par votre inconscient. Ainsi, chaque fois que vous vous trouvez devant une porte, vous ne devez plus réfléchir: vous savez qu'il suffit de tourner la poignée. Imaginez une vie sans habitudes. Tout serait à réapprendre, le quotidien serait bien difficile. Je dirais même qu'il serait invivable, nous serions sans cesse comme des nouveau-nés. Les habitudes nous apportent un confort appréciable. Elles nous aident à gagner du temps.

Il fait une pause et reprend.

— Mais leur danger, c'est qu'elles sont présentes aussi dans notre façon de penser, et qu'elles nous empêchent d'évoluer. Nous pensons comme nos parents, nos professeurs, notre environnement social. Nous ne raisonnons plus librement. Nous projetons des *idées-habitudes*. Aucun dialogue réel n'est possible entre deux personnes sclérosées dans leur routine. Elles ne font que répéter ce qu'elles ont appris.

— Nous sommes prisonniers de notre éducation, tout le monde le sait, alors à quoi bon cette consultation?

— Pour vous aider à mieux prendre conscience de tout cela. Pour que vous voyiez la réalité sans rêver à des chimères.

— Il y a longtemps que je ne rêve plus.

— Vous rêvez, comme nous tous : d'un amour parfait, d'une vie sans souffrance… et ce ne sont que deux rêves parmi d'autres.

— Ce ne sont que des rêves ?

— Des habitudes de pensée dénuées de réalité.

— Et ce cercle ?

— Il représente votre zone de confort, comme je vous l'ai dit. Pour changer, il vous faudra traverser cette zone et aller voir de l'autre côté du cercle, là où vous n'avez pas l'habitude de circuler. Voilà l'objet de la thérapie : vous amener à découvrir des facettes de vous-même que vous ignorez, d'autres manières d'envisager la vie, la réalité. Lorsque vous serez à la limite de ce cercle de confort et qu'il vous faudra prendre la décision de le traverser, vous aurez peur. Nous avons tous peur à ce moment-là. C'est alors que je serai présent pour vous soutenir et vous apporter mon expérience. Je ferai tout ce qu'il sera nécessaire de faire. Tout. Il est probable qu'à ce moment-là vous ne m'aimerez pas. Vous allez peut-être me haïr. Parce que vous ne comprendrez pas ce que je fais. Ce n'est pas facile de traverser sa zone de confort, il vous faudra du courage. On protège son confort envers et contre tout, le savez-vous ?

— Mais si je viens vous voir, c'est que je suis prête à faire le saut, sinon je ne serais pas là, surtout au prix que cela me coûte…

Le docteur pose lentement le sous-main sur ses cuisses et croise les bras :

— Croisez les bras, ordonne-t-il.

Surprise, Corinne hésite un instant, puis obtempère.

— Maintenant, croisez les bras en sens inverse, mais en plaçant les mains exactement dans la même position !

Le docteur Rikson a accéléré l'allure de sa phrase. C'est plus une injonction qu'une demande.

Corinne regarde ses bras, comme perdue. Elle fait ce qu'on lui demande, croise les bras en sens inverse, mais sans être tout à fait sûre que ses mains se trouvent dans la même position qu'un instant auparavant.

Elle sourit, devant la difficulté de l'opération.

— Vous n'êtes pas tout à fait sûre que vos mains sont dans la même position, n'est-ce pas ? Ne vous inquiétez pas, la plupart de nos actions sont machinales. Nous n'avons pas conscience de nos faits et gestes.

Corinne croise de nouveau les bras.

— Restez dans votre inconfort.

Il laisse passer un moment, visiblement amusé par ce petit jeu :

— C'est inconfortable, n'est-ce pas ? Pourtant, si vous persistez à croiser les bras de cette façon, dans quelques jours, ce sera devenu tout aussi confortable que dans le sens habituel. Cela deviendra une nouvelle habitude.

Il la fixe dans les yeux. Brusquement, elle se sent mal à l'aise. Est-il en train de l'hypnotiser à son insu ? Elle a envie de lui poser la question, mais sa gorge est comme paralysée.

— L'inconfort que vous éprouvez en croisant les bras en sens inverse s'appelle la *résistance au changement*. Il faut accepter de passer par une phase d'inconfort pour devenir meilleur. Ce phénomène est une réalité dans tous les domaines, dans toutes les disciplines, dans tous les sports. Beaucoup de gens veulent changer leur vie, mais refusent l'inconfort du changement. Que ce soit pour déménager, pour se marier, pour se séparer ou pour quitter un travail et en prendre un autre, nous préférons souvent demeurer dans les limites de notre zone de confort. Non pas parce que notre vie va mal, mais parce qu'elle va plus ou moins bien. Il n'y a pas d'urgence, c'est là tout le problème. Si vous êtes venue me consulter, c'est parce que vous en avez ressenti l'urgence.

— Je comprends. Mais pourquoi dois-je m'engager à prendre soin de moi en toutes circonstances ? Vous allez me faire du mal ?

— Je ferai tout ce qu'il sera nécessaire de faire lorsque vous serez au bord du cercle, pour vous aider à le franchir. À ce moment-là, vous ne comprendrez pas ce que je fais, et vous ne m'aimerez pas. Tenez, lisez ce poème d'Apollinaire.

Il tend une feuille à Corinne, qui lit :

« Venez au bord !
Nous ne pouvons pas,
Nous allons tomber.
Venez au bord !
Nous ne pouvons pas,
Nous avons peur.
Venez au bord !
Et ils y vinrent
Et il les poussa
Et ils volèrent. »

Corinne considère la feuille un moment en silence, puis lève les yeux.

— Bon, dit-elle, je m'engage à...

Le docteur Rikson l'arrête :

— Levez-vous.

— Pardon ?

— Levez-vous, et répétez tout haut après moi : « Je m'engage à prendre soin de moi en toutes circonstances. »

Corinne se lève et répète la phrase.

— Asseyez-vous, dit-il. Prenez la deuxième feuille, et lisez la règle n° 1.

Corinne découvre une série de paragraphes numérotés. Elle se concentre sur la première règle : « *Je m'engage à terminer la thérapie.* »

Elle tourne et retourne plusieurs fois sa langue dans sa bouche. Ce type est un parfait manipulateur, il n'y a aucun doute là-dessus. Que faire ? Elle se sent coincée, le dos au mur. De nouveau, elle a envie de filer.

Mais où aller ? Auprès de qui ?

Elle est seule devant la décision à prendre. Comment peut-elle avoir la certitude d'aller au bout de sa thérapie ? Elle n'a jamais pu aller au bout de quoi que ce soit.

Et lui, ira-t-il au bout de ses engagements ? Qui est-il ? Elle n'a jamais entendu parler d'une telle thérapie. N'est-ce pas un abus de pouvoir ? Elle ne peut accepter de perdre cette liberté à laquelle elle tient tant.

— Comment puis-je m'engager à terminer une thérapie alors que je ne sais pas ce que vous allez me demander ?

— Lorsque vous vous êtes mariée, vous avez pris un engagement. Si mes souvenirs sont bons, les termes de l'engagement stipulent que les époux se promettent fidélité et assistance, pour le meilleur et pour le pire, non ?

— Bien sûr. Mais vous n'ignorez pas que c'est du cinéma. Vous êtes bien placé pour le savoir...

Un temps, puis :

— Bon, je m'engage, mais je tiens à vous dire que si je dois faire quelque chose qui va contre mes valeurs profondes, j'arrêterai.

— Vous vous donnez déjà une porte de sortie. Quelle est la valeur de votre parole dans ce cas ?

— Mais... Si vous me demandez de sauter par la fenêtre, devrais-je le faire ? Vous trouvez cela normal ?

— Vous n'êtes pas obligée de vous engager, je vous le rappelle.

— Je ne suis pas obligée, mais si je ne le fais pas, vous me fichez dehors. Vous n'appelez pas cela une obligation ?

— Il n'y a rien que nous soyons obligés de faire, dans notre vie. Rien.

— Ah ! non ? Pas même travailler, payer ses impôts, élever ses enfants ?

— Qui nous y oblige ?

— La société, nos parents, notre patron, nos enfants… Mon contrôleur fiscal m'oblige à payer mes impôts.

— Ne serait-ce pas un choix de votre part ?

— Un choix ? Croyez-vous que je « choisis » de payer mes impôts ? !

— Quelles seraient les conséquences, si vous ne le faisiez pas ?

— On m'y forcerait.

— Et ?

— Je me retrouverais au tribunal.

— Oui ?

— Le juge m'ordonnerait de payer, et si je ne le faisais pas, je deviendrais une sans-abri. Je coucherais dans la rue. Voilà ce qui m'attendrait si je ne payais pas !

Elle sent la colère monter, s'en veut de discuter, d'entrer dans le jeu de l'étrange praticien.

— Bien, admet celui-ci. Vous dormiriez sous les ponts. Vous ne seriez pas la seule.

— Cette vie ne me plaît pas. Je préfère un bon lit, et payer mes impôts, plutôt que courir les rues.

— Voulez-vous reprendre la dernière phrase, en remplaçant le mot « préfère » par « choisis » ?

Corinne reste un moment sans voix. Elle se sent dirigée, pourtant, elle fait ce qu'il demande :

— Je choisis de payer mes impôts plutôt que de traîner dans les rues. Voilà, vous êtes satisfait ? C'est ce que vous vouliez que je dise, non ?

— Voyez votre vie : tout ce que vous avez, ne l'avez-vous pas choisi ? Ne répondez pas trop vite. Je ne suis pas votre ennemi. Je fais un pas vers vous. Ne reculez pas. Considérez ce que je viens de vous dire. De deux options, ne choisissons-nous pas celle qui nous procure le moindre mal ? Payer ses impôts représente une douleur, mais dormir sous les ponts en est une plus grande encore. En choisissant de payer vos impôts, n'avez-vous pas choisi l'option la moins mauvaise ?

Corinne hoche la tête.

— Si vous n'êtes pas d'accord, vous pouvez refuser la règle et signer.

— Bon… dit Corinne, je m'engage…

— Levez-vous et répétez après moi : « Je m'engage à terminer la thérapie. »

Corinne se lève et répète la règle, avec un léger sourire.

— Asseyez-vous et allez à la règle suivante.

— « *Je m'engage à être assise sur ma chaise à l'heure.* » Étonnant, dit Corinne, j'étais à l'heure, moi. C'est vous qui m'avez reçue en retard.

— Vous étiez à l'heure ?

— Mais oui. Et vous, ne pourriez-vous pas vous engager à me recevoir à l'heure ?

— Madame Bauwens, puis-je vous rappeler que c'est vous qui êtes en thérapie ? Et que le thérapeute, c'est moi.

— Mais je trouve que votre règle n'est pas juste. Elle doit contenter les deux intéressés, non ?

— Si vous n'êtes pas d'accord…

— Je signe, et alors ? Je peux arriver en retard ? Qu'est-ce qui m'arrivera si je n'accepte pas une règle ? Vous me virez ? Je trouve que vous abusez de votre pouvoir. Et vous m'obligez à me lever et à m'asseoir comme si j'étais un mouflet dans un jardin d'enfants.

Le docteur Rikson se tait. Il attend la décision de sa cliente. Corinne, de plus en plus agacée ne peut plus le regarder. Ce type est impossible ! Elle reste quelques instants à peser ses intentions, mais elle ne voit pas d'issue : ou bien elle accepte cette règle, ou bien elle la refuse et quitte le cabinet.

— Vous savez, se risque-t-elle à dire timidement, j'ai besoin d'être en confiance, et je dois vous avouer que vous ne faites rien pour vous rendre... comment dire... sympathique à mes yeux.

— Mon intention n'est pas de me rendre sympathique à vos yeux.

Corinne se lève et répète la règle :

— Je m'engage à être assise sur ma chaise à l'heure.

— Règle suivante...

— « *Je m'engage à ne manquer aucun rendez-vous.* » Que dois-je faire si je suis vraiment malade, ou si j'ai un accident, ou un empêchement de dernière minute ? Cela peut arriver.

— Cela vous est-il déjà arrivé ?

— Bien sûr, souvent même.

— N'en avez-vous pas assez, de subir tous ces incidents qui vous rendent la vie impossible ?

— Évidemment. C'est même pour cette raison que je vous consulte. Mais une tuile peut toujours me tomber sur la tête.

— Vous prévoyez la chute d'une tuile ?

— Cela pourrait se produire.

— Comment pourriez-vous vous organiser pour respecter votre engagement ?

— Je ne sais pas, cela dépend de la tuile. Vous savez bien qu'un accident peut arriver à n'importe qui.

— Arrangez-vous alors pour venir en consultation... avec la tuile.

— Que va-t-il se passer si je manque un rendez-vous ?

— Vous avez la possibilité de signer si la règle ne vous convient pas.

Corinne se lève et lit tout haut :

— Je m'engage à ne manquer aucun rendez-vous.

— Règle suivante...

— «*Je m'engage à ne pas porter de montre pendant la durée de la consultation.*» Pourquoi ?

— Cela vous pose un problème d'enlever votre montre ?

— Si je ne la regarde pas, c'est bon aussi ?

— Que veut dire ne pas porter de montre ?

— Enlever la montre de son poignet. Mais si je ne la regarde pas, le résultat est le même.

Le docteur Rikson ne répond pas.

Corinne enlève sa montre, la glisse dans son sac à main, se lève.

— Je m'engage à ne pas porter de montre pendant la durée de la consultation.

— Règle suivante.

— «*Je m'engage à ne pas boire, ni manger, ni fumer pendant la consultation,*»

— Des questions ?

— Et si je dois aller aux toilettes ?

— C'est la règle suivante.

Corinne reprend :

— «*Je m'engage à ne pas boire, ni manger, ni fumer pendant la consultation, et même à ne pas sortir.*»

Puis elle passe à la règle suivante :

— «*Je m'engage à ne pas prendre de substances qui altèrent mon état de conscience – pas de médicaments non prescrits – pas d'aspirine – pas d'alcool. Pendant toute la durée de la thérapie.*»

— Des questions ?

— Ah ! ça oui. Vous savez bien que je suis actuellement sous tranquillisants. Je prends une dizaine de pilules par jour. Sans elles, je m'écroule.

— Ces médicaments sont prescrits ?

— Bien sûr.

— Cette règle ne concerne que les médicaments non prescrits.

— Même une aspirine ? Pourquoi ?

— Je sais l'effet que peut faire une seule aspirine sur le cerveau.

— Mais j'ai des migraines épouvantables. Tenez, je sens monter un mal de tête terrible ; si je ne le coupe pas, ma soirée et ma nuit seront fichues. Si j'ai mal à la tête, la consultation est gâchée.

— Vous avez souvent des migraines ?

— Oui, depuis l'adolescence. Quand elles me prennent, je suis comme un chiffon, irrécupérable. Je dois me coucher.

— Vous n'en avez pas assez ?

— De quoi ?

— De vos migraines. Le fait de ne plus prendre d'aspirine ni d'autre drogue est pour vous l'occasion de faire connaissance avec vos maux de tête. S'ils sont là, c'est qu'ils ont quelque chose à vous dire. La douleur a sa fonction, elle est toujours positive : elle vous parle.

Le médecin prend une voix douce, persuasive.

— Elle vous dit : « Ce que tu fais n'est pas bon pour toi. »

Il modifie encore le timbre de sa voix.

— « Fais... autre... chose ! » Avez-vous entendu ?

— Quoi d'autre ? Je ne vois pas ce que je peux faire quand j'ai la migraine.

Le docteur hoche la tête. La partie consciente de sa cliente ne veut pas voir le message qu'il lui adresse. Mais son inconscient l'a capté et continuera le travail à son insu. Actuellement, elle met toute son énergie à défendre ses médicaments, mais le plus important est ce qu'elle évite de mentionner : l'alcool.

— Je vais signer, je ne suis pas d'accord avec cette règle, assure Corinne. Et puis... Pas d'alcool... Même pas un verre de vin ? Et cela pendant toute la durée de la thérapie ? Mais combien de temps va durer cette thérapie, pouvez-vous me le dire ?

— Cela ne dépend pas de moi.

— Je ne vois pas pourquoi je ne pourrais pas prendre un verre de vin en mangeant. Je supporte très bien le vin. Cela n'altère pas mon état de conscience.

Elle se tait un moment, se met à pleurer.

— Cela va être dur, dit-elle.

Elle cherche un kleenex dans son sac, n'en trouve pas. Rikson lui en tend un.

— Pour l'alcool, c'est trop dur, dit-elle. Je ne pourrai pas tenir mon engagement.

— Comment le savez-vous ?

— Je le sais. Je... je suis un peu dépendante de l'alcool...

— Oui ? dit le docteur Rikson en l'invitant à poursuivre.

— Je préfère signer. Je peux ?

Le docteur ne répond pas.

Corinne prend le stylo, relit la règle, mais ne parvient pas à faire le geste de signer. Elle hésite. Elle aurait besoin d'un mot d'encouragement. Un seul mot, et elle essayera de suivre la règle. Mais le docteur la laisse seule face à sa décision. Que faire ? Tant de fois elle a décidé d'arrêter l'alcool, en vain ! Quand l'envie de boire la tenaille, elle n'est plus maîtresse d'elle-même. C'est une autre Corinne, tapie au fond d'elle, qui se jette sur la bouteille. Elle a entendu dire qu'on ne peut pas arrêter du jour au lendemain, que c'est dangereux.

— Moi, dit-elle, je veux bien m'engager à ne pas boire d'alcool. Ce poison a fichu ma vie en l'air, mais je sais qu'il y a une autre Corinne en moi, alcoolique, faible, habitée de démons intérieurs. Je ne sais pas si elle aura la force de tenir le coup.

— De qui parlez-vous ?

— De l'autre partie de moi-même.

— Montrez-la-moi.

— Je ne peux pas, elle fait trop partie de moi.

— Ne serait-ce pas une diversion que vous employez pour éviter de faire ce qui vous fait peur ?

— Inch Allah ! dit Corinne qui se lève et s'engage à ne pas prendre de substances qui altèrent son état de conscience.

— Vous murmurez, reprend le docteur. Ce n'est pas un engagement, mais une condamnation à mort.

Corinne fait un effort, tente de mettre plus de conviction dans sa voix, mais le docteur n'a pas l'air satisfait.

— Écoutez, Madame Bauwens, ne vaudrait-il pas mieux que vous refusiez cette règle ? Votre voix, la façon dont vous vous tenez, la tête baissée... vous avez l'air de subir quelque chose.

— Je comprends ce que vous me dites, mais je sais que je ne tiendrai pas. Je me connais bien. Combien de fois n'ai-je pas promis ! Je n'ai jamais tenu mes engagements. Jamais.

— Asseyez-vous, dit Rikson, de cette voix qui annihile chez elle toute résistance.

Corinne se laisse tomber sur le canapé. Le docteur approche d'elle son fauteuil roulant, l'observe longuement. Il étudie chaque geste, chaque respiration de sa patiente. Quand il sent qu'elle est prête à l'écouter, il lui dit enfin, presque en chuchotant :

— Quelle est la personne envers laquelle on prend le plus d'engagements ?

— Soi-même, répond-elle, comme si c'était à elle qu'elle parlait.

— Chaque fois que l'on prend un engagement envers les autres et qu'on ne le respecte pas, on perd leur confiance. Vous perdez vos amis quand vous ne tenez pas les promesses que vous leur faites. Mais comme vous l'avez dit, c'est avec soi que l'on prend le plus d'engagements. Que pensez-vous qu'il se passe dans votre mental chaque fois que vous prenez un engagement et que vous ne le respectez pas ? Au bout de quelques années de ce petit jeu, vous commencez lentement à vous déprécier, à vous dévaloriser. Un matin, vous vous éveillez, et vous ne croyez plus en vous. Et un jour comme celui-ci, quand on est enfin prêt à mettre sa vie en jeu, on ne se sent pas capable de prendre une décision majeure, parce que notre cerveau sait que, jusqu'à présent, nous n'avons jamais tenu nos promesses. Il sait que notre parole n'a plus de valeur.

Corinne écoute. Elle est d'accord. Elle se reconnaît dans ce tableau. Même sa fille ne croit plus en elle. Elle n'a pas d'amies, à l'exception de Geneviève. Et c'est Geneviève qui l'a envoyée chez ce psy. Corinne est sur le point, encore une fois, de la décevoir, elle va la perdre, elle aussi, c'est sûr. Si elle ne réagit pas, elle se retrouvera seule, elle mourra seule.

Au prix d'un terrible effort, elle se lève, serre fortement les poings, crie :

— Je m'engage à ne pas prendre de substances qui altèrent mon état de conscience. Même si je dois en crever, je ne toucherai plus jamais une goutte d'alcool, pendant et après ma thérapie et jusqu'à la fin des temps.

Quelque chose vient de se passer. Elle sent le sang circuler dans ses veines. Un sourire se dessine sur son visage. Elle a gagné, remporté une victoire ! Elle se dit que tout est possible. Elle a presque envie de se jeter dans les bras de cet handicapé, de l'embrasser.

— Règle suivante, dit le docteur sans se démonter.

— «*Je m'engage à changer de route à chaque rendez-vous.*» Je ne comprends pas.

— Nous avons l'habitude de prendre les mêmes chemins. Pour venir me voir, je vous demande de prendre chaque fois une route différente, que ce soit pour vous rendre chez moi ou pour rentrer chez vous.

Corinne se lève, lit la formule et passe à la règle suivante :

— «*Je m'engage à faire tout ce que le thérapeute me demande.*»

Ses mains se mettent à trembler. Elle relit la phrase, plusieurs fois, pour se donner le temps de réfléchir.

C'est de l'abus de pouvoir. Elle ne peut lui donner carte blanche. Pour qui se prend-il ? Dieu le Père en personne ? A-t-il droit de vie et de mort sur ses patients ? Comment sortir de cette situation ?

— Je trouve que vous allez un peu loin, dit-elle finalement.

Le docteur lève sur elle un regard qui l'incite à continuer.

— Qu'allez-vous me demander de faire ? lui lance-t-elle d'un ton provocateur.

— Tout ce que je jugerai nécessaire, répond-il en gardant son calme.

— C'est quoi, tout ?

— Je ne sais pas.

— Vous ne savez pas ! Et moi je dois m'engager dans l'inconnu ! Vous trouvez cela normal ? Vous feriez cela, vous ?

— Ce n'est pas moi qui suis en thérapie.

— Encore une fois, vous répondez sans répondre. Vous ne vous engagez pas beaucoup. C'est moi qui prends tous les risques.

— Lesquels ?

— Je ne sais pas où je vais, voilà tout.

— Vous saviez où vous alliez, avant de venir me voir ?

Il a encore marqué un point. Elle sait où elle allait : tout droit à la destruction, à la mort. Elle se lève, agacée.

— Je m'engage à faire tout ce que le thérapeute me demande.

Elle ajoute :

— Vous pouvez faire de moi ce qu'il vous plaira. De toute façon, j'ai toujours fait ce que les hommes voulaient...

— Je ne suis pas un homme.

— Non ?

— Je suis votre thérapeute, souvenez-vous-en.

— Je m'en souviendrai.

Elle se demande quelle heure il peut être, mais elle a enlevé sa montre. Il doit être tard. Elle n'a jamais eu une consultation aussi longue. Cela va lui coûter une fortune.

— Je commence à fatiguer. Pas vous ? On ne pourrait pas continuer un autre jour ?

— Nous n'avons pas fini.

Corinne tente de retrouver le fil de ses idées, elle se force à lire, mais les mots la fuient, elle n'arrive plus à en saisir le sens. Elle cherche désespérément la règle suivante, mais tout se mélange devant ses yeux.

— Dernière règle, prononce-t-il, comme pour la soulager.

— *« Je m'engage à ne plus avoir de contact avec ma famille pendant toute la durée de ma thérapie, ni avec ma fille, ni avec mes parents, ni avec mon amant, ni avec mes amis.* » Vous voulez me couper du monde ?

— N'est-ce pas ce que vous avez tenté de faire à plusieurs reprises ?

— Si, admet-elle.

Elle hésite une seconde puis se lève et répète la règle.

Le docteur Rikson récupère le sous-main qu'il pose sur son bureau et tend à Corinne quelques autres feuilles.

— Paraphez chaque page, et signez la dernière en mettant vos nom, prénom et signature, ainsi que la date.

Corinne parcourt les feuillets avec stupéfaction. Elle n'en revient pas. Il s'agit ni plus ni moins d'une passation de pouvoir. Ces papiers donnent au docteur Gérald Rikson le droit de disposer de ses comptes bancaires et de tous ses avoirs, sans en référer à qui que ce soit. Il peut la dépouiller et la jeter à la rue du jour au lendemain. Il peut aussi signer des chèques en son nom.

— Si je signe cela, dit-elle, je n'existe plus. Je sais, vous allez me dire que, de toute façon, je me suis suicidée et que je reviens au point de départ. Mais si je suis venue vous voir, c'est parce que j'ai décidé de vivre. Vous comprenez ? Je veux vivre. En acceptant ces choses, je suis à votre merci. Je n'existe plus en tant qu'être humain. Pourquoi cette exigence ? Vos clients acceptent-ils cela sans broncher ? Comment avez-vous réussi à obtenir ce genre de choses de mon amie Geneviève ? Elle a signé ces papiers ? Signer cela, c'est mourir.

— Si vous voulez renaître, il faut commencer par mourir.

Corinne cherche du secours. Il lui faut du temps. Elle voudrait appeler son amie.

— Écoutez, docteur, je ne peux pas, pas cela… Là, vous dépassez les bornes.

— Revenons à votre parole : vous vous êtes levée et avez déclaré tout haut : « Je m'engage à faire tout ce que le thérapeute me demande. » Que vaut votre déclaration ? Vous pouviez refuser. Vous ai-je forcée ?

— Non, mais je ne pensais pas que vous iriez jusque-là. Je n'avais pas réfléchi à toutes les conséquences de cet engagement.

— C'est ainsi que vous agissez dans la vie ? Le refus d'assumer les conséquences de vos actes est-il plus important pour vous que la parole donnée ?

Corinne revoit sa vie. Oui, elle donne sa parole sans réfléchir, puis se rétracte. C'est sa façon de faire habituelle.

— Oui, dit Corinne, et je sais où cela m'a menée.

— Vous n'avez pas envie de sortir de ce schéma ?

— Bien sûr. C'est pourquoi je veux revenir tout de suite sur mon engagement. Je refuse la dernière règle.

— C'est trop tard, dit le docteur d'un ton catégorique. Ce n'est pas un jeu, ou si cela en est un, c'est le jeu de la vie. Ou vous signez maintenant la totalité de ces papiers, ou vous quittez mon cabinet. Il n'y a pas d'alternative.

« Surtout n'y allez pas ! »

On l'avait prévenue pourtant. Mais elle a foncé tête baissée dans la gueule du loup. Et son amie l'y a poussée d'une bonne claque dans le dos.

C'est à prendre ou à laisser. Toute sa vie, elle a fui. Cette fois, plus moyen de s'esquiver.

— Autre chose : vous ne retournerez plus jamais au journal. Ce métier est fini pour vous. Ne cherchez pas une autre activité, je vous l'interdis formellement. Même si cela doit durer des mois. Ne me demandez pas à quoi vous allez passer votre temps, je pense que vous aurez pas mal de choses à faire en vous occupant de vous.

Soudain, quelque chose se déclenche en elle, comme lui vient parfois l'envie de disparaître. Après tout... Au point où elle en est, elle peut jouer le tout pour le tout.

Elle saisit la liasse de feuillets et les paraphe sans les examiner. Elle accepte de mourir au passé.

Après le départ de Corinne, le docteur Rikson reste un moment immobile, comme perdu dans ses pensées. Lentement, un sourire se dessine sur son visage. Tout s'est passé comme il l'avait prévu.

Il émerge de sa rêverie et se tourne vers le grand miroir accroché au mur, à droite de son bureau. Il fait un signe de la main. Une porte s'ouvre et trois hommes entrent dans la pièce.

— Il est tard, je ne vais pas vous retenir long-temps.

Il les scrute un moment en silence. Puis, son regard va de l'un à l'autre, interrogateur.

— Alors ?

— Un jeu d'enfant, dit Michel Lissens, le plus grand des trois, bien habillé, costume chic, teint bronzé entretenu toute l'année par des lampes UV. Les deux autres approuvent de la tête.

— C'est la proie rêvée, dit son voisin, Alain Jespers, un avocat au visage bouffi et au teint coloré. Il a du ventre et plus guère de cheveux.

— Je la saute au deuxième rendez-vous.

C'est Spiros Klidaras qui a parlé. Un homme mince, le visage énergique, les yeux vifs et nerveux.

— Hum ! dit le bronzé, si on manœuvre habile-ment, on peut se la faire dès le premier rendez-vous. On a de la chance, elle n'est pas mal, à part les seins. Moi, j'aime les gros seins, mais je ferai un effort d'imagination.

Les deux autres se mettent à rire.

— Attendez mon signal, dit le docteur. Vendredi prochain, vous en saurez plus sur ses goûts.

— Puis-je me permettre, docteur, dit l'homme au crâne dégarni. La prochaine fois, pourriez-vous déplacer un peu votre fauteuil ? Vous nous cachiez une partie de l'entretien.

X

Spiros entre et balaie la salle d'un regard faussement distrait, mais son œil de chasseur a repéré le bar où un petit groupe converse bruyamment.

En une soirée, il va gagner ou perdre.

C'est le stress qu'il recherche. Le défi. C'est un joueur, et comme tel, il a le trac.

Chaque vendredi soir, il fait ainsi le tour des discothèques, en quête d'une proie. Il traque la femme.

Spiros Klidaras est un séducteur.

Pour pimenter leur vie, certains hommes jouent au casino, d'autres remplissent des grilles de mots croisés, des initiés spéculent en Bourse ou bâtissent des empires.

Spiros, lui, baise.

Sa tactique est toujours la même – pourquoi modifier une martingale gagnante ? Lentement, il sirote un verre au comptoir d'un établissement en vogue, il prend part aux discussions voisines et, au moment opportun, lance l'hameçon. L'hameçon, dans ce cas-ci, est constitué de quelques mots, à peine une phrase, qu'il doit placer au bon moment. Avec une intonation particulière. Et avec l'expression du visage appropriée. Il doit paraître timide, gauche, mal à l'aise. Surtout, il doit avoir l'air de chercher ses mots.

La formule gagnante, déjà jouée des centaines de fois, il doit l'interpréter comme si c'était la première. Il se fait confiance, il maîtrise bien son personnage. Le public féminin applaudit chacune de ses prestations.

Les discussions vont bon train, et Spiros se mêle à une conversation. On parle de cinéma, de voitures, de restaurants à la mode. Quand l'occasion se présente d'intervenir, il donne un avis qui se veut raisonnable et pertinent, sans trop s'éloigner des positions du plus grand nombre.

Ayant choisi une proie, il l'écoute attentivement, identifie ses convictions et les reprend à son compte en les confirmant. Puis il s'efface et laisse la parole aux autres, retranché tout à coup dans ses pensées, comme préoccupé, semble-t-il, par quelque mystérieux problème.

— Et vous, que faites-vous dans la vie ? interroge l'une des deux femmes du groupe en lui lançant un regard curieux. Voilà un homme, suppose-t-elle, qui n'a pas l'air de se mettre en valeur, pas comme les autres fanfarons. Timide, certainement. Mal dans sa peau, peut-être. Mais qui s'exprime posément.

L'œil de Spiros la détaille en une fraction de seconde. Elle porte une jupe bleue et un corsage assorti. De longues jambes, qui ont l'air fermes sous le tissu transparent, des hanches étroites. Pas vraiment de gros seins. Un visage maquillé avec soin. Des lèvres...

appétissantes. Baisable, se dit-il. Il aurait préféré une grosse poitrine. Ça le fait bander très fort, les gros seins.

Un sourire imperceptible s'esquisse sur ses lèvres. Ça y est, il va entrer en scène. Il repose son verre sur le comptoir, baisse les yeux et marmonne sa litanie d'épagneul blessé :

— Je suis chirurgien esthétique, dit-il... Je sors d'une mauvaise rupture amoureuse. Je préfère ne pas trop en parler...

Puis il fait mine d'hésiter, se ravise, reprend son verre, entraîne son interlocutrice dans un coin plus intime. Et là, en toute discrétion, encouragé par le regard bienveillant de sa compagne, il accepte de poursuivre son histoire.

— Pourtant, j'ai besoin de me confier...

Telle une araignée qui tisse sa toile, il débite sa pénible confession. Le piège se referme lentement. Il connaît la suite des événements. Avec un peu de chance, il la ramènera dans son studio, pour prolonger la conversation et prendre un dernier verre en tête-à-tête.

Tout a été calculé dans l'aménagement de sa garçonnière : un laisser-aller stratégique, des bouquins médicaux traînant ici et là, des articles professionnels étalés sur la table. Dans un grand cadre, une vingtaine de photos de lui avec d'autres chirurgiens en blouse blanche, à l'hôpital, assis devant les marches d'un bâtiment universitaire avec d'autres étudiants, en train de pratiquer une intervention. D'autres instantanés épinglés au mur représentent des poitrines féminines, « avant » et « après » l'opération-miracle...

Le décor est planté, la fête peut commencer. Ils feront l'amour avec fougue, il le sent, car elle se dépassera pour lui plaire. Elle fera ses quatre volontés.

C'est fou ce que la première fois pourrait être intense, si les hommes étaient plus au fait de la psychologie amoureuse. Les femmes sont plus disponibles à ce moment-là. Elles veulent être à la hauteur et, ne connaissant pas leur partenaire sur le plan sensuel, elles acceptent presque toutes les fantaisies érotiques.

Après deux heures de prouesses sexuelles diverses, il lui demandera de le laisser, car il part en congrès à l'étranger le lendemain matin très tôt. Il la rappellera dès que possible. Il lui laissera son numéro de téléphone portable. Elle pourra le joindre quand elle voudra. S'il est occupé, elle laissera un message sur sa boîte vocale et il reprendra contact.

En réalité, c'est lui qui appellera le premier, pour la remercier de cette magnifique soirée, pour lui dire qu'il la verra à son retour, dans quelques jours.

Il la reverra, effectivement, quelquefois, toujours en semaine – le week-end étant réservé aux congrès – jusqu'à ce que, lasse de cet homme fantôme qui refuse de s'engager, elle commencera à devenir exigeante, à demander des comptes, à faire des reproches.

Alors, il fera lentement marche arrière. Il s'éloignera peu à peu. En restant «amis», on ne sait jamais... et, en grand seigneur, prenant tous les torts à sa charge. Il a remarqué que c'est plus facile de prendre les torts à sa charge, cela fait gagner du temps et évite des montagnes de récriminations.

«Tu vois, mon métier est impossible. Je ne suis pas prêt à me ranger. Mon travail passe avant tout. Tu as fait ce que tu pouvais. Nous allons rester amis. J'ai peut-être perdu une épouse, mais j'ai gagné une épaule sincère sur laquelle je peux m'épancher en cas de coup dur. Et je ne te remercierai jamais assez... Tu m'as appris qu'une relation affective désintéressée peut exister... mais je ne suis pas prêt à accepter ce présent magnifique.»

Et de peur qu'elle ne s'apitoie sur lui et ne remette en cause leur séparation, il ajoute :

— Vivre avec une femme… c'est trop pour moi, je ne crois pas que je suis fait pour ça. Je suis maso, j'aime la solitude.

Et le voilà de nouveau libre comme le vent, prêt pour une nouvelle conquête. Le scénario est écrit. Tout est prévu, même l'imprévisible.

Cela fait des années que Spiros Klidaras affine sa mise en scène.

Pour comprendre comment cet homme de quarante-cinq ans peut séduire les femmes avec tant d'efficacité, il faudrait remonter quelques années en arrière, car rien en apparence ne le prédestinait à incarner ce rôle de tombeur.

Spiros Klidaras, de taille moyenne, ne peut cacher son origine méditerranéenne. Peau foncée, le crâne légèrement dégarni, l'air toujours mal rasé… Le visage est mince, les yeux sombres, d'une profondeur que l'on pourrait croire mystérieuse.

Il n'est pas vraiment beau, et aucune femme ne se retourne sur son passage. Mais il s'en moque, car ce qui, pour certains, représente un handicap, est pour lui un atout majeur dans le jeu de la séduction amoureuse. Peu d'hommes savent ce qu'il sait : les femmes sont sensibles à certains mots, à certaines espérances. L'âge, la beauté physique, la situation matérielle, la profession, l'argent, tous ces éléments sont pris en compte dans le choix d'un partenaire, mais l'essentiel est ailleurs.

Et Spiros fournit l'essentiel : l'amour.

Rien que l'amour. Toujours l'amour.

En tout cas, sous forme de promesse. Mais n'est-ce pas la même chose ?

Spiros est marié depuis onze ans. Son épouse est une jolie femme de trente-six ans, sensuelle et bonne ménagère. Elle lui a donné deux charmantes filles, âgées aujourd'hui de dix et huit ans. Employé de banque modèle depuis quinze ans, promis à un poste de chef de bureau dans quelques années, il peut s'avouer un homme heureux. Il a ce que peu d'hommes ont réussi à acquérir : la sécurité et la chaleur d'un foyer, et en même temps la liberté épanouie d'un célibataire. Bien sûr, il a dû se battre pour atteindre son but, mais c'est une des lois de la vie, les choses ne viennent pas d'elles-mêmes.

Au début de son mariage, passé le temps de la passion, il s'est interrogé. Comment satisfaire pleinement ses pulsions érotiques ? Sa femme ne lui suffisait plus. Il l'aimait, certes ; et elle était la mère de ses enfants. Mais elle ne l'excitait plus guère.

Les autres femmes, par contre... Il tombait amoureux presque tous les jours. Sur le chemin du travail, à son club de tennis, lors d'une soirée entre amis... Toutes les femmes l'excitaient.

Au début, il s'est senti mal à l'aise. Peut-être n'était-il pas normal ? Puis il s'est rendu compte que ses copains, ses amis, éprouvaient les mêmes désirs. Simplement, cela ne semblait pas les préoccuper. Ils n'hésitaient pas à « tirer un coup » ailleurs, quand l'occasion s'en présentait. Bien sûr, cela les frustrait de ne pouvoir donner libre cours à leurs penchants. Ils le vivaient d'ailleurs assez mal, les frustrations engendrant des disputes, des mal-être, des conflits au sein de leur famille, mais ils finissaient par se résigner, la vie de célibataire leur paraissant plus périlleuse que la vie à deux.

Spiros a appris que la plupart des hommes, pour pallier la lassitude qui naît inévitablement de la coexistence avec une seule partenaire amoureuse, érigent des entreprises, montent des affaires, créent des sociétés, vendent ou achètent des biens, amassent des fortunes, convoitent le pouvoir...

Mais il n'a pas envie, lui, de passer son temps à prospecter des clients, à combiner des relations d'affaires, à se démener contre les concurrents, à vivre dans l'angoisse et la crainte d'un redressement fiscal, toujours à la merci d'un mauvais payeur...

Spiros Klidaras est un homme simple, presque zen. Il va droit à l'essentiel. Il a bien étudié sa situation d'homme marié. Il ne lui a pas fallu longtemps pour arriver à la conclusion qu'un jour ou l'autre il tromperait sa femme. Son corps le lui disait, et les statistiques le confirmaient. Il risquait donc de compromettre son avenir familial.

Il a d'abord considéré la possibilité de redevenir célibataire, et de nouer ainsi autant de relations sexuelles que possible. Mais après une enquête poussée, il s'est vite rendu compte que les joyeux célibataires ne sont pas aussi joyeux qu'ils le prétendent. Ce sont des solitaires qui souffrent de devoir multiplier les aventures. Certains semblent toujours en quête de la femme idéale. Non, la voie du célibat n'est pas la meilleure.

Il s'est alors demandé s'il ne serait pas possible de vivre les deux situations à la fois.

Pourquoi pas ? Marié et célibataire.

Bien sûr, les difficultés ne manquaient pas. Pour séduire facilement, il fallait vivre comme un célibataire disposant de temps libre à consacrer à ses nombreuses conquêtes. Il lui fallait aussi une résidence personnelle où recevoir, un numéro de téléphone auquel les femmes pourraient l'appeler à toute heure, un répondeur... Il devait afficher une profession intéressante lui permettant de voyager régulièrement et de justifier ainsi ses nombreuses absences.

Bien vite, Spiros s'est rendu compte qu'un tel projet était périlleux, voire impossible. Dépité, il a donc repris sa condition familiale banale : mari fidèle, bon père, employé modèle. Avec, comme tant d'autres, des fantasmes irréalisables.

Et puis, un jour, il a fait la connaissance d'une femme rencontrée à un cours de yoga. Elle avait une façon de se mouvoir qui annonçait, se dit-il, une sensualité prometteuse.

Ils ont pris un verre ensemble. Elle sortait à peine d'une histoire douloureuse avec un homme marié. Sa vie amoureuse paraissait bien compliquée. Chaque fois, elle tombait sur des hommes déjà engagés. Elle ne voulait plus en entendre parler, lui expliqua-t-elle, décidée à les fuir dorénavant.

Spiros l'écoutait en silence et se disait qu'il avait bougrement envie de la baiser. S'ils ne s'étaient pas trouvés dans un lieu public, il l'aurait culbutée là, sans attendre. Bien sûr, elle semblait un peu dérangée, mais pour l'usage qu'il voulait en faire... Comment la séduire, se demandait-il. Impossible de faire une quelconque proposition à une femme ainsi déçue par les hommes. Pas tout de suite en tout cas. Il faudrait la revoir, créer la confiance, la séduire graduellement. La revoir, oui, mais quand ? Après un autre cours de yoga ? Et si elle suggérait un samedi soir, ou un dimanche matin ? Impossible, évidemment.

— Et vous ? Vous ne parlez pas de vous ?

C'est là que tout a commencé. Spiros s'est entendu parler, avec des mots inconnus. On aurait dit qu'il était passé dans une autre vie, ou qu'il parlait de quelqu'un d'autre.

— C'est curieux, répondit-il en fixant le fond de son verre, je viens de vivre une situation similaire. Je sors, moi aussi, d'une rupture douloureuse. Ma compagne ne supportait pas mes nombreuses absences professionnelles.

Il a fait une pause pour donner plus de poids aux mots qui allaient suivre.

— Je suis chirurgien esthétique, je travaille dans divers hôpitaux en Europe. Les techniques évoluent tellement vite dans ce domaine que je suis constamment en voyage, d'un congrès à l'autre. J'organise moi-même certains colloques. J'exerce un métier passionnant, mais, malheureusement, ma vie affective en pâtit. J'ai quarante ans. Je rêve de fonder une famille, d'avoir des enfants, il est temps pour moi d'acheter un chien et de changer ma voiture de sport contre une familiale. J'aspire à une vie rangée. J'aimerais habiter la campagne, prendre le temps d'écrire un livre sur l'évolution de la chirurgie plastique. Mais les femmes que j'ai rencontrées jusqu'ici étaient plus attirées par le prestige de ma fonction que par ma personne. Ce n'est pas de l'amour qu'elles me donnaient, je le sentais et le leur faisais savoir. Je comprends qu'elles m'aient toutes quitté après quelques mois, je les avais déjà quittées en pensée. Pour l'instant, je me pose pas mal de questions à propos de l'amour, des femmes, de ce que je recherche. Je ne pensais pas, quand j'étais étudiant, que mon métier serait un tel obstacle à une vie de couple.

Là, par génie ou par une sorte d'instinct animal, Spiros s'est fait pathétique, baissant la voix :

— C'est si difficile... de trouver une femme qui m'accepte tel que je suis... Je veux dire, avec mon métier, les voyages, les congrès... Un jour, j'ai même envisagé de changer de profession... Mais ce n'est pas sérieux. J'aime ce que je fais, et je ne me vois pas faire autre chose...

Il parlait avec tant de sensibilité et de naturel qu'elle fut sous le charme.

La perspective d'une vie telle que la brossait cet homme la séduisait. Elle lui a posé des questions sur son travail, ses déplacements, sur la chirurgie esthétique…

C'est quand elle a commencé à l'interroger sur ses relations amoureuses passées que Spiros a compris qu'il avait fait mouche.

Son personnage de chirurgien à succès, libre et à la recherche de la femme idéale, était une réussite.

Elle s'intéressait à lui comme à un partenaire possible. Il la sentait à portée de main. S'il avait eu un appartement, il aurait pu porter l'estocade finale. Comment faire? C'était ce soir ou jamais, il le savait, cette histoire ne tiendrait pas plus de deux jours. Elle allait lui demander une adresse, un téléphone. Il n'en avait pas. Et puis, le miracle:

— Vous avez vu l'heure? a-t-elle dit en consultant sa montre d'un air ingénu. Notre conversation m'a ouvert l'appétit. J'ai faim, tout à coup. Pas vous? Nous pourrions dîner ensemble, chez moi, et continuer à discuter. Qu'en dites-vous?

— J'allais justement vous proposer de passer chez moi, mentit Spiros, j'ai des talents culinaires cachés, mais ce sera pour une autre fois. Je suis d'accord, allons chez vous.

Ils ont passé la soirée dans son appartement à faire l'amour.

Spiros Klidaras répétait à l'oreille de la jeune femme qu'il avait enfin trouvé la compagne idéale. Qu'elle le rendait heureux au-delà de toute espérance. Que le passé était le passé, et qu'ils allaient, à deux, bâtir l'avenir.

Comme un acteur, il parlait avec aisance et naturel. Des mots, ce n'étaient que des mots. Mais quels mots! Ceux qu'elle attendait, qu'elle avait toujours espérés.

Alors elle s'est offerte à cet inconnu, sans retenue, dans une liberté totale et sauvage.

Spiros Klidaras, ce soir-là, s'est senti comme appelé par le divin. Jamais il n'avait éprouvé autant d'excitation, autant d'énergie vitale, autant de puissance. Il a su ce qu'était l'illumination. Dans ce lit, avec cette jeune femme, il a compris ce pourquoi il était fait. Le sens occulte de son existence se révélait soudain : baiser.

Il allait s'y consacrer corps et âme.

XI

Un souffle glacial balaie la Grand-Place de Bruxelles. Bien au chaud, derrière la fenêtre de la brasserie
Le Roy d'Espagne où elle prend son petit-déjeuner,
Corinne contemple l'architecture de l'hôtel de
ville.

Même dans la lumière grise du jour levant,
l'endroit est magique.

Dans une heure ou deux, la place sera prise
d'assaut par les touristes.

Elle aime venir ici, tôt le matin. C'est devenu
comme un rituel. Depuis toujours, quand quelque
chose va mal dans sa vie, après une rupture ou une déception sentimentale, c'est ici qu'elle vient.

Il lui arrive parfois d'y donner un premier rendez-
vous à un homme. C'est un peu son chez soi, son ter-
ritoire. Elle s'y sent en sécurité.

En entrant dans l'établissement, elle cherche du regard la table près de la fenêtre, « sa » table. Si elle est occupée, elle attend qu'elle se libère.

Enfin installée, elle peut rester là de longs moments à laisser son regard errer sur les passants.

Elle aime capter un visage tourmenté ; elle le suit des yeux jusqu'à ce qu'il disparaisse de sa vue puis laisse son imagination inventer le scénario de la vie de ce promeneur anonyme, avec ses joies, ses peines, ses amours...

La vie des autres, pense-t-elle souvent, ressemble étrangement à la sienne.

Elle mord dans son croissant, rêveuse.

Elle a posté sa lettre de démission en sortant de chez elle, ce matin.

Ce n'est pas très responsable ni très professionnel de partir ainsi. Elle aurait voulu appeler, expliquer, passer au journal. Aucune journaliste n'a quitté le magazine avec une telle désinvolture. Elle peut être certaine que toutes les portes lui seront fermées désormais dans la profession. Mais le docteur Rikson a été catégorique : elle ne devait revoir personne, ne donner aucune explication. Pour simplifier les choses, il lui a rédigé un certificat médical lui interdisant ce métier trop stressant pour elle.

Demain, le magazine recevra la lettre, et ils prendront les mesures nécessaires. Ils devront la remplacer, c'est sûr. Cela fera le bonheur et le malheur de certaines. « Rédactrice en chef »... Cela lui fait un drôle d'effet de savoir qu'elle ne fera plus jamais ce travail.

Une page est tournée. Et quoi qu'en dise son vieil handicapé de psy, elle savait depuis longtemps qu'un jour il lui faudrait quitter cet emploi. Il faisait partie du passé. Elle n'est plus la même à présent. Le monde lui est enfin accessible. Si... Si elle reste en vie, bien sûr. Si son corps... le veut bien.

Elle se demande si elle n'a pas commis une erreur en refusant l'opération. Les médecins paraissaient sûrs d'eux.

Comment un psy pourrait-il l'aider ? C'est dans son corps que la maladie se développe, pas dans sa tête.

Bien sûr, on dit souvent que l'esprit contrôle le corps, mais tout cela reste à prouver.

Ne dit-on pas «Un esprit sain dans un corps sain» ? Pourtant, les animaux... Est-ce à cause d'une enfance douloureuse qu'ils développent une tumeur ? Ont-ils été mal aimés par leurs parents ?

De lourds nuages s'accumulent au-dessus des monuments de la Grand-Place. La pluie s'annonce. Les touristes commencent à affluer.

Des clients entrent dans l'établissement, de plus en plus nombreux, occupent les tables autour de Corinne.

Elle songe soudain à la femme qu'il lui arrive de surprendre parfois la nuit, derrière la fenêtre. Elle ne peut pas voir son visage, mais elle connaît sa tristesse, identique à la sienne. Elle a envie d'aller la trouver, de lier connaissance. L'inconnue doit se sentir bien seule pour scruter ainsi les ténèbres. Un lourd secret peut-être la ronge.

Elle commande un autre café.

Elle se sent bien, elle n'a pas envie de bouger. Elle a pourtant une tâche importante à accomplir. Le docteur Rikson lui a remis une enveloppe avec ses instructions. «Choisissez un établissement où vous aimez prendre un café. Allez-y dès l'ouverture, le matin. Ce doit être un endroit assez fréquenté, où vous pourrez être seule mais entourée de monde, où le silence peut se faire malgré le bruit. Passez-y du temps, autant qu'il le faudra. Quand vous saurez que c'est le moment, ouvrez l'enveloppe que voici et respectez les consignes. Ensuite, allez au cinéma. Allez voir un dessin animé et faites-moi un rapport sur le film. »

Elle a fait ce qu'il lui a demandé.

Cela fait deux heures qu'elle est là.

Enfin, elle prend l'enveloppe dans son sac, respire profondément, la décachette.

La lettre a été tapée à l'ordinateur. Mise en page commerciale. Peut-être le docteur a-t-il des difficultés à écrire, à cause de son handicap ?

Elle se met à lire, lentement, s'attardant sur chaque mot pour bien en comprendre le sens. Ce que le médecin écrit lui paraît tellement insensé qu'elle se demande d'abord s'il ne s'agit pas d'un canular.

> « *Chère Madame Bauwens,*
>
> *Lorsque vous lirez cette lettre, il est probable que je serai encore bien au chaud dans mon lit. Ce n'est pas mon heure, voyez-vous. Mais c'est bien la vôtre à partir d'aujourd'hui.*
>
> *Eh oui ! la première chose que je vous demande de respecter pour votre thérapie, c'est de vous lever avec le soleil.*
>
> *Pendant combien de temps ? Pendant une cinquantaine d'années, au moins.*
>
> *Avez-vous déjà assisté au lever du jour ? C'est beau n'est-ce pas ? La plupart d'entre nous n'ont pas cette chance, ils arrivent sur le lieu du spectacle à l'entracte, et ils rentrent chez eux avant la fin, pour regarder la télévision ou lire le journal.*
>
> *À partir d'aujourd'hui, je vous demande de vous lever tous les jours avec le soleil. Cela peut vous sembler étrange, mais c'est le point-clé de votre thérapie.*
>
> *Les premiers rayons vous apporteront l'énergie de vie dont vous avez besoin pour exister*

tout au long de la journée. Le mouvement du soleil vous apportera, lui, le rythme de vos évolutions.

Vous ne me croyez pas ?

Je l'espère. Ne croyez jamais personne sur parole, vérifiez par vous-même le bien-fondé de toute affirmation. Si quelque chose est bon pour vous, cette chose est vraie, si elle n'est pas bonne pour vous, elle est fausse.

Voici ce que je vous demande de faire aujourd'hui : Vous allez écrire à vos parents, à vos frères et sœurs, à vos amis très chers, à votre amant et, enfin, à votre fille. Vous leur direz votre désir de prendre de la distance pendant quelque temps. Qu'ils vous laissent tranquille. Plus de visite ni de coup de fil.

Inventez n'importe quoi, ne dites pas que c'est votre thérapeute qui veut cela, ne parlez surtout pas de moi.

Postez vos lettres et allez au cinéma.

Ah ! j'oubliais... Allez au cinéma avec quelqu'un que vous ne connaissez pas. Regardez attentivement autour de vous. Choisissez un inconnu, arrangez-vous pour nouer une conversation, une conversation sérieuse, ne parlez pas de la pluie et du beau temps, parlez de l'amour, de la vie et de la mort. Ensuite, invitez-le au cinéma.

Il faut que ce soit un homme, absolument.

Quand tout sera terminé, faites-moi un rapport écrit. Je veux tout savoir. N'omettez rien, c'est capital. Envoyez-moi ce rapport avant votre prochaine consultation.

Je vous souhaite une merveilleuse journée, pleine de surprises étonnantes.

Docteur Gérald Rikson. »

Après avoir lu et relu les directives du docteur Rikson, elle lève la tête et observe de nouveau la Grand-Place.

Elle aperçoit l'hôtel de ville de Bruxelles, avec un groupe de touristes japonais agglutinés autour de la statuette du fameux Everard 't Serclaes, petite figurine polie par des millions de caresses porte-bonheur. Personne n'y croit, mais on la caresse quand même, pour la photo, et puis, qui peut savoir ? Il n'y a pas de fumée sans feu...

Elle aussi l'a plusieurs fois caressée, remplie d'espoir. Accompagnée chaque fois d'hommes qu'elle croyait aimer pour la vie mais dont aujourd'hui elle a oublié les visages et les noms.

Adrian a été le dernier.

Superstitions que ces caresses ! Perte de temps. Illusions. Une brève image de bonheur la traverse soudain : elle se revoit caressant ce métal, dans les bras de son adolescent de mari.

Ce devait être un soir de décembre. La place était illuminée de guirlandes. Le marché de Noël était dressé ainsi que la crèche.

Quel âge avait-elle ? Celui de tous les projets. Le projet d'aimer, de fonder une famille, d'avoir des enfants. Celui de vivre dans le bonheur. Il a duré le temps d'une caresse, ce bonheur.

Le lendemain, c'était déjà l'enfer.

XII

Docteur Rikson,

Je me suis levée à l'aube, comme vous me l'avez demandé, et je me suis rendue Grand-Place, au Roy d'Espagne.

C'est un endroit chargé de souvenirs. C'est là que je passe quelques heures quand je me sens moche, quand mon âme bascule ou que mon esprit est dans la tourmente.

C'est vous dire que j'y viens souvent. Le personnel me connaît et me laisse tranquille. J'ai ma table à moi, derrière la fenêtre d'où j'observe la Grand-Place et les centaines de touristes excités qui photographient les monuments sous tous les angles. Que vont-ils faire de ces images ?

Ils sont bizarres, ils se déplacent à des milliers de kilomètres de chez eux pour immortaliser des monuments, sous la pluie, alors qu'ils ignorent peut-être leurs enfants qui, eux, sont bien vivants.

On devrait se lever le matin et rendre grâce aux êtres qui nous sont chers, les regarder avec la même attention que l'on porte aux cathédrales et pourquoi pas ? avoir un appareil photographique sous la main et fixer ce miracle chaque jour renouvelé.

Aucun des hommes que j'ai aimés ne m'a contemplée aussi intensément que ces inconnus passionnés d'architecture considèrent les vieilles pierres. Pas un ne m'a photographiée pour garder mon image ou pour l'exhiber avec fierté.

Après avoir pris mon petit-déjeuner, j'ai lu vos instructions, que j'ai trouvées étranges. Vous êtes un drôle de psy, permettez-moi de le répéter. Mais je me suis dit que sans doute j'ai besoin de quelqu'un de singulier comme vous l'êtes pour me sortir de ce trou dans lequel je me suis enterrée.

J'ai rédigé mes lettres.

La plus difficile fut celle de ma fille. Dire à ma fille que je mets de la distance entre elle et moi, c'est dur, Docteur Rikson. Je l'ai tant négligée que je ne sais plus ce qu'elle doit penser de moi, à présent. Comment pourra-t-elle jamais se remettre d'une enfance abandonnée comme la sienne ?

Elle aura, je le crains, besoin de quelqu'un comme vous un jour. Avec la meilleure volonté du monde, je ne peux plus lui apporter que malheur et affliction, étant moi-même dans la souffrance. Les dégâts sont faits, je ne peux plus rattraper quoi que ce soit.

Je suis une mère pitoyable, je le sais, le genre de maman qu'il vaut mieux ne pas avoir connue.

Mon Dieu ! Quand je pense que je ne dois pas être la seule, que des milliers d'autres mères comme moi délaissent leurs enfants... Comment pourrons-nous un jour créer une société équilibrée ? Il faudrait que les parents soient eux-mêmes équilibrés. Montrez-les-moi, dites, où sont-ils, les gens équilibrés ? Moi je ne vois que des irresponsables.

J'ai donc écrit mes lettres à toutes mes connaissances et à ma famille.

Me voici libre. Je me suis même éloignée de mon amie Geneviève qui pourtant m'a mise en contact avec vous. Je suis seule, à présent. Est-ce cela que vous vouliez ?

C'est en terminant la lettre destinée à Geneviève que j'ai remarqué un homme à une table voisine. Il écrivait une lettre, lui aussi. Il a levé les yeux et m'a souri. J'ai été troublée par la douceur de son regard. Je ne sais pas si c'est moi qu'il voyait ou s'il cherchait tout simplement l'inspiration et fixait une image au fond de ses souvenirs ou de ses rêves...

J'ai cru tout d'abord qu'il s'agissait d'un touriste, et je lui ai rendu son sourire, sachant qu'il n'était que de passage.

Le temps de coller mon enveloppe, il avait appelé le garçon pour régler sa consommation et se préparait à quitter l'établissement.

C'est alors que je me suis souvenue de votre instruction : «Faire la rencontre d'un inconnu et l'inviter au cinéma.»

Je n'ai pas trop réfléchi, heureusement d'ailleurs, parce que je ne sais pas si j'aurais osé continuer. Je me suis levée et je l'ai accosté. Surpris, il m'a dévisagée avec curiosité.

— Excusez-moi de vous adresser ainsi la parole, ai-je dit, mais je vois que vous allez partir. Voulez-vous venir vous asseoir un petit moment à ma table ? J'ai quelque chose à vous confier, des choses à vous dire. Au sujet des lettres que je viens d'écrire. J'ai vu que vous écriviez aussi.

J'avais parlé vite, sans trop réfléchir. L'homme a jeté un coup d'œil machinal sur sa montre.

— Volontiers, a-t-il répondu. C'est bien la première fois qu'une jolie femme m'adresse ainsi la parole. Nous, les hommes, nous ne sommes pas habitués à de telles façons d'agir, plutôt masculines.

Puis, s'étant assis en face de moi, il a ajouté :

— Puis-je vous offrir un autre café ?

— Merci, mais j'en ai déjà bu quelques-uns. Et puis, c'est moi qui vous invite, l'avez-vous oublié ?

— Alors, je prendrai un café noir et très sucré.

J'ai pensé que, moi aussi, j'aime le café noir et très sucré. Cela nous faisait déjà un point commun.

Mais attendez la suite, vous allez être surpris au-delà de tout ce que vous pouvez imaginer. L'homme n'était pas vraiment ce que l'on peut appeler un Adonis : taille moyenne, traits méditerranéens (c'est un Grec), mal rasé, la peau foncée, le crâne dégarni.

Le visage est mince, et ce qui m'a plu chez lui tout de suite, ce sont ses yeux foncés, très doux. Il a quarante-six ans.

Il était élégamment vêtu, c'est un homme raffiné si j'en juge par son costume.

Je ne sais pas ce qui s'est passé, mais dès qu'il s'est assis en face de moi, j'ai su que je venais de rencontrer l'homme de ma vie. Ne vous moquez pas. Nous, les femmes, nous sentons cela. Quand je dis « l'homme de ma vie », je veux dire un homme avec qui je pourrais passer ma vie. Cela ne veut pas dire que je crois que « ça marchera ». Loin de moi cette idée, je n'y adhère plus depuis longtemps, mais je sais aussi qu'il faut rester ouvert car tout est possible.

— Je m'appelle Spiros Klidaras, a-t-il dit en me présentant sa carte de visite.

— Moi c'est Corinne, ai-je répondu distraitement en découvrant son métier. Vous êtes chirurgien esthétique ? Quelle horreur ! Excusez-moi, je ne dis pas cela pour vous.

— Vous redoutez les médecins ?

— Les femmes ne doivent pas être à l'aise quand elles sont face à vous… Vous devez relever d'un coup d'œil leurs défauts physiques.

Il a souri en penchant la tête vers moi.

— Comme un chef d'orchestre, je sais aussi écouter de la musique sans penser à la partition ; comme un écrivain, je peux lire sans songer à la syntaxe. Lorsque je vois une femme, je la vois, elle, et non les détails physiques. Je me demande d'ailleurs si ce n'est pas une particularité féminine que de scruter les détails.

— Je l'admets, c'est une particularité féminine. Cela ne nous empêche pas d'apprécier l'ensemble et même d'en tomber amoureuse. Mais nous remarquons d'abord les chaussures non cirées, le nœud de cravate mal noué, la tache sur la chemise…

— Le visage pas rasé, a-t-il ajouté en se frottant la joue et riant comme un gamin pris en faute. J'ai passé deux jours en salle d'opération. Je travaille trop. C'est ma première journée libre depuis un mois. Je suis venu ici prendre mon petit-déjeuner et écrire une carte à un ami, en Grèce.

Il y a eu un silence. J'étais un peu gênée, car je lui avais dit que je voulais lui parler de quelque chose, et je ne savais qu'inventer de crédible. Je l'ai trouvé chaleureux, cet homme, alors je me suis dit qu'il pourrait entendre la vérité. Et s'il ne le pouvait pas, eh bien, tant pis pour moi, je n'allais pas en mourir, n'est-ce pas ?

— Je n'avais pas vraiment de raison pour vous accoster, si ce n'est l'envie de partager ce début de journée avec quelqu'un. Je me sentais seule, j'avais besoin de compagnie. C'était vous, mais cela aurait pu être n'importe qui, ne prenez pas ça mal, j'avais seulement besoin de parler à quelqu'un. J'ai vu que vous écriviez, tout comme moi. C'était un signe. Je n'ai pas trop réfléchi. Si je l'avais fait ne fût-ce qu'une seconde, je n'aurais jamais osé vous aborder de façon si cavalière.

Il a bu une gorgée de café.

— C'est chaud, a-t-il dit avec une grimace.

Je ne sais pas ce qui était en train de m'arriver, mais je commençais à me sentir nerveuse, comme prise au piège. Je savais que quelque chose se jouait, mais quoi ?

J'attendais qu'il parle. Je n'avais pas envie qu'il me quitte, je voulais le connaître un peu plus. Je ne voulais pas le laisser s'échapper, car pour exécuter fidèlement vos instructions j'aurais dû m'en dénicher un autre. C'était au-dessus de mes forces.

— Il m'arrive souvent de me sentir seul, surtout depuis ma séparation, et d'avoir envie de parler à quelqu'un, a-t-il fini par me confier. Pour un homme, c'est encore plus délicat, les femmes se méfient de nos intentions. Nous sommes victimes de l'éducation. En ce qui nous concerne, vous et moi, nous nous sommes rencontrés, n'est-ce pas l'essentiel ? Qu'importent les « comment » et les « pourquoi », faisons simplement connaissance. Je viens de vivre une séparation assez éprouvante, mon métier est un frein pour réussir un couple. J'étais marié depuis onze ans. J'ai trois enfants. Nous formions un couple exemplaire, comme on dit. Maison, enfants, amis... Tout a volé en éclats. À cause de moi, je crois. La médecine est un traque-nard, elle ne laisse pas de place pour autre chose : le matin les opérations, l'après-midi les visites, le soir les consultations. Je n'ai pas regardé une émis-sion de télévision depuis mon mariage. Mais ma femme, enfin, mon ex-femme, n'avait que cette distraction : les enfants et la télévision. Mon mé-tier est un frein à l'amour. Je vais être extrême-ment prudent, à l'avenir. Ne souriez pas, je songe sérieusement à vivre seul, car je ne me vois pas changer de profession, je ne sais rien faire d'autre. En plus de la chirurgie, je suis aussi journaliste médical, c'est-à-dire que je me déplace souvent à l'étranger pour couvrir les congrès médicaux. Vous connaissez une femme prête à vivre une telle absence ?

— Le quotidien tue l'amour autant que l'absence, je suppose. Mais une femme qui aime, qui aime vraiment, peut accepter n'importe quoi.

— Peut-être qu'elle ne m'aimait pas suf-fisamment. Qui sait ? Et vous ? Je veux dire qui êtes-vous ?

— Oh ! moi ! Je suis rédactrice en chef du magazine Femme nouvelle. Plus exactement, je l'étais. Je viens de donner ma démission. C'est fini, je tourne la page. Cela fait partie d'un passé qui n'est plus mien. C'est étrange, d'une certaine façon, nous vivons la même chose au même moment. Moi aussi, je change de vie. C'est un curieux hasard. Vous y croyez, vous, au hasard ?

— On dit qu'il n'existe pas.

— Je ne sais plus vraiment où j'en suis. Je me retrouve seule et je fais le point sur ma vie. J'étais venue ici pour me recueillir. C'est un endroit que j'aime. Il fait encore partie de mon passé, dans un sens. Comme vous, je sors d'une rupture. Une rupture qui m'a fait mal. Je ne sais pas si vous pouvez comprendre. Je crois que nous, les femmes, nous vivons cela d'une façon beaucoup plus pénible. Ça nous tue. C'est comme si je n'existais plus.

— Vous avez une sacrée avance sur les hommes. Vous éprouvez ce que vous vivez. Vous êtes connectées à vous-mêmes. Nous avons du retard, pour tout ce qui concerne les relations.

Docteur Rikson, il s'est passé là quelque chose de tout à fait spécial. Je n'ai pas de mots pour décrire ce que je vivais à ce moment-là. Une rencontre. Un homme et une femme. Tout à coup, je n'étais plus seule.

Appelez cela comme vous voulez, mais c'est de l'ordre de la magie.

Nous avons conversé ainsi pendant deux bonnes heures. Nous avons parlé de l'amour et de la mort, comme vous me l'aviez demandé. Nous avons bu et encore bu du café, du thé, des jus de fruits. Les heures ont passé, comme les touristes sur la Grand-Place. Vers midi, il m'a proposé de déjeuner chez lui.

— Je vous invite, je suis un fin cuisinier. Ne souriez pas, ce n'est pas une proposition déguisée. Simplement je pense que nous serions plus à l'aise pour parler. Vous êtes seule, je le suis aussi, et nous avons besoin de partager tout ce que nous avons vécu. Ici, j'ai un peu l'impression d'être dans un musée, je m'attends à tout moment à être photographié.

Ne riez pas, docteur, ou riez, si cela vous chante. Que croyez-vous que j'ai fait ?

Eh bien oui, j'ai accepté.

Lorsque nous sommes sortis, il pleuvait légèrement. Le ciel était couvert. Les nuages étouffaient la ville.

Je l'ai suivi au parking où il avait garé sa voiture. Nous avons roulé environ une vingtaine de minutes. Il habite dans la périphérie, un petit immeuble de cinq étages.

Dans l'ascenseur, nous n'avons rien dit, un peu gênés l'un et l'autre.

La porte de l'ascenseur s'est ouverte, directement sur sa salle de séjour.

C'était un appartement de médecin, il n'y a aucun doute là-dessus : des livres et accessoires médicaux traînaient partout. On pouvait voir tout de suite qu'il était souvent absent, car tout cela manquait de vie, on ne se sentait pas « chez soi ».

Pourtant, tout était décoré avec une certaine recherche, une recherche d'ambiance chaleureuse.

Les objets, les meubles, les vêtements, tout avait été choisi avec soin, tout avait de la valeur. J'étais en présence d'un homme qui ne manquait pas de moyens financiers.

Tout en découvrant son habitation, je me demandais comment j'allais m'y prendre pour l'inviter au cinéma.

Mal à l'aise, ne sachant que faire, je me suis approchée de la terrasse, décorée de fleurs et de plantes. L'endroit était calme car il donnait sur l'arrière des autres bâtiments.

— Cela doit être agréable de vivre ici en été, lui ai-je dit.

— Oui, j'aime y recevoir des amis et passer la soirée à discuter à l'extérieur. Par contre, à l'intérieur, l'été, c'est un vrai four. Je vais faire installer l'air conditionné. De toute urgence. Merci de m'y avoir fait penser.

Il avait l'air aussi mal à l'aise que moi. Il semblait chercher quelque chose d'intéressant à dire, sans succès. Il a fini par me faire un grand sourire :

— Je suis le plus grand spécialiste de spaghettis d'Europe et peut-être même du monde. Je bats les Italiens. Je sais, ce n'est pas très original comme plat. J'espère que vous aimez cela, car en dehors des œufs brouillés et des pâtes, je ne sais rien cuisiner. Ne me demandez pas comment je fais pour me nourrir, c'est simple : je petit-déjeune, déjeune et dîne dehors. Sinon, pâtes tous les jours. Et puis, manger seul, ce n'est pas très gai, alors je préfère sortir.

— Nous, les femmes, nous sommes capables de manger seules. Encore un point pour nous.

— Je vous l'ai dit, a-t-il répliqué, nous sommes en retard par rapport à vous. Excusez-moi un instant, a-t-il ajouté en se dirigeant vers son bureau, installé face à la terrasse.

Il a allumé son ordinateur.

— Je pars à Corfou demain, pour un congrès, et j'attends des informations de dernière minute par courrier électronique. Vous avez une adresse e-mail ?

— En tant que rédactrice en chef d'un magazine, c'était obligatoire. Vous pensiez marquer un point ?

Il m'écoutait à peine, tout occupé qu'il était à manipuler son ordinateur.

— Voilà, je suis connecté. Nous risquons d'être un peu dérangés, car il se pourrait que je doive répondre à certains messages. Vous voyez, même quand je suis chez moi... Mon métier, c'est en quelque sorte ma maîtresse. C'est pire qu'une femme. Avec une femme, il y a moyen de négocier, pas avec la médecine. Maintenant, je m'occupe de vous. Que voulez-vous boire en attendant les spaghettis gastronomiques du plus grand spécialiste mondial ?

— Rien, ai-je dit, j'ai bu plus qu'il ne faut.

— Champagne ! s'est-il exclamé comme un enfant qui vient de trouver une bonne idée. Nous allons fêter notre rencontre.

Sans attendre ma réponse, il a filé dans la cuisine, est revenu avec une bouteille de Dom Pérignon.

Je sais, je sais, vous m'avez obligée à m'engager à ne pas boire. Mais comment faire dans un cas comme celui-ci ? Je viens de rencontrer un homme extraordinaire, il m'invite chez lui et me propose de célébrer notre rencontre...

Il est des moments, Docteur Rikson, où respecter une règle, c'est le faire par principe, et je trouve cela stupide. Je ne me voyais pas refuser. Il a rempli deux flûtes. Le champagne, ce n'est pas de l'alcool vulgaire, c'est un breuvage sacré.

Oui, j'en ai bu. Vous voyez, je suis réglo, je vous l'avoue, car je veux jouer franc jeu avec vous.

Cela m'a fait tourner un peu la tête, car j'avais l'estomac vide.

Pendant que cuisaient les pâtes et la sauce qu'il allait remuer fréquemment, Spiros revenait me tenir compagnie.

Cela faisait longtemps que je ne m'étais pas sentie aussi bien. Enfin ! Du positif dans mon espace vital ! Je reprenais vie. Il existe encore des hommes sur lesquels une femme peut s'appuyer.

Il est venu s'asseoir près de moi sur le divan. Je lui ai demandé s'il avait de la famille, des frères, des sœurs. C'est là qu'il a ouvert son cœur. Il a mis du temps à me répondre, il fixait le fond de son verre, hésitant. Je voyais bien qu'il avait quelque chose d'important à exprimer.

— J'avais un frère, a-t-il commencé.

Il s'est tu un moment, a repris.

— ... il est mort.

— Je suis désolée, ai-je dit en posant la main sur son bras.

— Il n'est pas mort physiquement, a-t-il corrigé, il ne veut plus me voir. Cela revient au même. J'ai perdu mon petit frère.

J'avais envie de lui poser des questions, mais je n'osais pas. Nous n'étions pas assez intimes pour que je puisse me le permettre. J'ai attendu. Il s'est levé, s'est dirigé vers la cuisine, a remué la sauce, puis il est venu se pelotonner contre moi.

— Je suis l'aîné. Nos parents, des émigrés, ont quitté la Grèce pour chercher le paradis – en Belgique ! C'était là-bas, le paradis, mais ils ne s'en rendaient pas compte. Ils ont quitté le vent, la mer, le soleil. Ils se sont coupés de leur instinct animal. Vous savez, il n'y a pas longtemps que j'ai compris cela – l'instinct animal. Je retourne en Grèce chaque année, en juillet, avec les enfants. Et je remarque avec stupeur que mon stress, qui s'exprime par des maux de dos et par le manque de sommeil, disparaît au bout de quelques jours. Je pensais que c'était attribuable au repos, au fait que je faisais une coupure professionnelle. Il m'a fallu des années pour réaliser que cela n'avait rien à voir avec le fait de ne pas travailler. J'étais tout simplement reconnecté aux éléments : le vent, la mer, le soleil, les énergies des nuits étoilées. Ici, à Bruxelles, c'est le béton, la télévision, les disco-thèques, pour la majorité d'entre nous. Nous avons oublié notre corps, nous le négligeons, nous l'abandonnons comme dans un zoo. Nous vivons dans des cages confortables où nous sommes gavés de biens de consommation mais où notre santé se détériore.

Il a plongé ses yeux dans les miens.

— Nos vies se perdent, a-t-il chuchoté.

Il a approché son visage, et nos lèvres se sont touchées légèrement. Ce n'était pas un baiser, mais quelque chose de doux et d'amical. Puis il a filé dans la cuisine.

— À table ! a-t-il crié. Sans quoi, je risque de perdre mes étoiles au Michelin des spaghettis.

Il y avait une petite table ronde couverte d'une nappe bleue et rouge.

— Je vous aide ?

— Certainement pas. Vous êtes mon invitée.

Il m'avança une chaise avec une révérence comique.

— Prenez place, madame.

Il est resté debout, le temps de servir les pâtes, puis s'est assis en face de moi. Il m'a demandé si je voulais boire du vin, et j'ai répondu par la négative. Il reste une demi-bouteille de champagne, nous la finirons, ai-je dit.

— Alors ? a-t-il fait en me regardant.

— Je dois dire qu'en effet, ce sont les meilleurs spaghettis du monde.

Je trouvais la sauce trop épicée, les spaghettis trop cuits, mais je ne m'attendais pas vraiment à un festin. J'espérais avoir bien dissimulé ma déception. J'espérais surtout qu'il opérait mieux qu'il ne cuisinait.

— Vous êtes une fieffée menteuse, a-t-il dit en pointant le doigt vers moi.

Je l'ai regardé, étonnée.

— Je me suis vanté en disant que j'étais le spécialiste mondial des spaghettis. Je sais ce qui est bon, et malheureusement, ma cuisine est exécrable. Si, si, je l'avoue. Et vous, vous êtes une adorable menteuse. Ou une excellente diplomate. Ou les deux. Ou alors, vous n'avez aucun goût.

— Ils sont juste un peu trop cuits, ai-je dit pour le consoler. Mais c'est peut-être à cause du champagne, il fait perdre la tête. Je trouve ce déjeuner si sympathique ! Ce matin, je me sentais seule et désespérée, et voilà que je me trouve à partager le repas d'un homme charmant et attentionné. Qu'importe la qualité de la cuisson !

Il a posé sa fourchette. Il avait besoin d'exprimer quelque chose de lourd, me semblait-il.

— Je vous ai parlé de mon frère, je ne sais pas pourquoi ; mais vous êtes la seule personne à qui j'ai envie d'en parler, et c'est la première fois. Je dois avouer que je ne savais pas à quel point m'avait touché cette mise à l'écart. Vous avez des frères, des sœurs ?

— Oui, mais comme vous, je ne les vois pas souvent ; moi aussi je me sens rejetée par ma famille. Je suis le vilain petit canard. Que s'est-il passé avec votre frère ?

— C'est moi qui l'ai élevé, je vous ai dit que j'étais l'aîné. Notre père était mécanicien, et notre mère, femme de chambre dans un hôtel. Ils se levaient tôt et rentraient tard, c'est moi qui avais la charge du plus petit. J'ai un peu remplacé les parents. À la longue, c'est devenu la source d'un conflit qui a éclaté quarante années plus tard. Mon frère me considérait peut-être comme un père et non comme un frère. Notre relation était quasi fusionnelle. D'après lui, je ne lui laissais pas de place pour s'épanouir. Il faisait les choses en fonction de moi et non de ses propres aspirations. Il avait besoin de prendre de la distance. Maintenant, il prend sa place. C'est bien. Mais j'ai perdu un frère.

— Il ne veut plus vous voir du tout ?

— Quand il l'aura lui-même décidé, m'a-t-il dit il y a quelques mois. J'attends toujours.

— Pourquoi ne faites-vous pas le premier pas ? Invitez-le.

— Je respecte sa décision, j'attends. Je sais que je vais attendre longtemps, mais si cela peut l'aider, c'est bien ainsi. Il faut dire qu'il est assez exigeant. Il veut que je l'aime.

— Vous ne l'aimez pas ?

— Si, mais il réclame des preuves. Je dois me débrouiller pour lui plaire, dit-il. Je dois exhiber l'amour que j'ai pour lui. Personnellement, je trouve cela difficile. Il voudrait que je sois un ami, que je partage des choses avec lui.

— C'est difficile pour vous d'être son ami ?

— Je ne suis pas un ami, et je ne le serai jamais. Je suis son frère. On ne choisit pas son frère, mais bien ses amis, en fonction des intérêts que l'on cultive. Je n'ai pas les mêmes centres d'intérêt que lui. De toute façon, l'amour ne se prouve pas. Pour moi, quand on aime, on n'a rien à prouver. L'amour est là, tout simplement. Lorsqu'on « doit » le montrer, ce n'est plus de l'amour. Je ne sais pas si ce que je dis est clair.

— Pas trop. Dans un couple, on montre que l'on tient à l'autre par des petites attentions. C'est un signe, non ?

— L'amour n'a pas besoin de signes. On n'a pas à prouver qu'on aime. Le fait de vouloir des preuves montre surtout que l'amour est absent. C'est pour cela que des milliers de personnes sont malheureuses, elles attendent des preuves. Je ressens ce besoin de marques d'amour comme une volonté de contrôler les sentiments de l'autre. De toute façon, même si je donnais à mon frère tout ce qu'il exige, il ne serait en aucun cas comblé.

— Pourquoi pas ?

— Parce qu'il ne recevrait que ce qu'il a lui-même demandé. Au fond de lui, il y aurait toujours une frustration. « Il m'aime parce que je lui ai demandé de m'aimer », se dirait-il. Encore une fois, aimer parce que l'autre l'exige, ce n'est pas de l'amour. J'aime mon frère, un point c'est tout. Il ne doit rien faire pour cela. Comme une mère aime son enfant, quand elle l'aime vraiment. L'enfant ne doit rien faire pour obtenir l'amour de sa mère. L'amour sous condition n'est pas de l'amour. Suis-je plus clair ?

— Je crois que oui, ai-je répondu. Mais les marques d'attention, dans un couple ?

— Peu de couples sont dans l'amour, à mon avis. Ce que je vous dis n'engage que moi. Je ne suis qu'un chirurgien, pas un spécialiste de l'amour. Vous savez, la majorité de mes interventions concernent les femmes. Elles parlent à leur médecin, elles se confient. Je décèle peu d'amour envers leur conjoint dans leurs propos. Elles n'ont, pour la plupart, que de l'amour pour elles-mêmes, et encore.

— Et encore ?

— Oui, elles s'aiment si elles ont un beau nez, des seins qui pointent ou des fesses bien galbées.

— Je les comprends, ai-je dit. Je ne m'aime pas non plus. Ce n'est pas seulement une question de physique, mais de passé. Je n'aime pas mon passé. Je ne sais pas ce que je peux apporter à quelqu'un. J'ai l'impression de ne pas valoir grand-chose. Tous les hommes que j'ai aimés m'ont quittée. Quelque chose en moi leur fait peur. Quelque chose qui n'est pas... conforme.

— C'est exactement ce que je vous disais. Il y a très peu d'amour autour de nous et en nous.

— Que faut-il faire ?

— Je ne sais pas. Ma femme m'a quitté parce qu'elle ne trouvait pas son compte avec moi. Mes absences lui portaient préjudice. Elle avait besoin de plus de présence que je ne pouvais lui apporter, de plus d'attention, des preuves d'amour. En quelque sorte, elle avait besoin de quelque chose qui n'est pas de l'amour. C'est elle qu'elle aimait, pas moi. Comme mon frère. Le jour où ils n'ont plus trouvé ce qu'ils attendaient, ma femme, mon frère m'ont quitté.

Il s'est tu un moment, a regardé vers le plafond, cherchant ses mots, puis a repris, comme pour lui-même :

— Tant que je ne serai pas sûr de l'amour d'une femme, je vivrai seul.

À l'entendre ainsi parler, mon cœur a fondu. Le pauvre homme ! Personne ne l'aimait. Moi, j'étais prête à l'aimer, s'il le voulait. En fait, je l'aimais déjà. C'est lui que je voulais. Il ne croyait plus au couple, et je savais qu'il fallait être patiente, mais je sentais que j'avais devant moi l'homme qui pourrait m'apporter tout ce dont j'avais besoin pour retrouver le goût de vivre. L'homme qui allait m'offrir la passion.

J'ai fait alors quelque chose qui m'a surprise. Je me suis levée de table et, très lentement, je suis allée l'embrasser. C'était un baiser plein d'affection, de chaleur humaine. Je lui donnais ce qui lui manquait. Pendant qu'il m'embrassait à son tour, je crois l'avoir entendu me remercier plusieurs fois. Des larmes ont coulé. Nous étions deux êtres oubliés par l'amour, qui venaient de se rejoindre. Deux êtres au parcours similaire, délaissés par la tendresse.

Nous nous sommes retrouvés enlacés sur le divan. Il ne me l'a pas demandé avec des mots, c'était inutile, j'ai entendu l'appel. Il avait envie de moi, ou c'était moi qui avais envie de lui, ou les deux. Nos corps se sont unis. Ce n'est pas le champagne qui l'a voulu, c'est le destin. On ne peut rien faire contre le destin.

Il a commencé à me déshabiller là, sur le divan. Ce n'était pas très commode ; j'aurais préféré qu'il m'emmène dans la chambre, mais je n'ai rien dit, j'avais peur de briser l'atmosphère.

J'ai voulu le déshabiller moi aussi. Mais ce n'était pas facile non plus. Défaire la ceinture d'un homme qui vous embrasse et vous caresse, l'aider à descendre son pantalon... sur un divan...

Finalement, nous avons abandonné l'idée de nous déshabiller. Il a relevé ma jupe et moi, je lui ai descendu le pantalon sur les chaussures. La scène vous semble burlesque, non ?

Je suis un peu gênée de vous raconter tout cela dans le détail, je sais que vous me l'avez demandé et que c'est important pour ma thérapie (encore que je ne voie pas en quoi), mais pour décrire ainsi des gestes amoureux et intimes à un étranger, et cela froidement, crûment même, je dois me faire violence. Peut être trouvez-vous du plaisir à lire tout cela ?

Je vais m'efforcer de continuer cependant.

Il... il... enfin... son sexe était en érection. Moi, j'étais couchée sur le canapé, et j'attendais qu'il me pénètre. Mais il ne l'a pas fait tout de suite. J'ai remarqué qu'il avait besoin de prolonger les préliminaires. J'étais tombée sur un homme raffiné. Je sentais son sexe contre moi, mais il ne me prenait pas.

Il m'embrassait et me disait qu'il avait eu envie de moi dès qu'il m'avait vue écrivant ma lettre. Il s'était dit que c'est une femme comme moi qu'il lui fallait. Et tout en parlant, il m'embrassait...

Il voulait toucher ma poitrine mais, plutôt que de défaire mon soutien-gorge, il a passé la main dessous, a pressé l'un puis l'autre de mes seins. Cela me faisait un peu mal. Alors j'ai dégrafé moi-même mon soutien-gorge, pour lui faciliter la tâche. Il a délaissé ma bouche, pour s'occuper de mes mamelons.

Je dois vous avouer encore une chose, Docteur Rikson. Je ne sens rien quand on m'embrasse les seins. J'aime qu'un homme en ait envie, mais je ne ressens rien. J'ai des amies pourtant qui arrivent à jouir rien que par la stimulation et les caresses de la poitrine.

Je n'éprouve pas grand-chose non plus au moment de la pénétration. J'aime faire l'amour pour l'intimité que cela apporte, j'adore avoir en moi un homme qui prend son plaisir. Mais je n'ai jamais connu l'orgasme.

Chaque fois, je me dis que «celui-là» saura s'y prendre, mais je n'éprouve pas de sensations vraiment agréables. Je suis une femme frigide. Pourtant, je n'ai aucun tabou, je me laisse faire, j'accepte tout, et toutes les positions.

J'ai pensé aussi qu'un sexe plus gros, je veux dire vraiment imposant, pourrait améliorer les choses. J'ai connu des hommes bien pourvus, mais quand ils m'ont pénétrée, je n'ai jamais rien éprouvé qui me fasse perdre la tête.

Donc, pendant qu'il me léchait les seins et qu'il descendait sur mon sexe, c'est à cela que je pensais : je me disais qu'il était médecin. Il connaissait le corps de la femme, et avec lui, j'avais cette fois une solide chance de connaître l'orgasme.

Sa bouche est descendue. Il m'a léché le sexe puis le clitoris.

C'est étrange, Docteur Rikson, mais les baisers sur le clitoris me mettent mal à l'aise. Cela m'excite au début, certes, mais je ne peux empêcher les questions de se bousculer dans ma tête. Je ne sais pas à quoi pensent les autres femmes dans un moment comme celui-là ; moi, je trouve cela particulier. Je me demande quel goût, quelle odeur cela peut avoir...

Je l'ai laissé faire un bon moment, puis je me suis dit que je devais m'y mettre, moi aussi, lui montrer que je savais y faire.

Je l'ai relevé et couché sur le dos. Je me suis penchée, j'ai pris son sexe dans ma bouche, je l'ai sucé. Je sais que je suis une bonne suceuse, tous les hommes me l'ont dit. Ils ne tiennent pas longtemps dans ma bouche. Quand il a été suffisamment excité, il m'a retournée et pénétrée d'un coup rapide.

Au moment où son sexe est entré en moi, je me suis demandé si je n'aurais pas dû lui rappeler d'enfiler un préservatif. Mais c'était trop tard. Je ne me suis pas trop inquiétée car il était médecin, il savait ce qu'il faisait. Et puis, comme il me l'a dit, il n'avait pas trop le temps de faire des rencontres, il travaillait tout le temps. J'étais rassurée, en de bonnes mains. Si l'on ne peut plus faire confiance à un chirurgien...

Il a joui très vite. Puis il est resté un moment sur moi, à me caresser tendrement. Je savais que je l'aimais plus que moi-même. Il était une partie de moi.

Je me suis promis que sa vie ne serait plus la même.

J'allais le choyer et le combler au-delà de tout ce qu'il pouvait imaginer. Qu'importent ses absences professionnelles, il aurait la certitude en rentrant de trouver en moi la paix du corps et de l'esprit. Je serais la femme qu'il avait toujours espérée. Je lui donnerais ce qu'aucune autre femme ne lui avait jamais donné : l'amour inconditionnel.

C'était la fin de l'après-midi, je ne savais pas comment lui demander d'aller au cinéma. Mais je l'ai fait, je lui ai dit que c'était important pour moi d'aller au cinéma avec lui, aujourd'hui. Il m'a dévisagée bizarrement, et il a accepté.

— Pourquoi pas ? a-t-il dit en souriant. Cela fait bien longtemps que je ne suis pas allé au cinéma. Que voulez-vous voir ?

Puis, il s'est approché de moi, m'a caressé les cheveux.

— Je propose que nous nous tutoyions, nous sommes intimes, maintenant, non ? Qu'est-ce que tu veux voir ?

— Je n'ai aucune idée, dis-je, allons au cinéma, et nous choisirons. Il y a une séance à 17 h.

Nous sommes revenus au centre-ville. Place de Brouckère, au complexe UGC. Je n'ai pas hésité un seul instant, j'ai sauté sur le seul dessin animé à l'affiche, La Belle et le Clochard.

J'ai bien vu qu'il sourcillait.

— C'est important, pour moi, un dessin animé à ce moment de ma vie. Et puis, c'est moi qui invite, tu dois te laisser faire.

J'ai pris les places. En attendant l'heure de la séance, nous nous sommes installés au bar. Il a déplacé un fauteuil pour le rapprocher du mien, et il a posé sa main sur mon bras.

— Je suis bien avec toi, a-t-il dit.

— Merci, cela fait longtemps que l'on ne m'a plus dit ce genre de chose. Moi aussi je suis bien avec toi.

Nous avons parlé du film que nous allions voir. Ou plutôt, il parlait et je l'écoutais. Quelle patience, disait-il, pour créer un film à partir de milliers de dessins. Je me suis demandé par quel miracle nous pouvons vibrer et ressentir des émotions à partir de ces choses mortes ?

— Tout simplement parce que notre cerveau ne peut faire la différence entre l'imaginaire et la réalité, a-t-il répondu. Nous pouvons construire des scénarios destructeurs et en être malheureux. Ainsi, comme j'étais souvent absent de chez moi, il m'arrivait d'imaginer ma femme ayant des relations sexuelles avec un autre homme. Plus mon scénario était détaillé, plus je souffrais. Je savais pourtant que tout cela n'était qu'imagination et fantasme, sans aucun fondement, mais rien n'y faisait. Quand la machine s'était mise en marche, il n'y avait plus moyen de l'arrêter. S'il m'arrivait alors de téléphoner chez moi pour me rassurer et de ne pas obtenir de réponse, la machine se détraquait de façon délirante. Je devais prendre un somnifère pour dormir, et encore, cela ne marchait pas à tous les coups. Il me fallait des doses massives.

— Je connais cela, ai-je dit en pensant aux nuits blanches passées à lutter contre mes fantômes. Je suis la championne toute catégorie de ce genre de création de l'esprit.

— Ce qui me frappe aussi, c'est que, une fois lancée, la machine ne peut pas être enrayée. Cela nous tombe dessus et nous devons le supporter. C'est épuisant. On peut comprendre que des gens se suicident pour échapper à cette persécution du mental. Le pire, c'est la nuit ; un souci insignifiant peut prendre une proportion démesurée ! On a le sentiment qu'il n'y aura plus de matin. Et certains s'arrangent pour, qu'effectivement, il n'y en ait plus. La douleur est quelquefois trop forte.

Ce qu'il a dû souffrir, ai-je pensé. Il a connu les mêmes tourments que moi. C'est le ciel qui me l'envoie.

— Pour ton métier, tu as sacrifié ta vie sentimentale. Moi j'ai fait le contraire ; pour ma vie sentimentale, j'ai tout sacrifié : ma famille et ma santé.

Il émanait de lui une douceur mêlée de tristesse qui m'était familière. Il déballait ses peines comme peu d'hommes osent le faire. Sa façon de parler de sa détresse était presque féminine, il touchait la mère en moi. Je n'avais qu'une envie : le prendre dans mes bras, et le consoler. Passer toute ma vie à le consoler... Et pourtant j'étais en présence d'un chirurgien esthétique, l'un de ces hommes si sûrs d'eux-mêmes, du moins en apparence.

— Quelle est la vie d'un chirurgien esthétique, quelle impression cela fait-il de modeler le physique d'une femme ? Ne te sens-tu pas un peu comme Dieu ?

— Au début, c'est fascinant. On pense que l'on peut aider les autres en corrigeant les erreurs de la nature. On en arrive à se prendre pour un créateur au pouvoir absolu. Peu d'entre nous ont une vie familiale équilibrée. Il faut dire aussi que les femmes ne nous facilitent pas les choses. Elles nous prennent, comme tu viens de le dire, pour des dieux. Et si la femme est sensible au charme que dégage un dieu...

Il s'est mis à rire.

— Et grec de surcroît... Pour cette femme, le dieu descend de l'Olympe et se transforme en une créature charnelle, faite de désirs, de fantasmes et de besoins sexuels.

J'aimais sa manière de plaisanter.

— Nous recevons des lettres de remerciements, des fleurs, des petits cadeaux. On nous affirme que la vie a changé depuis notre intervention. C'est grisant. Et puis, avec le temps, on se rend compte que ces éloges ne nous sont pas destinés. Les patients projettent leur contentement sur nous. C'est eux qu'ils admirent à travers nous. D'ailleurs, nous ne recevons pas que des remerciements, nous arrivent aussi des lettres d'insultes.

— Des lettres d'insultes ? fis-je incrédule.

— On peut changer un nez, mais le mental ne change pas toujours en même temps. Certains continuent à voir leur ancien nez.

— Comment est-ce possible ?

— Lorsque nous incisons la peau, nous entamons la psyché elle-même. Nous n'améliorons pas seulement le physique d'un individu. Un changement esthétique améliore souvent le moi intérieur. Cependant, si la personne est trop mal dans sa peau, le changement extérieur est inutile. Les insultes viennent de gens qui n'ont pas réglé leurs conflits intérieurs. Leur nez est parfait, mais il ne leur apparaît pas comme tel. Ils le perçoivent encore comme vulgaire, laid ou carrément répugnant, et continuent à se sentir inadaptés, à éprouver des sentiments d'infériorité. Connais-tu l'ouvrage du docteur Maxwell Maltz, intitulé Psychocybernétique[1] ? C'est un grand classique dans le domaine du développement personnel. Il a été édité dans les années 1960, et c'est l'un des premiers à décrire précisément les états modifiés de conscience comme la sophrologie et l'hypnose. « Le docteur Maxwell Maltz était un spécialiste en chirurgie esthétique. Plusieurs fois, il fut surpris par le fait que la modification dans l'apparence physique entraînait une révolution heureuse dans le psychisme de la personne. Mais parfois, le sujet n'en retirait aucun bénéfice, allant jusqu'à nier qu'il y eût vraiment opération. Maltz en vint à la

1. Docteur Maxwell Maltz, *Psychocybernétique*, Éditions Christian H. Godefroy, B.P. 9 - F. 27760 La Ferrière-sur-Risle.

conclusion qu'il existe un élément intérieur qui provoque le changement de nos attitudes.»

Pendant qu'il parlait, je songeais à mes seins malades.

— Cet élément, a continué Spiros, est l'image de soi. «Dans la plupart des cas, une correction du visage apporte plus d'estime et une confiance en soi presque immédiate. Mais en certains cas, le patient continue à se sentir inadapté et à éprouver des sentiments d'infériorité, comme si l'opération n'avait jamais eu lieu.» Tout chirurgien esthétique doit être conscient de cela, il doit posséder des connaissances particulières en psychologie, sinon que de dégâts!

— Ce que tu énonces, c'est que même quelqu'un de disgracieux peut se sentir beau si l'image qu'il a de lui est plaisante, c'est bien cela? Par contre quelqu'un de beau peut se sentir laid si son image de lui est disgracieuse? Tu as raison, je sais cela, j'ai des amies qui sont parvenues, après de longs efforts, à obtenir le poids idéal qu'elles avaient toujours rêvé d'avoir; mais elles continuent à se sentir grosses, et à en souffrir. En amour aussi, j'ai pu constater que des hommes beaux sortaient avec des femmes bien enrobées et pas très gracieuses. Je suis d'ailleurs toujours étonnée quand je vois cela; le contraire est plus communément accepté. Quand un homme laid se montre avec une très belle femme, on le croit souvent fortuné, mais je ne pense pas que ce soit toujours le cas.

— Ce n'est pas toujours le cas, en effet. C'est avant tout une histoire d'image de soi. Ces hommes ont une bonne opinion d'eux-mêmes, ils osent séduire là où un «raté» jugerait qu'il n'a aucune chance. L'image de soi fait toute la différence. Pour l'instant, moi, j'entretiens une piètre image de moi en tant que partenaire amoureux. Je me juge indigne d'être aimé, n'étant pas assez disponible pour offrir à une femme ce dont elle a besoin pour être heureuse. Je suis tellement imprégné de cette image destructrice de moi qu'elle m'empêche de me laisser aller à aimer, de peur de me faire mal. Voilà pourquoi je songe sérieusement à la vie de célibataire, tant que je n'aurai pas rencontré la femme qui pourra m'aimer assez pour supporter mes absences professionnelles.

Il me racontait sa vie, et j'écoutais, étonnée qu'un homme si raffiné puisse à ce point douter de lui. S'il savait ! S'il savait que j'en étais arrivée au point de surnager dans un caniveau ! Dans les égouts de la vie. Que j'étais plus morte que vive. Que je n'avais plus une seule image de moi qui fût positive. Que je n'étais même plus certaine d'être tout simplement un être humain.

Une immense tristesse m'a serré la poitrine comme un étau. Quelque chose a craqué en moi, j'ai entendu le froissement de mon cœur qui se brisait, et je me suis mise à pleurer. Spiros a approché son visage du mien et a bu mes larmes à petits coups de langue. Il m'a prise dans ses bras.

Le film de ce soir-là parlait de la vie et de l'amour. Nous l'avons savouré. Nous en étions les protagonistes. J'étais plutôt « le clochard » et lui, « la belle ». Nous avons aimé la scène du restaurant où les amoureux dégustent le spaghetti chacun par un bout pour se retrouver nez à nez, au sens propre de cette expression.

Les spaghettis, n'était-ce pas un signe de plus que nous étions faits l'un pour l'autre ?

XIII

Il est 20 heures. Le docteur Rikson attend Corinne, sa dernière patiente.

Avant de la faire entrer, il prend quelques minutes afin d'examiner une dernière fois le rapport qu'elle lui a envoyé. Il en a soigneusement lu le contenu et a évalué la meilleure stratégie à adopter lors de la consultation.

Sa patiente est retombée dans son schéma habituel : alcool et relation amoureuse dépendante avec un homme absent et séducteur professionnel.

C'est déjà l'homme de sa vie !

Chaque fois, il est surpris de voir l'adresse diabolique déployée par l'inconscient pour distinguer avec précision la personne qui répond à nos attentes.

Dans le cas présent, sa patiente a un besoin vital d'aider un célibataire en manque d'amour en lui apportant la compréhension affectueuse et la présence féminine qui le délivreront de la détresse dans laquelle il semble avoir sombré. Dans un bistro fréquenté chaque jour par quelques centaines d'hommes, dans ce flux de prétendants hétéroclites, elle a immédiatement décelé le profil idéal : celui qui la fera souffrir.

Étonnant !

Le docteur fait entrer Corinne, attend qu'elle soit assise en face de lui. En silence, il lui tend le dossier qui contient son rapport.

Corinne fixe la chemise en carton, comme magnétisée. Son visage a pâli. Elle a saisi le message.

— Je ne comprends pas, bredouille-t-elle.

— Ne vous êtes-vous pas engagée à respecter certaines règles ?

— Je sais, mais...

— Envers qui prenons-nous le plus d'engagements ?

— J'ai enregistré le message, docteur, mais j'ai été franche, je vous l'ai écrit – j'aurais pu le cacher – j'ai préféré être honnête. Et puis, ce n'était que du champagne.

— Être honnête, dans ce cas-ci, c'est de la manipulation. Non pas envers moi, mais envers vous. Je ne vous juge pas, mais vous n'êtes pas prête à faire ce qu'il faut pour prendre soin de vous. Si vous ne pouvez faire la moitié du chemin, je ne peux faire l'autre moitié. Levez-vous, je vous prie.

Corinne se lève, prête à se défendre.

— Il y a quelques jours, vous vous êtes levée et vous m'avez donné votre parole que vous ne boiriez pas d'alcool pendant toute la durée de votre thérapie.

— Je ne voulais pas risquer de casser l'ambiance amoureuse qui s'installait avec l'homme que je venais de rencontrer et qui me plaisait.

— Mais vous aviez donné votre parole ?

— Oui, c'est vrai.

— Je vous avais dit que si vous n'étiez pas d'accord, vous n'aviez qu'à signer à côté de la règle. Saviez-vous alors que vous n'alliez pas tenir votre engagement ?

— Lorsque j'ai pris cet engagement, je me suis dit que je verrais bien, que si c'était trop dur, j'aviserais. Il est vrai que je n'avais pas pris cela très au sérieux.

— Mais vous aviez donné votre parole ?

— Oui, mais je ne voulais pas casser l'ambiance, je vous le répète.

— Que vaut votre parole ?

— Je ne sais pas.

— Comment agissez-vous dans la vie ? Donnez-vous régulièrement votre parole pour la trahir lorsque l'ambiance s'y prête ?

Corinne réfléchit un instant :

— Oui, je promets facilement, mais suivant les circonstances, je change d'avis. C'est d'ailleurs pour cela que je vous consulte. Ma vie part dans tous les sens, je n'ai même plus de parole. Je sais tout cela… Alors, que fait-on maintenant ? Vous me virez, c'est ça ?

— L'ambiance avec un homme est donc plus importante, pour vous, que votre parole.

Corinne ne répond pas.

— Et votre montre ?

— Je viens de rentrer. En effet, j'ai oublié de l'enlever. Mais, franchement, je crois que vous prêtez attention à des choses insignifiantes ! Ma montre, le champagne ! J'ai l'impression de me retrouver à l'école primaire.

— Si je vous avais donné 100 euros pour tenir vos engagements, les auriez-vous tenus ?

Corinne hausse les épaules.

— Vous me prenez pour qui ? Bien sûr que non. Ce n'est pas une question d'argent.

— Et si je vous avais donné 500 euros ?

— Écoutez, docteur, vous commencez à dépasser les bornes. Je ne suis pas achetable, je suis une femme libre.

— On ne peut pas acheter votre parole ?

— Vous m'auriez proposé 500 ou 50 000 euros, cela n'aurait rien changé, cela n'a rien à voir avec l'argent.

— Vous êtes sûre ?

— Tout à fait !

— Rappelez-moi le nom de votre fille.

— Julie.

— Imaginez que vous et votre fille soyez toutes deux prisonnières d'un tyran.

— Oui ? fait Corinne.

— Donc, vous êtes captives d'un dictateur qui vous prend en otages. Un jour, il vous fait appeler toutes les deux. Il force votre fille à s'agenouiller devant vous, lui fait baisser la tête et vous tend une feuille de papier en vous disant :

« Pendant toute la durée de votre captivité, j'exige que vous respectiez les 10 règles que voici. Si vous manquez à l'une de ces règles, je fais couper la tête de votre fille. »

Le docteur Rikson recule son fauteuil roulant et regarde sa patiente dans les yeux.

— Que feriez-vous, Madame Bauwens ? Boiriez-vous un verre de champagne qui n'est pas vraiment de l'alcool, oublieriez-vous d'enlever votre montre-bracelet ?

— Votre exemple est ridicule. Bien sûr, je respecterais les règles ; la vie de ma fille serait en jeu.

— Pourtant, vous avez affirmé que l'on n'achète pas votre parole, quel que soit le montant. C'est bien ce que vous avez dit, n'est-ce pas ?

— Oui, mais vous parliez d'argent.

— Je parlais de valeur. Si vous respectez les règles du tyran, même en étant alcoolique ou boulimique, c'est que vous mettez de la valeur dans votre engagement. Vous n'avez pas mis de valeur dans les engagements que vous avez pris la dernière fois.

— Bien joué, répond Corinne Bauwens en se rasseyant. Je ne mets pas de valeur dans mes engagements, c'est un fait. Et maintenant ?

— Je ne peux pas continuer avec une patiente qui ne met pas de valeur dans sa thérapie. Je n'ai pas de temps à perdre. Ce n'est pas un jeu anodin, c'est une thérapie.

— Mais avec votre système, tout le monde doit tomber dans le panneau la première fois, je suppose, c'est pour cela que vous proposez toutes ces règles. Personne ne peut d'emblée se plier à tout cela. D'autres que moi doivent tomber dans le panneau. Vous les fichez tous dehors ?

— Je ne peux pas travailler avec vous, je suis désolé.

— Vous êtes désolé ! C'est un piège que vous m'aviez tendu, vous le savez bien ! Je ne sortirai pas, je veux continuer ma thérapie. Je camperai chez vous, vous pouvez appeler la police ! Vous m'avez entendue ?

— Madame Bauwens, je ne peux plus rien pour vous.

— Et moi, je vous répète que je ne sortirai pas, un point c'est tout. En tant que médecin, vous devez apporter assistance aux personnes en danger, et je suis en danger. Vous n'avez donc aucune morale ? Si les gens que vous aidez tenaient fermement les rênes de leur vie, ils n'auraient pas besoin de vous.

— Madame Bauwens, je vous demande de sortir de mon cabinet.

— Non !

— Je vous demande de sortir de mon cabinet car votre thérapie avec moi est terminée. Plus tard, quand vous serez décidée, contactez-moi ou voyez un autre thérapeute. Mais attendez pour faire cela, car dans l'immédiat, vous n'êtes pas prête.

Corinne Bauwens se lève et ramasse ses affaires.

— D'accord, fait-elle. Je comprends ce que vous faites. Tant pis pour moi. Au revoir docteur.

Au moment où la porte du cabinet se referme sur elle, elle entend la voix du docteur Rikson qui la rappelle.

— Madame Bauwens !

Elle hésite, fait demi-tour.

— Revenez, dit le médecin, nous pouvons poursuivre.

Corinne fait quelques pas dans sa direction.

— La peur de perdre nous fait perdre, dit le docteur. Vous avez accepté de perdre, vous venez de gagner. C'est une règle de vie.

Corinne reprend sa place sur le divan.

— Si je n'avais pas accepté votre décision ?

— Vous auriez perdu, j'aurais cessé de vous recevoir, dit-il fermement. C'est votre « lâcher-prise » qui vous a repêchée.

— Oui, dit-elle, j'ai accepté de prendre toute la responsabilité sur moi. C'est la première fois que cela m'arrive. Jusqu'à aujourd'hui, le monde entier était coupable de mon malheur. Je viens d'ouvrir les yeux.

Elle pose son sac à côté d'elle.

— Vous êtes démoniaque, dit-elle avec un sourire presque forcé. On continue alors ?

— Et vous pouvez... *vous souvenir...* avec quelle facilité vous êtes... *entrée en transe...* la dernière fois. Il y a dans notre passé des moments heureux qui nous ont appris à grandir... à... *être adultes aujourd'hui*...

Les paupières de Corinne se ferment. Sa respiration s'apaise. Sa main droite se soulève lentement.

— C'est bien... c'est très bien...

«Et je veux que tu choisisses, dans ton passé, un moment où tu étais une petite fille... une très petite fille... et ma voix t'accompagnera... et ma voix deviendra celle de tes parents, celle de tes voisins, celle de tes amis, celle de tes camarades d'école, celle de tes copines de jeu, celle de tes maîtresses d'école... et je veux que tu te retrouves assise dans la classe, toi, petite fille que quelque chose a rendu heureuse, quelque chose qui est arrivé il y a longtemps... que tu as oublié depuis longtemps[1]...»

Un léger sourire d'enfant s'esquisse sur le visage de la petite Corinne. Des perles de joie, humides et réconfortantes, accompagnent son retour au foyer.

Quel âge as-tu Corinne?

... six ans.

Qu'est-ce que tu fais?

... je dessine... ma maison...

Tu dessines ta maison...

... un jardin...

Un jardin...

... mon papa est là... je suis heureuse.

Qu'est-ce qui te rend heureuse?

... il est près de moi... il me caresse les cheveux... je suis heureuse... Parce que...

Parce que...

Long silence.

... il n'a pas bu aujourd'hui.

---

1. *Ma voix t'accompagnera – Milton H. Erickson raconte*, Textes établis et commentés par Sydney Rosen, Hommes et Groupes éditeurs, Paris, 1986.

XIV

Corinne se déshabille et prend une douche sans cesser de penser à Spiros Klidaras. L'eau accompagne ses pensées. Elle se demande où il est en ce moment, ce qu'il fait.

Elle l'imagine occupé à organiser son congrès, téléphonant, écrivant et répondant en même temps à plusieurs personnes à la fois.

Elle agence son scénario de façon à ce que Spiros trouve encore du temps pour penser à elle.

«Il raccroche le combiné après une communication téléphonique et, alors qu'on l'assaille de questions professionnelles, il reste un moment songeur, la tête dans les nuages. Un brouhaha derrière lui, la vie présente, mais tout ce qui n'est pas elle s'estompe.» Gros plan sur son visage, sur cette bouche qui lui appartient le temps de sa rêverie, qu'elle a vue en premier dans son visage, une bouche sensuelle aux lèvres pleines, souvent immobiles, une bouche qui quémande. Ces deux lignes qui marquent les joues, signe d'égoïsme dit-on. « Je m'en fiche, cela sculpte son visage. »

Il pense à elle. Il est troublé. C'est la première fois qu'il ressent autant d'émotion en pensant à une femme. Il n'a qu'une envie, que ce congrès se termine pour qu'il puisse la retrouver. Il la voit, lui aussi, image floue, une mèche lui barrant le visage. Peut-être l'imagine-t-il même nue, sous la douche ?

Il a peur de se tromper une fois encore. Il se dit qu'il va tout faire pour que cette nouvelle relation puisse durer dans l'amour, indéfiniment. « Et elle, pense-t-elle à lui ? Il a le même petit pincement au cœur, comme une angoisse douce. »

Corinne sourit. Elle se rend compte subitement qu'elle rêve tout haut, naïvement. Elle mélange rêve, illusion et espoir.

« Prendre ses désirs pour la réalité » soupire-t-elle, un brin amère.

Rien ne laisse supposer qu'il est amoureux d'elle, même s'il s'est totalement confié, sans fausse pudeur, même s'il l'a accompagnée au cinéma après qu'ils ont fait l'amour.

On est bien loin, avec lui, du schéma machiste qui veut que la plupart des hommes, lorsqu'ils ont obtenu ce qu'ils voulaient, remettent leur pantalon et décampent sur un vague projet de se revoir.

Après le film, il l'a raccompagnée à sa voiture. Le lendemain matin, alors même qu'il partait aux aurores pour son congrès, il a trouvé le temps de lui faire livrer une superbe gerbe de roses.

Là, elle a craqué.

Elle a posé le bouquet sur la table, l'a contemplé longuement. La beauté paisible d'une rose. Une fleur prête à vivre. Et cette fragrance, lorsqu'elle a doucement déballé le bouquet, qui prenait à la gorge, au cœur. Elle a pleuré.

Le bonheur peut être si simple.

Elle s'essuie, regarde ses seins dans la glace. Une ombre d'inquiétude la traverse soudain. Elle l'avait oublié, ce mal au noyau même de sa féminité. Elle appuie, ressent un picotement désagréable, pas vraiment douloureux, plutôt inquiétant, peut-être parce qu'elle sait que des fourmis malignes poursuivent sans cesse leur lente besogne de destruction dans les galeries souterraines de sa chair.

Elle se maquille, court moment hors du temps. Touche de fond de teint fluide, un beige à peine plus beige que sa peau, plus soutenu sur les paupières, un peu de mascara. «Je suis si pâle, si pâle, comme déjà morte.» Fard à joues, elle hésite sur la couleur, rose cassé. Sur femme cassée. Elle a envie de pleurer. Crayon autour des lèvres, pour recueillir le nuage de gloss appliqué au pinceau.

Elle enfile un pantalon moulant ses fesses qu'elle caresse avec une sorte de tendresse. C'en est fini du haut, du tragique. Ces fesses-là attirent le regard de tous les hommes, sans distinction d'âge. C'est mon capital séduction, dit-elle quelquefois devant ses amies qui envient la fermeté de ses rondeurs. Je n'ai pas de seins, mais j'ai un cul – et je sais m'en servir, a-t-elle coutume d'ajouter en riant.

Elle passe un pull en laine noire, des mocassins à petits talons. Le docteur Rikson a pris pour elle rendez-vous chez un « naturopathe réputé » dont elle n'a jamais entendu parler. Il l'aidera à affronter sa maladie.

À voir...

C'est à ce moment qu'on sonne à la porte.

Corinne regarde sa montre. Elle ouvre la porte et se trouve nez à nez avec un couple d'inconnus, accompagnés d'un petit chien blanc. Le chien d'Astérix, pense-t-elle.

— Bonjour madame, nous venons pour l'appartement.

— Pardon ?

— Nous venons pour l'appartement, répète l'homme.

Corinne se dit qu'ils ont dû se tromper, mais l'homme insiste.

— Vous êtes bien Corinne Bauwens ?

— Oui.

— Nous venons visiter l'appartement, nous cherchions justement un penthouse dans ce quartier. Nous avons pris rendez-vous. On peut visiter ?

— Attendez, dit Corinne, vous cherchez un appartement et vous voulez le mien ? Je suis désolée, mais il n'est pas à louer.

— Nous voulons l'acheter, corrige la femme.

Devant l'air interloqué de Corinne, elle sort une page de journal sur laquelle une petite annonce est entourée de rouge.

Corinne jette un rapide coup d'œil, persuadée qu'il s'agit d'une erreur :

« *Superbe penthouse, sixième étage, deux chambres, cuisine équipée, terrasse plein sud. Vue magnifique sur Bruxelles. Quartier nord, près de l'avenue Charles-Quint. Libre rapidement. Pour renseignements et visites : Docteur Gérald Rikson...* »

Corinne lit et relit le texte. Que signifie tout cela ?

Elle sent une migraine s'installer.

C'est pourtant bien de son appartement qu'il s'agit. Le docteur Gérald Rikson l'aurait mis en vente ? Sans lui en parler ? Pour qui se prend-il ? Là, il dépasse les bornes.

Les inconnus la regardent sans comprendre. Ils se ressemblent, peau grasse, cheveux gras, pas soignés.

Elle voudrait leur parler, leur expliquer... Leur expliquer quoi ?

— C'est une erreur, bredouille-t-elle avant de fermer la porte.

Puis elle décroche le téléphone et compose le numéro du docteur Rikson. Sa main tremble. « Rester calme, rester calme. »

S'il ne répond pas, je débarque chez lui.

Il décroche à la première sonnerie. Elle ne lui laisse pas le temps de prononcer une syllabe.

— Un couple vient à l'instant de se présenter chez moi pour acheter mon appartement. Vous avez mis une annonce dans un journal, avec vos coordonnées téléphoniques pour les visites. Je veux savoir ce que vous avez fait, et pourquoi. Je veux une explication. Dites-moi que c'est une blague, docteur, ou je porte plainte contre vous.

— Calmez-vous, Madame Bauwens.

Il parle lentement, comme on parle à une malade. « *Une voix de fausset* », pense-t-elle.

— J'allais vous en parler demain, à la consultation ; je n'imaginais pas que des acheteurs se manifesteraient aussi vite. Je pense qu'il serait bon pour votre thérapie que vous quittiez l'appartement où vous avez vécu trop d'épisodes douloureux.

— Peut-être bien, mais c'est à moi de décider si je veux vendre ou louer, et c'est encore à moi de mettre une annonce et de fixer des dates pour les visites. Je ne comprends pas que ce soit votre numéro de téléphone qui figure sur l'annonce. Là aussi, j'ai besoin d'un éclaircissement.

— Excusez-moi, mais je suis en consultation, je ne peux pas vous parler plus longuement.

— En plus, je vous dérange... Oui, on en reparlera demain.

Elle raccroche sèchement, sans le saluer. Elle est sous le choc, tout le corps agité d'un tremblement nerveux. Elle jette un coup d'œil sur sa montre. Elle a rendez-vous dans une demi-heure avec le naturopathe.

Ira-t-elle?

Elle commence à prendre conscience qu'elle est tombée sur un psy hors normes. Dangereux à tous points de vue. N'est-il pas en train de vendre son appartement à son insu?

« Surtout n'y allez pas! »

Elle y est allée! La tête la première, en plein dans la gueule du loup. Mais elle ne va pas se laisser faire!

Dommage que Spiros soit à l'étranger, elle aurait aimé lui parler de tout cela. Mais il n'a pas laissé de numéro de téléphone, ni de nom d'hôtel, et elle n'a pas osé les lui demander, dans la crainte de l'importuner. Elle vient à peine de le rencontrer. La distance n'est abolie que dans ses rêveries. Dans la réalité, elle ne se voit aucun droit de le déranger.

Elle évalue une fois encore le temps qu'il lui faudra pour se rendre à son rendez-vous, ne sachant que faire. Y aller, renoncer?...

Finalement, décidée, elle attrape une veste de lainage laissée sur un fauteuil et quitte l'appartement.

Le naturopathe habite à l'extérieur de Bruxelles, dans la périphérie, entre ville et campagne. Elle vérifie l'adresse qu'elle a griffonnée dans son agenda: là où devrait se trouver le numéro 50, il n'y a pas d'habitation.

« Ma chance, toujours ma chance... Tous les numéros, sauf celui-là, qu'est-ce que j'ai fait à la vie?... Et qu'est-ce qu'un naturopathe? Quelqu'un qui vit dans la nature... et où est la nature? »

Entre deux grands immeubles, elle aperçoit un étroit sentier de gravier, trop étroit pour une voiture.

Elle se gare, sort de son véhicule et interpelle une femme occupée à promener son chien. Celle-ci semble peu disposée à l'aider. Elle tire d'un coup sec sur la laisse de l'animal qui se met à grogner, prêt à l'attaque.

Corinne hésite.

— Bonjour, je cherche le docteur Delcourt. Il habite au numéro 50, mais les numéros s'arrêtent au 48 et reprennent au 52.

La femme désigne le sentier d'un mouvement de menton. Le chien suit le geste, du même mouvement de la tête.

— Je dois prendre ce sentier-là ?

— C'est au bout du chemin, finit par lâcher la femme, du bout des lèvres.

— Merci.

— Qui peut s'imaginer qu'on puisse vivre derrière ces immeubles ? Vous n'êtes pas la première à chercher leur maison. Ils devraient mettre une boîte aux lettres avec leur numéro. Cela faciliterait la tournée du facteur et éviterait aux visiteurs de se perdre. On le leur a déjà dit et répété, mais ils s'en moquent éperdument, ils disent toujours oui, mais ils n'agissent pas. Ce sont de drôles de médecins, enfin, c'étaient, ils ne peuvent plus pratiquer.

— Ils ne peuvent plus pratiquer ?

— J'ai entendu dire qu'ils ont eu des ennuis avec l'Ordre des médecins et aussi avec la justice. Personne ne sait vraiment pourquoi. On dit qu'ils prescrivent des hormones dangereuses, des remèdes de leur fabrication. Ils vivent avec des animaux, vous verrez. Ils ont des poules, des cochons et d'autres bestioles. Ce n'est pas très hygiénique pour des médecins ! Le quartier a tenté plusieurs fois de les expulser, des pétitions ont circulé, mais ils ont des appuis, c'est sûr. Les hormones thyroïdiennes qu'ils prescrivent à leurs patients sont extraites de leurs cochons. Des gens ont eu des problèmes, certains même, à ce qu'on dit, en sont morts... Ceux qui les consultent le font en dernier recours, lorsqu'il n'y a plus grand-chose à espérer. Ils prescrivent aussi quantité d'analyses inutiles, et à des prix... De toute façon, ils sont très chers, vous verrez.

La femme jette un regard vers le chien, puis interroge :

— Vous êtes gravement malade ?

Corinne sourit du manque de tact de son interlocutrice, qui semble vouloir lui « soutirer » des renseignements, sans doute pour en faire profiter le quartier. Rien d'humain, de chaleureux, dans ses propos. Son chien semble plus sincèrement intéressé.

— Qui n'est pas un peu malade ? Un écrivain français a écrit récemment que lorsque l'on rencontre quelqu'un pour la première fois, on devrait lui demander : « De quoi souffrez-vous ? » J'ai la grippe, conclut-elle. Souvent la grippe. Mais je vais être prudente, côté naturopathe, merci des renseignements.

— Il n'y a pas de quoi.

Corinne s'engage dans l'étroit passage, parcourt une cinquantaine de mètres, se demandant si elle ne va pas faire demi-tour. « Un naturopathe est quelqu'un qui soigne par des méthodes naturelles, se répète-t-elle, qui emploie les forces naturelles. »

Au bout du chemin, elle découvre une clairière d'arbres, de fleurs et de gazon, la campagne dans la ville. Un saule pleureur semble planté là pour montrer la douceur du vent qui agite souplement son feuillage. Une senteur douce et poignante plane, de début d'automne, bien différente des odeurs de voitures qu'elle respirait il y a quelques instants à peine, ou des odeurs de rien, de ville sans saison.

Surprenant !

Les immeubles semblent avoir disparu comme par magie, masqués par cette étonnante végétation. Corinne vient de glisser en quelques minutes dans un autre monde. Pour peu, elle se croirait en pleine hallucination hypnotique.

Elle se trouve devant un tableau comme peuvent en dessiner naïvement les bambins : un petit chemin serpentant jusqu'à une maison dont fume la cheminée, des arbres et des fleurs tout autour, juste pour la beauté, sans logique, des fenêtres grandes ouvertes aux chambranles peints en bleu.

Elle arrive dans une cour, une véritable cour de ferme dans laquelle des animaux flânent en toute quiétude.

Un homme accroupi disperse des graines.

Un tableau de conte de fées !

— Ne soyez pas étonnée, dit l'homme en la voyant s'immobiliser.

Il se relève. Il est plus grand qu'elle ne l'aurait cru. Il s'approche d'elle, souriant.

— C'est la campagne. Et j'y habite. Ce qui devrait vous étonner, ce sont les affreux immeubles tout autour, eux ne sont pas à leur place. Vous êtes Madame Bauwens, je suppose ?

Il lui tend la main.

— Emmanuel Delcourt.

— Vous êtes le naturopathe fameux, dit Corinne.

— Malheureusement, je ne suis que le fameux mari de la fameuse naturopathe. Cela m'attire autant d'ennuis, sinon plus. Je suis fermier-sexologue, spécialiste de l'orgasme. À cause de nos professions particulières, nous avons droit, régulièrement, à tous les contrôles possibles et imaginables de la part de toutes sortes d'autorités, compétentes, non compétentes et surtout emmerdantes. Ne parlons pas de la ferme, c'est peut-être la goutte qui fait déborder le vase de la connerie.

Il a un geste pour montrer la cour et le bétail, et ajoute :

— Tout le quartier trouve bizarre et même dangereux de vivre entouré d'animaux en liberté. Cela apporterait des maladies. Si mes animaux étaient emballés sous cellophane, avec une date d'expiration collée dessus, il n'y aurait pas de problèmes, mais le vivant fait peur. Les enfants du quartier viennent voir les bêtes. Ils restent d'abord à l'écart, observent de loin, ils ont peur d'approcher. Le bétail, lui, a tout aussi peur de ces visiteurs occasionnels. Il les sent nerveux, il n'a pas confiance. Mais les enfants reviennent et, peu à peu, ils sont reconnus et adoptés par les bêtes. Côté adultes, c'est une autre histoire.

Corinne considère tout cela avec prudence. Elle se demande où elle a atterri. Un sexologue-fermier, spécialiste des orgasmes... Avec un accent bruxellois à couper au couteau.

Elle espérait trouver un médecin qui aurait pu l'aider à se soigner, mais elle se rend compte qu'elle ne peut plus compter sur personne. Un couple de paysans ! Voilà chez qui le docteur Rikson l'a envoyée.

« Il fera ce qu'il faut pour le corps, moi, je m'occupe de la tête », a-t-il averti. Si vous arrivez à entendre ce qu'il vous dira, vous aurez peut-être une deuxième chance. Une deuxième vie. Mais il vous faudra au préalable chasser vos préjugés, et vos préjugés constitueront le principal obstacle auquel vous risquez d'être confrontée. Vos préjugés sont votre cancer. »

— Vous avez de la chance, dit le fermier, il y a du soleil, aujourd'hui. Vous aurez peut-être votre consultation dehors. Vous sentez cette odeur, la plus intense de toute l'année ? La végétation se tend, se dépasse, pour éclater dans ses derniers feux, pour capter l'odeur de la terre et l'envoyer dans ses feuillages et ses fleurs. D'un jour à l'autre, il peut faire froid, pluvieux, et ce sera la chute.

Il la regarde, la tête légèrement penchée ; il semble la détailler avec une certaine tendresse. Sans attendre de réponse, il désigne une table de jardin et deux chaises en rotin, le tout coiffé d'un vieux parasol délavé.

— On sera mieux là, n'est-ce pas ? continue-t-il. Ma femme aura trois heures de retard, elle vous prie de l'excuser, une visite à domicile plus difficile que prévu. Je vous recevrai en consultation le premier. Un mari non fameux en vaut deux…

Il ajoute dans un rire :

— « Dans le désordre, si vous ne voyez pas d'inconvénient. »

Un pâle rayon de soleil traverse la cour, plus pâle tout à coup, lui semble-t-il. Il ne fait pas très chaud, mais Corinne s'assied, n'osant pas contrarier l'étrange personnage. Il a l'air très anticonformiste, et même plutôt allumé.

Elle écoutera ce qu'il a à dire en attendant sa femme, et si celle-ci tarde trop, elle aura une bonne excuse pour tirer sa révérence. Une consultation suffira pour aujourd'hui ! Elle a des choses bien plus importantes à régler que des propos d'illuminés qui bâtissent des paysages dignes de Walt Disney derrière des immeubles de vingt-cinq étages.

L'homme la regarde comme s'il s'apprêtait à la dessiner, puis son regard retourne à la cour.

— D'ici, je les ai à l'œil, dit-il en montrant les poules. Vous ne pouvez pas vous imaginer avec quelle violence elles se déchirent pour obtenir les faveurs du coq. Incroyable ! L'éternel féminin. Si vous aviez le temps de les voir évoluer, les animaux vous apprendraient beaucoup de choses sur la séduction amoureuse. Parce que tout est là, savez-vous, nous n'avons rien inventé, nous, les humains civilisés. Si le sujet vous intéresse, vous pourrez revenir me voir, même si je suis occupé ; vous n'aurez qu'à vous asseoir ici ou là, et regarder vivre le bétail, vous apprendrez à vivre aussi.

— Comme des animaux, rétorque Corinne, agacée.

Le fermier arrête de parler, déconcerté par sa remarque. Il lève la tête et la dévisage en silence. Corinne l'observe à son tour.

Il doit avoir cinquante ans environ. La peau de son visage est épaisse et tannée par le soleil. Il a certainement bourlingué dans des pays chauds. Une crinière noire lui donne l'allure d'un acteur de cinéma des années 1960. Des yeux sombres, un regard droit.

Il est habillé d'une chemise de lin blanc et d'un pantalon noir, avec des pataugas beiges aux pieds. « Bien dans ses baskets. »

De beaux gestes, nobles, larges, élégants. Dommage qu'il soit fêlé, pense Corinne. Et marié, bien sûr... Comme toujours.

— Oui, comme des animaux, reprend-il très posément. C'est un beau compliment. Souvent, les gens ont peur de vivre une existence pleine et libre. Ils craignent de réveiller « l'animal qui est en eux ». Cela me fait sourire. Et réveiller l'humain qui est en eux ? Nous ferions bien d'observer les animaux d'un peu plus près. On cite souvent le lion comme symbole de la « bête féroce ». Mais qu'en est-il en fait ? Il tue quand il a faim, sans carnage inutile et sans manger au-delà de ses besoins. Il garde sa ligne bien mieux que certains d'entre nous. Quand il n'est qu'un lionceau, il est dépendant et sans défense, mais loin de s'obstiner à rester dans cette dépendance, il s'en libère peu à peu. Il est égoïste et égocentrique quand il est jeune, mais adulte, il se montre assez coopératif, il nourrit, élève et protège ses petits. Il satisfait ses instincts sexuels, mais sans excès. Ses diverses tendances et impulsions sont en harmonie[1], conclut-il.

Il rit, se lève et se met en devoir de séparer deux poules qui se chamaillent, avant de poursuivre.

— Quelle honte y a-t-il à laisser exister ce qu'il y a de meilleur en nous : notre animalité ? J'écris un livre sur les mœurs amoureuses des animaux. Je fais un rapprochement avec l'homme. Cela fait douze ans que j'étudie le sujet. Si j'osais vous en parler, vous seriez déroutée par mes découvertes. Je dis « déroutée », mais je crois que vous les rejetteriez violemment. Personne d'ailleurs n'est prêt à admettre que l'amour n'est qu'une manipulation naturelle de nos gènes qui a comme seul objectif de perpétuer l'espèce. Que derrière le mot « amour » se dissimule la génétique.

Voyant que Corinne le regarde d'un air ahuri, il fait un geste de la main vers l'arrière de la maison.

— Suivez-moi, dit-il brusquement.

Corinne se lève, intriguée, et l'accompagne en évitant les chèvres, cochons, poules et chevaux qui viennent la flairer.

Il lui dit de la suivre, elle le suit ; il a un magnétisme puissant. D'ailleurs, elle commence à avoir un peu froid dans cette cour.

---

1. Carl Rogers, *Le Développement de la personne*, Paris, Dunod, 1984, p. 133.

Elle se rend compte que l'homme a raison, elle n'est pas à l'aise avec les animaux, peut-être parce qu'elle ne peut prévoir leurs réactions. Mais a-t-elle réussi à prévoir une seule fois les comportements des hommes qu'elle a approchés ou fréquentés parfois des années durant ? Jamais rien ne s'est passé comme elle l'avait espéré. Toujours, elle a été surprise, à ses dépens. Les hommes sont comme ces animaux, imprévisibles. Simplement, elle ne les évite pas... Elle pense à la femme dans la rue à qui elle a demandé son chemin, et à sa réaction inattendue.

« Vous avez raison, dit-elle en franchissant la porte cochère, on a peur des animaux parce qu'ils sont imprévisibles. »

— Je n'ai pas dit que les animaux sont imprévisibles, corrige l'homme en lui prenant la main pour l'aider à franchir un petit tas de bois. Le chemin n'est pas bien tracé, dit-il comme pour expliquer. Habituellement, ma femme et moi, nous passons par une fenêtre pour nous rendre dans la partie arrière de la maison, mais je n'ai pas osé vous le proposer. Je continue : donc ils sont parfaitement prévisibles, au contraire, si nous prenons le temps de les observer. Toutefois, il est vrai qu'ils ne savent pas ce qu'ils font. Mais ils le font. Comme nous, nous ne savons pas ce que nous faisons, pourquoi nous vivons, quel pourrait être le sens de notre vie. Nous vivons tout de même. *« L'araignée qui tisse sa toile pour attraper une mouche ne sait pas qu'elle tisse une toile pour attraper une mouche. »* Elle ne le saura jamais. Quant à nous, les hommes, malgré toutes nos hypothèses, qui ont comme nom philosophie, psychologie, biologie ou religion, et j'en passe, nous sommes comme les araignées, nous ne saurons jamais le déterminisme qui règle notre vie.

Elle l'écoute avec intérêt. Il possède une sorte de talent d'orateur.

Il s'arrête devant un box, se tait. Corinne s'approche et aperçoit un faon blotti contre sa mère.

— Oh! mon Dieu, s'écrie-t-elle, émue. De petites larmes glissent sur sa joue.

— Il a deux jours.

Elle a la gorge nouée. Le spectacle de la perfection lui a coupé le souffle.

— C'est beau, articule-t-elle péniblement en se sentant idiote de ne pas trouver de mots plus justes.

— Que voyez-vous?

— La beauté et l'amour.

— Vous ne voyez rien. Voir est la chose la plus difficile du monde. Ce que vous croyez voir n'est ni beau ni laid. Ce que vous trouvez beau, c'est l'image de la mère et de son petit. La biche ne sait pas qu'elle protège et qu'elle aime. C'est son instinct. Elle agit en fonction de ses gènes qui lui dictent le comportement adéquat pour que l'espèce puisse subsister et prospérer. Si elle abandonnait son petit, il mourrait. Et avec sa fin à lui, ce serait la mort de l'espèce. Ce n'est pas pour lui qu'elle est douce. L'image de l'amour est une fabrication de l'esprit. Il n'y a pas d'amour là-dedans. Quand je dis que c'est une image, je veux dire par là que c'est une reproduction du mental. Cette maman qui prend soin de son petit ne sait pas qu'elle est une maman qui prend soin de son petit. Vous ne voyez pas la réalité. Pourtant, la réalité est plus harmonieuse que ce que vous croyez voir.

— Je vois une biche qui aime son petit, appelez cela comme vous le voulez. Pour moi, c'est de l'amour, dit Corinne, et cela me suffit.

— La biche et son petit sont en état d'extase. L'extase a aussi un autre nom: l'amour. Ils sont en amour. Pour eux, il n'y a nul endroit où aller, pas de passé ni de futur. Ils ne pensent pas ; c'est pourquoi l'amour est en eux.

— Moi aussi je ressens de l'amour à cet instant.

Il la regarde avec sympathie et dit doucement, pour ne pas la brusquer :

— Le fait de penser que vous avez de l'amour pour quelqu'un ou pour quelque chose suffit pour que vous ne soyez plus dans l'état d'amour. Vous avez vu la biche et son petit, et pendant quelques secondes, vous faisiez partie intégrante du tableau, vous étiez l'amour. Ensuite, le mental a pris le relais. Il a fouillé dans ses tiroirs de souvenirs pour lui permettre de nommer cette expérience, il a retrouvé des images de livres, de films, de contes, d'histoires de biches et de faons, ou peut-être de mamans et de bébés, et ces images du passé – je dis du passé car elles sont situées dans l'éducation –, le mental les a classées dans le tiroir « beau » et « protection » ou encore « touchant », ou dans tout autre compartiment. À partir de là, vous sortez de l'expérience. Vous sortez de l'amour. D'acteur, vous devenez spectateur. Vous êtes dans le jugement, c'est-à-dire dans le passé. Or, l'amour est en dehors du temps.

— Je ne vois pas comment je pourrais faire autrement. Je suis un être humain, je pense et je juge sans cesse. Peut-être allez-vous me dire comment faire ?

— Peut-être ne faut-il rien faire. Allons dans mon cabinet. Quand le soleil disparaît derrière les bâtiments, il fait plus frais. Nous serons mieux à l'intérieur.

Ils sortent de la grange et pénètrent dans le bâtiment principal par l'arrière. Ils traversent une vaste cuisine aux murs peints en mauve, séparée en deux par une grande table rectangulaire. Ensuite, l'homme s'engage dans un long couloir sombre. Corinne fait quelques pas pour le suivre quand il s'arrête net, se ravise et revient sur ses pas.

— Avant de monter, nous allons nous servir une bonne tasse de café ou de thé. Mieux même, je peux vous presser le jus d'une vraie orange.

Il interroge Corinne du regard.

— Volontiers.

— C'est une bonne idée, j'en prendrai un moi aussi, c'est vrai que le café me rend nerveux. J'en bois toute la journée, habitude sans motivation.

Il saisit deux petits verres à fleurs bleues dans le placard, choisit deux oranges dans une corbeille, s'empare du presse-fruits mécanique qui traîne sur la table de cuisine. Il tranche les oranges en deux et se met à les presser en jetant de temps à autre un regard amusé vers sa cliente.

Il a de très beaux gestes. Corinne l'observe, pensant que les hommes dominent mieux les choses pratiques que les femmes.

Elle regarde la cuisine. Les murs mauves produisent une impression de «nulle part», ou de conte de fées. Des bocaux remplis d'épices sur une étagère de bois, de la vaisselle de grès sur une autre étagère… Décor charmant, se dit-elle.

— Regardez la beauté d'une orange, dit l'homme. Il est important de contempler la nourriture, on oublie trop de le faire. J'aime presser les oranges, cela me rappelle mon enfance, le parfum surtout, car ce n'est pas moi qui les pressais. En ce temps-là, c'était le paradis, je ne faisais rien, tout venait à moi.

Il rêve un instant, reprend.

— C'était ma mère. Une sainte femme. «C'est plein de vitamines», répétait-elle en nous obligeant à avaler tous les matins ce jus âpre et suave. Je ne sais pas si les vitamines ont fait de l'effet, mais il est vrai que je me suis toujours senti en pleine forme. Pourtant, le matin n'est pas le meilleur moment pour le jus d'orange. Surtout pour les personnes qui prennent du lait juste après. Une explosion dans l'estomac ! Il faut laisser passer vingt minutes entre les deux.

Il remplit les verres, en tend un à Corinne.

— Mais c'est en effet une mine d'or en vitamine C.

Corinne porte le verre à ses lèvres et fait la grimace.

— Vous n'auriez pas un peu de sucre ?

Il la regarde d'un air surpris.

— Pardon ?

— C'est un peu amer, vous n'auriez pas du sucre ?

— Ah ! non, il n'y a pas de sucre dans la maison, désolé.

— Ce n'est pas grave, dit-elle. Je suis très « sucrée », peut-être trop. Ma mère, ajoute-t-elle du même ton que celui qu'il a employé en parlant de son enfance, prétendait que « le sucre, c'est de l'énergie pour la journée ».

Ils s'esclaffent de bon cœur.

Lorsqu'elle a fini son verre, il passe devant elle pour lui montrer le chemin. Ils gagnent le deuxième étage. Dans la cage d'escalier, le mur est couvert d'affiches. Conférences, séminaires, avec des noms de personnes ayant des professions liées aux « médecines parallèles » ou « alternatives ».

Il ouvre une porte donnant sur le palier, l'invite à entrer.

— C'est mon laboratoire humain.

Corinne pénètre dans un grenier aménagé sous les toits, aux poutres apparentes. Sur le sol, un tapis persan. En guise de table de travail, deux planches posées sur des tréteaux, sur lesquelles traînent des dizaines de feuilles couvertes de notes, des crayons, des marqueurs de couleur, un foulard violet, des disques, un casque audio, un écran d'ordinateur, un clavier, une imprimante...

Un peu partout dans la pièce, des bougies.

Du désordre, certes, mais rien ne paraît sordide. Tout ce qui entoure cet homme est insolite mais sans vulgarité.

Face au bureau se trouve une table de massage. Plus loin, un divan recouvert d'un tissu violet et deux fauteuils de rotin peints en vieux rose.

La lumière orange du soleil entre par deux petites lucarnes ouvertes sur le ciel. Des pigeons se disputent sur le toit. De la cour monte le vacarme du bétail laissé seul, comme une cour de récréation sans surveillance.

Malgré les bruits extérieurs, il se dégage de l'endroit une ambiance de calme et de sérénité. Le fermier-sexologue – Corinne ne sait plus comment l'appeler – en bref, Emmanuel Delcourt, ferme les lucarnes et se dirige vers la chaîne stéréo.

— On change de musique, dit-il. Classique ou jazz ?

— Je n'aime pas le jazz, dit Corinne.

— Alors Mozart fera l'affaire. Savez-vous que la musique de Mozart est érotique ? Je ne plaisante pas. Outre recharger les cellules cérébrales, elle exciterait nos niveaux sensuels et provoquerait le désir. Que pensez-vous du concerto appelé *Jeune Homme* ? (il rit) J'aime beaucoup, c'est vivifiant, jeune, magnifique. En *mi* bémol majeur, une tonalité de beauté, de vie, d'espoir.

— C'est très bien, approuve Corinne qui ne connaît pas ce morceau.

— Hum ! C'est un morceau dangereux ! prévient-il.

Il choisit le disque qu'il tend à Corinne.

— Je vais me changer, dit-il. Pouvez-vous mettre la musique en route ? Il suffit d'insérer le disque dans la fente.

Il sort.

Corinne entend ses pas dans la pièce voisine.

Elle examine le disque argenté pendant quelques longues secondes, comme dans un état second, avant de le présenter à la bouche du lecteur audio qui l'avale sensuellement. Quelques instants plus tard, les harmonies de Mozart prennent possession de l'endroit, remplies de gaieté, d'entrain et d'une beauté qui la surprend.

Elle s'installe dans l'un des fauteuils. Elle se sent mal à l'aise. Les insinuations érotiques du fermier-sexologue l'ont perturbée. Ce n'est pas avec des mots suggestifs qu'il va faire quelque chose pour elle. Il est censé, d'après le docteur Rikson, lui ouvrir le chemin de l'orgasme.

Elle se sent un peu ridicule. Tout ce qu'elle entreprend depuis quelque temps sonne faux. Un psy extravagant la mène par le bout du nez, et elle, comme une imbécile, suit ses instructions à la lettre.

A-t-elle le choix ? Eh non ! Elle est morte, elle ne doit pas l'oublier. Le reste importe peu. Tout ce qui pouvait lui arriver de pire est déjà passé. Une partie d'elle-même a survécu. Pour combien de temps encore, et surtout, comment ? Elle ne doit plus penser, sans quoi elle va devenir folle.

L'image de son nouveau soupirant lui traverse l'esprit. Spiros. Il va revenir dans deux jours, ils vont se revoir. Tout n'est pas si sombre dans sa nouvelle vie. Un léger sourire se dessine sur son visage.

C'est le moment que choisit le fermier pour réapparaître.

Corinne n'en croit pas ses yeux. Indiscutablement, il s'est changé. Déshabillé, à vrai dire.

Comme seuls vêtements, il porte un léger pantalon blanc en toile de lin, transparent, sous lequel elle peut distinguer ses jambes musclées. Torse nu, pieds nus, il s'avance d'une démarche encore plus décontractée.

Il ferme doucement la porte derrière lui et vient s'asseoir dans le fauteuil près d'elle. Elle détourne les yeux, comme si elle n'avait rien remarqué.

— Nous avons deux heures avant votre consultation avec ma femme, dit-il.

Il se tait un instant, puis reprend.

— Avant de m'occuper de vous, je dois savoir si vous savez pourquoi vous êtes ici.

— Le docteur Rikson m'envoie, vous le savez bien. Je ne sais pas ce que vous faites, ni comment vous travaillez. Par contre, j'imagine que le docteur Rikson sait ce qu'il fait en m'envoyant chez vous. Vous a-t-il parlé de moi, de mon mal-être, de mes tentatives de suicide, de mon cancer ?

— Je ne connais pas personnellement le docteur Rikson. Nous ne nous sommes jamais vus. Je connais son travail, comme il connaît le mien, par personnes interposées. Je sais qu'il est un peu marginal dans sa façon de travailler. Comme moi. Il a eu des ennuis avec les autorités. Comme moi. Il a des résultats hors du commun. J'en ai aussi. Il m'envoie des clients et je lui en envoie également. Nous n'avons pas besoin d'en savoir plus. Le client nous transmet l'essentiel. Alors, pourquoi venez-vous me voir ?

— Je suis, paraît-il, une « femme qui aime trop ». Je suis « dépendante affective ».

— Vous venez de me décrire ce que vous croyez être, vous ne dites pas pourquoi vous venez me voir. Ce que vous êtes peut intéresser votre psy, moi cela ne m'intéresse pas. Qu'attendez-vous de moi ?

Il s'est penché, très près d'elle. Elle sent l'odeur de ses cheveux, de sa peau. Une odeur de fraîcheur, une odeur saine.

— Écoutez, c'est absurde, j'ai déjà un psy. Je ne vois pas ce que je viens faire chez vous.

Elle a un rire.

— Vous voyez, cela doit faire partie de la dépendance affective. D'un syndrome d'obéissance. Je fais ce que l'on me dit de faire. Vous avez raison, c'est le travail du docteur Rikson, pas le vôtre.

— Alors, que puis-je faire pour vous ? Vous connaissez ma spécialité, n'est-ce pas ? Je ne vous l'ai pas cachée.

— Vous êtes spécialiste en orgasmes, répond-elle.

— Les clients qui me sont recommandés viennent donc me consulter pour un problème sexuel. Les hommes parce qu'ils ont du mal à avoir une érection, à bander pour dire les choses comme elles sont, ou parce qu'ils ont des problèmes d'éjaculation précoce. Ils jouissent trop vite. Les femmes viennent parce qu'elles se croient frigides. Il n'y a pas de femme frigide, cela n'existe pas.

Corinne le regarde interrogativement et se met à rire nerveusement.

— Vous allez me donner un orgasme ?

— C'est ce que vous voulez ?

— Vous plaisantez, j'espère ? C'est pour cela que vous vous êtes déshabillé ?

Malgré elle, elle a un mouvement de recul.

— Mais oui. Vous ne croyez pas que je vais m'occuper de votre corps tout habillé ? Maintenant, je voudrais faire une mise au point : je n'ai pas la prétention de vous donner un orgasme. Avez-vous eu de nombreux amants ?

— Un bon nombre, oui.

— Y en a-t-il un qui vous ait fait jouir ?

— Aucun. Ce que j'en sais, c'est pour l'avoir lu dans le genre de magazine pour lequel j'étais rédactrice en chef. Des renseignements et recettes ridicules.

— Je n'ai pas grand-chose de plus à vous proposer. Des recettes.

— C'est tout ?

— Que souhaitez-vous ?

Il s'approche un peu plus encore. Mais ce n'est pas gênant pour Corinne, c'est comme une présence rassurante.

— J'aimerais savoir ce qu'est un orgasme. Je ne ressens rien lors d'une pénétration. Je simule un plaisir que je ne connais pas. Je voudrais l'éprouver, ce grand frisson, le déguster. Jouir une fois dans ma vie... Une seule fois. Pouvez-vous vraiment faire quelque chose pour moi ?

— Moi, non. Ni aucun homme. Vous avez espéré qu'un homme, qu'une « bite » plutôt, vous fasse jouir. Cela n'a pas marché. Parce que vous avez attendu que l'on vous donne du plaisir. N'avez-vous jamais pensé à le prendre ? Vous êtes-vous déjà masturbée ?

— Jamais, je trouve cela... déplorable. Le plaisir doit être partagé.

— Qui a dit cela ?

— C'est dans ma culture. Se masturber, c'est quelque chose de malsain et d'égoïste.

— Avez-vous jamais essayé de vous caresser le vagin, le clitoris ?

— Si, mais cela me désole. Je ne suis arrivée à rien.

— Si vous ne pouvez pas vous donner du plaisir, qui pourrait vous en donner ? Entendez-vous ce que je dis ? Personne ne connaît mieux votre corps que vous-même. Et il vous appartient, ce corps. Vous êtes la seule personne qui puisse trouver « l'interrupteur ». Comme je vous l'ai dit, je ne peux pas vous faire jouir, mais je peux vous aider à éprouver votre corps, à en prendre conscience, et vous apprendre à *vous* donner du plaisir. Quand vous vous serez donné, «accordé» votre premier orgasme, vous ne pourrez plus vous en passer, seule ou accompagnée. Et votre vie va changer. Votre dépendance amoureuse aussi.

— Vous insinuez que tout cela est lié ?

— Arrivez-vous à garder un homme ?

— Non, ils me quittent après m'avoir baisée, répond-elle sèchement. Ma plus longue histoire d'amour n'a duré que quelques mois, le temps de faire un enfant. Je n'ai jamais compris pourquoi les hommes me quittent. Plus ils me quittent, plus j'ai peur qu'ils me quittent, et je vis à chaque instant dans cette peur. Je harcèle les hommes par ma présence, par mon angoisse. Je suppose que c'est ce qui les fait fuir.

— Pas du tout. En amour, il est normal de rechercher à chaque instant la présence de l'être aimé.

— Alors, pourquoi m'abandonnent-ils ? Je fais tout ce qu'il faut pour les rendre heureux. Je n'ai aucun tabou sexuel. Je leur donne du plaisir, et je vais même au-devant de leurs désirs les plus secrets. Je suis prête à tout.

Un peu troublée, Corinne se dit que l'étrange fermier est un homme.

Il est *l'homme*, l'homme proche, l'homme qui lui parle comme elle aurait voulu que les autres le fassent.

— Mais vous leur refusez votre orgasme, chuchote-t-il. Vous entendre gémir, contempler votre corps se contracter sous les spasmes incontrôlés du plaisir qu'ils vous procurent, c'est ce qu'ils attendent tous, au plus profond d'eux-mêmes. Le plus beau cadeau qu'une femme puisse faire à son amant, c'est de lui offrir son plaisir. Un plaisir vrai, et non simulé. Au fond de lui, un homme sait lorsque le plaisir est une imitation... En lui offrant votre féminité, vous lui rendez grâce, vous le virilisez. Mieux que cela, vous le déifiez.

Corinne se met à frissonner puis à trembler. Elle ne peut se contrôler. Des convulsions la déchirent. Elle s'effondre sur le sol, en sanglots. C'est la première fois qu'on lui parle de cette façon. Elle gémit de désespoir, avec l'envie de disparaître, de s'ensevelir à tout jamais. Cela dure plusieurs minutes, puis elle se calme peu à peu et des larmes d'enfant accablé remplacent les sanglots.

L'homme l'observe sans faire un geste.

Quand elle est apaisée, il se lève et, avec des mouvements très lents, comme dans un rituel sacré, il commence à la déshabiller.

Elle comprend ce qu'il fait et, sans chercher un sens à ce qui se passe, elle se plie à chaque suggestion de ses gestes remplis de douceur.

Les vêtements tombent, un à un.

Chaque geste va vers lui, lui était destiné.

Quand elle est complètement nue, l'homme dénoue la cordelette qui retient son pantalon qu'il enlève lentement, sans geste brusque.

Il est nu lui aussi.

Il se couche contre elle, sur le sol, et la couvre de toute la tendresse de son corps. Elle capte la chaleur de sa peau, entend les battements de son cœur, respire son odeur à la fois masculine et fraîche.

Ils restent là sans bouger. Sans caresse. Sans mouvement. Simplement présents à l'instant. C'est plus sensuel, plus déconcertant que tous les gestes, les mouvements de l'amour.

Au dehors, les animaux se sont tus. Le soir est venu insensiblement, et les enveloppe de son ombre.

C'est un moment d'éternité qu'ils partagent.

XV

En arrivant chez elle, Françoise Poncelet comprend que quelque chose de singulier se passe. Les animaux sont trop calmes. Les portes sont grandes ouvertes, et pourtant elle ne constate aucune vie au rez-de-chaussée. Elle entre dans la maison, s'arrête devant l'escalier qui mène à l'étage.

Elle retient un instant sa respiration, écoute. Aucun son, aucun bruit. Mais quelque chose en elle devine leur présence. Son mari et sa cliente sont dans l'atelier. Peut-être lui fait-il un massage ? Non, le plancher aurait craqué sous ses pas. Elle se demande un instant si elle va monter.

Dans la cuisine, elle découvre les deux verres et les oranges pressées abandonnés dans l'évier. Elle jette les restes dans la poubelle, met les verres dans le lave-vaisselle.

Elle a faim, subitement. Vu l'heure, ils doivent avoir faim eux aussi. Elle décide de préparer pour tout le monde une grande salade au saumon.

Elle s'affaire en faisant le plus de bruit possible. La vie est revenue dans la maison, et elle veut le faire savoir. Allez, debout là-haut !

L'homme se lève le premier. Il couvre la femme d'un foulard, et après s'être rhabillé, allume deux bougies disposées sur la table. Il gagne la pièce voisine, reste un moment à l'écoute.

Il entend un peu de bruit, elle doit se lever et commencer à reprendre ses esprits. Puis il entend des pas. Elle s'habille. Il descend rejoindre sa femme dans la cuisine.

Corinne a l'impression d'avoir été droguée. Tout cela a l'air tellement irréel... Elle ferme les yeux, se tient immobile. A-t-elle rêvé ?

Elle rouvre les yeux. Elle est bien dans l'atelier du fermier-sexologue. Elle ne peut pas concevoir ce qui s'est passé. Étrange. Elle s'est laissé déshabiller sans résistance, mieux même, elle l'a aidé à ôter ses vêtements. Il s'est déshabillé lui aussi. Il s'est allongé contre elle. Elle a passé un moment nue, dans les bras d'un homme nu, mais pas comme on le pense habituellement. Il ne l'a pas touchée comme un homme touche une femme.

À la pensée de la chaleur de cet homme contre son corps, elle... elle sent son cœur se dissoudre de contentement. Des gouttes de quiétude ruissellent sur sa joue. Une sensation de bien-être, de paix, lui revient à la mémoire... Elle... un bébé dans les bras de sa maman. La biche et son petit. Instinctivement, elle est entrée dans la scène. « Maman... », murmure-t-elle.

Quand elle descend, il fait nuit. Le vent s'est levé, on l'entend souffler par les interstices des portes et des

223

fenêtres. Soudain, elle a froid. C'est l'automne, et déjà l'hiver annonce sa venue. Les dernières soirées sans chauffage, se dit-elle en serrant sa veste contre sa poitrine.

Une odeur de poisson, d'épices et d'huile d'olive parfume le couloir. Sans doute y trouvera-t-elle le sexologue. Que vais-je lui dire? se demande-t-elle, embarrassée. Pour qui va-t-il me prendre? Elle ne sait comment affronter son regard. Il lui sera difficile de faire comme si rien ne s'était passé.

Un moment, l'idée de fuir lui traverse l'esprit, mais elle n'ose pas. S'en aller ainsi, que penserait-il?

Elle entend du bruit, une présence. Il est là. Elle respire un bon coup, relève les épaules et entre d'un pas décidé, avec un sourire qui ne trompera personne.

— Bonsoir, Corinne!

— Bonsoir, dit Corinne, surprise. Elle balaye d'un coup d'œil la cuisine, mais ne le voit pas.

— Il est dans la ferme, il lui faut un moment pour soigner les bêtes. Il m'a demandé de vous dire qu'il souhaite vous revoir la semaine prochaine, même jour, mais plutôt le soir. Si c'est possible pour vous.

— Tout est possible pour moi. Je n'ai plus de travail, plus de famille, je n'ai plus rien à faire qu'à m'occuper de moi. Vous êtes Françoise Poncelet, je suppose?

— Gagné, répond l'autre en souriant.

Ce qui surprend vraiment Corinne, ce n'est pas d'être accueillie par la femme du fermier, mais c'est l'allure de celle-ci. Elle est plus âgée que lui. Il est plutôt séduisant, elle pourrait presque passer pour sa mère. Elle doit bien avoir une soixantaine d'années.

Son visage est lisse, sans une ride, mais ses cheveux sont blancs. Corinne a peine à croire que... qu'il peut avoir choisi une femme comme elle. Ces deux-là

ne sont pas assortis. Même sa façon de s'habiller...
Quoique fermier, il est raffiné dans le choix de ses
vêtements, ce qui d'ailleurs détonne avec le travail de
la ferme. Elle est petite, les seins lourds et les hanches
larges. Vêtue comme une paysanne. Ce doit être elle, la
campagnarde, en contact avec la nature, voilà pourquoi elle est devenue naturopathe.

— Asseyez-vous, nous allons faire ma première
consultation autour d'un dîner. Je vous ai préparé une
salade de saumon. J'espère que vous aimez cela ?

— Merci, je suis touchée par votre attention, mais
je n'ai pas faim, fait Corinne.

— L'appétit vient en mangeant, a dit quelqu'un, et
vous savez qu'il n'avait pas tort. Je vous signale que
c'est ma première consultation autour d'une table ! Ne
craignez rien, c'est compris dans le prix.

Corinne sourit.

La docteure Poncelet la regarde goûter la salade
avec méfiance, puis manger de bon appétit.

— C'est préparé avec de l'huile d'olive première
pression à froid, du persil et des petits oignons du
potager, garanti sans pesticides. Quant au saumon, il
a été pêché en haute mer, ce qui laisse supposer qu'il
n'est pas contaminé.

Corinne considère les aliments en hochant la tête.

— Vous êtes à l'écart ici, dit-elle entre deux bouchées. Vous devez vous sentir seuls quelquefois ?

— Nous sommes à vingt mètres de la ville.

— Cet après-midi, en arrivant, j'ai croisé une
dame, je lui ai demandé le chemin, d'après ce que j'ai
compris, elle ne vous porte pas dans son cœur. Vous
faites peur à vos voisins, dirait-on.

— Nous faisons peur même aux autres médecins.
On a tenté de nous radier, mais jusqu'à aujourd'hui ils
n'ont pas réussi. Vous savez pourquoi ?

— …

— Personne n'a jamais porté plainte. Pourtant, tout le quartier s'y est mis, les gens sont dérangés par la ferme, le bétail, notre façon de vivre, le fait que je partage l'existence d'un homme plus jeune que moi. C'est insupportable. Mais voilà, ils ne peuvent rien faire.

Corinne lève un sourcil interrogateur.

— La femme d'un ministre a été sauvée par mon traitement. Nous sommes tranquilles pour un moment. Mais ce n'est pas gagné, les politiques passent. Un jour, ils finiront par nous avoir. Le terrain est cher à Uccle. Le nôtre est convoité pour y construire de ravissants buildings. Mais pour l'instant, nous y sommes toujours.

La docteure Poncelet se lève.

— Comme boisson, je vous propose du thé vert. Vous connaissez? C'est un puissant antioxydant. De plus, celui-ci est importé de Chine. Il est très parfumé.

— Je ne connais pas, mais va pour le thé vert parfumé.

La docteure met la bouilloire à chauffer. Les deux femmes s'observent un moment en silence. On n'entend que le chuintement du gaz.

Des pas résonnent dans le couloir, puis dans l'escalier.

— Il en a fini avec l'élevage. Il va s'installer dans sa chambre, écouter de la musique, lire un peu, peut-être écrire. Il se couche tard. Il n'arrive pas à dormir facilement. Il a tant d'occupations qui le passionnent. La vie offre trop de possibilités; dormir, c'est perdre du temps. Nous faisons chambre à part, nous n'avons pas le même rythme. Moi, j'aime mon lit.

Elle arrête de parler et fixe sa patiente d'un regard différent, doux mais pénétrant.

— Il vous a fait l'amour?

Corinne ne sait plus où se mettre. Que répondre ? Elle ne trouve pas ses mots.

— Ne vous tracassez pas, dit la docteure Poncelet, je vous demandais cela pour mieux savoir où vous en êtes. Ce n'est pas un interrogatoire personnel. Je ne l'épie pas. Si notre couple fonctionne, c'est parce que, justement, nous faisons chacun ce que nous pensons qu'il est bon de faire. C'est un sexologue original, il lui arrive de faire l'amour avec ses clientes. Car il les appelle « clientes ». Il a horreur du mot « patient », il dit qu'un patient se considère comme malade, et qu'il n'est pas là pour entretenir la maladie. Une cliente le paye pour qu'il lui apporte une solution. Ainsi le contrat est clair.

— Il m'a déshabillée et il s'est couché contre moi. C'est tout. Je pense que, d'une certaine façon, il m'a fait l'amour. Cela ne doit pas être facile pour vous, de savoir qu'il fait ça avec ses clientes ?

— Rien n'est facile dans un couple. Il fait ce qu'il lui semble juste de faire. Ça marche avec certaines clientes. D'autres ne reviennent plus. Mais, curieusement, nous n'avons jamais eu de plainte.

Elle se met à rire.

— Peut-être parce qu'il fait bien l'amour. Je ris, mais cela n'est pas facile, en effet. Pas le fait qu'il touche les autres femmes, non, mais que je sois plus âgée que lui. J'ai cinquante-huit ans. C'est vieux pour une femme. On s'est rencontrés il y a onze ans, il était mon patient. Il est venu me consulter pour un vitiligo. Vous savez ce que c'est, le vitiligo ? Une dépigmentation de la peau. Tous les dermatologues qu'il a vus lui ont signifié que c'était incurable. Ne connaissant pas ce mal, il a eu l'idée de faire des recherches sur Internet. Les images qu'il y a trouvées, de gens défigurés, l'ont abattu tout à fait. Il allait donc devenir défiguré, lui, si soucieux de son image? Il est tombé en dépression pendant quelque temps. Puis il a eu l'idée de retourner sur le Net et de chercher des gens qui s'en étaient sortis. Il a trouvé une famille aux États-Unis dont la fillette de neuf ans était atteinte de vitiligo sur tout le corps. Elle s'en est sortie en changeant son alimentation, conseillée par un naturopathe argentin. Il s'est mis à la recherche d'un naturopathe en Europe, et il m'a trouvée, à côté de chez lui, en Belgique.

— Et vous l'avez guéri?

— Pensez-vous! Je ne guéris personne. Je lui ai donné quelques règles de conduite alimentaire. Il a acheté des livres, il a tout lu sur le sujet. Il ne pouvait pas croire qu'il guérirait simplement en changeant sa façon de manger. Cela a transformé la perception qu'il avait de la médecine, et en même temps toute son existence. Et la mienne par la même occasion. On s'est revus souvent, pour parler nourriture. Un jour, on a arrêté de parler nourriture.

— Et sa maladie?

— Il a fait ce qu'il fallait, c'est-à-dire qu'il s'est pris en main. Le corps a suivi. Sa peau a repigmenté en deux ans. C'est un miracle, ont prétendu ses collègues et les dermatologues. Ils ne veulent pas croire que l'alimentation a rééquilibré son système immunitaire. Mais lui, il le sait. Vous savez, toutes les maladies ont comme source l'encrassement de l'intestin. Il n'est pas guéri, comme on pourrait le penser, *définitivement*. Il a son talon d'Achille; s'il recommence à ingurgiter n'importe quoi, comme avant, la dépigmentation va se remettre en route. Son système immunitaire est instable. Le vitiligo est une maladie auto-immune, comme la plupart des affections. Actuellement, on constate une recrudescence de ce type de maladies. On se nourrit mal. Tout est emballé en conserve, même les épices. Tenez, dans la salade, j'ai mis du persil, des oignons et un peu d'ail. La plupart des gens ne savent plus à quoi ressemblent ces plantes, ils les achètent en bocaux, finement hachées. Mais il n'y a plus rien d'essentiel pour nos cellules là-dedans, ces plantes sont vidées de leur substance vitale. Que pensez-vous qu'il adviendrait de notre bétail si nous le nourrissions de laitages, de sucre et d'aliments cuits, c'est-à-dire morts – dont les molécules sont cancérigènes ?

— J'imagine, murmure Corinne qui découvre un monde nouveau.

— C'est difficile à croire, reprend la naturopathe. Et pourtant, si vous voulez guérir, il vous faudra passer par là, c'est la seule issue.

— Vous savez pourquoi je viens vous voir ? Le docteur Rikson vous a parlé de moi ?

— Je ne le connais pas, mais bien sûr, j'en entends parler. Il nous envoie des patients et nous faisons de même. Pas systématiquement, car il n'accepte pas tout le monde. Si nous, on nous trouve bizarres, alors je ne sais pas quel nom il faut lui donner, à cet énergumène. Il fiche ses clients dehors, ceux qui ne font pas ce qu'il veut, ou qui sont seulement en retard. Non, je ne connais pas votre maladie, mais cela doit être sérieux, sinon vous ne seriez pas là. Sclérose en plaques, sida, cancer, leucémie, rhumatisme inflammatoire, arthrose… ?

— J'ai un cancer du sein, avoue Corinne en baissant d'abord les yeux puis en affrontant le regard du médecin. Pensez-vous que je puisse guérir ?

La bouilloire se met à siffler. La docteure Poncelet se lève, éteint le gaz. Elle pose la bouilloire sur la table, ouvre le placard, en sort deux tasses, met des feuilles de thé dans chacune, les remplit d'eau bouillante.

— Il faut laisser infuser un quart d'heure, dit-elle.

Puis :

— Ils me posent tous la même question, et je réponds toujours la même chose. Mais la majorité de mes patients n'entendent pas la réponse. Ou ne veulent pas l'entendre. La question qu'ils me posent vraiment est : « Pouvez-vous, vous, docteure, me guérir ? ... sans que moi, je fasse rien, ou si peu ? Je n'ai aucune volonté. Je peux prendre des pilules, oui, c'est dans mes moyens, mais ne m'en demandez pas plus. » Et moi je réponds : « Non, moi je ne peux rien faire pour vous. Mais *vous*, vous le pouvez. Cela fait vingt-cinq ans que j'aide des patients à guérir de maladies considérées comme graves, voire incurables, je sais ce que vous devez faire pour avoir une chance de vous en tirer. Le voulez-vous ? »

Elle cesse de parler et fixe longuement les yeux de Corinne.

— Ne dites rien, Corinne, surtout ne dites rien. Vous me donnerez votre réponse personnelle plus tard. Il n'est pas sûr que vous désiriez vous en sortir. Vos tentatives de suicide... c'est un signe. Savez-vous lequel ?

Corinne fait non de la tête.

— J'ai une patiente à qui on a enlevé un poumon : cancer. Elle fumait trois paquets par jour. Quand elle a appris le diagnostic, elle était désespérée, elle aurait tout fait pour avoir une chance. Sa chance, c'est qu'elle n'avait rien au deuxième poumon. C'était aussi l'opération. Six mois après l'intervention, elle a recommencé à fumer. Trois paquets par jour. Curieux, non ? Vous croyez que c'est un cas rare ? C'est faux. Faites le tour des médecins, ils vous diront tous la même chose.

Elle pointe l'index vers sa patiente.

— Savez-vous ce que *vous*, vous voulez ?

Corinne respire, incapable de répondre. Tout est confus dans sa tête. Elle plisse le front.

— Il me semble que si je suis là aujourd'hui, c'est que j'ai le désir profond de vivre. Je ne sais pas comment je pourrai vivre, si je survis, mais je pense le vouloir sincèrement. Le docteur Rikson m'a déjà mise à l'épreuve. Il m'a fait, lui aussi, tout un cinéma sur ma motivation. J'ai dû accepter certaines règles, sinon, il ne voulait pas de moi comme cliente. Si vous saviez ce que j'ai dû accepter ! Il m'a demandé de ne plus voir ma famille, plus personne. Pas même ma fille. Je dois couper les ponts avec toutes mes relations. J'ai signé un document lui donnant la gestion absolue de mes avoirs. Il peut vendre mon appartement – c'est d'ailleurs ce que je soupçonne qu'il est en train de faire – et pratiquement faire ce qu'il veut avec mon argent. Il me verse un montant sur mon compte bancaire, pour que je puisse fonctionner, dit-il. Je me demande s'il est correct. C'est lui qui règle mes visites médicales, les vôtres aussi. Vous êtes au courant, n'est-ce pas ?

La docteure Poncelet ne répond pas. Elle prend une cuiller et remue son thé.

Venue de l'étage, une douce mélodie se glisse dans la pièce et enveloppe les deux femmes. Une sonate, lente et languissante.

Un chat noir largement tacheté de blanc apparaît soudain, bondit sur une chaise et s'y pelotonne. Dehors, un coq chante.

Les deux femmes boivent une gorgée de thé. Corinne fait la grimace : sans sucre, cela ressemble à un médicament.

Elle n'a plus envie de parler. Elle doit être forte pour vaincre la maladie, c'est ce que le docteur a voulu lui faire comprendre. Forte, elle ne l'est pas. Si quelqu'un ne peut la prendre en charge, elle est fichue.

Elle se connaît bien. A-t-elle envie de vivre ? Pourquoi vivre ? Pour qui ?

— Pour qui ? murmure-t-elle.

— Pardon ?

— Je me demande pour qui vivre, ou pour quoi. Là est la question. Vous n'avez rien à me proposer pour guérir. Nous en avons fini, alors ? Je suis venue vous voir pour m'entendre dire que vous ne pouvez rien pour moi ? C'est bien de me renvoyer à moi-même, mais le cancer... Je ne connais pas le mode d'emploi. Vous me laissez seule. Seule... Je n'ai pas le courage d'être seule. J'ai besoin d'une direction. D'être épaulée, aussi. J'ai peur de la mort, même si souvent je la recherche. Allez comprendre.

— Je ne suis pas psy, je vais donc vous parler de diététique. Si vous arrivez à bien me comprendre, vous guérirez, c'est une certitude. Vous savez pourquoi je suis si sûre de moi ? Parce que je constate des miracles chaque jour, sur des dizaines de patients prétendument condamnés. Je ne vais pas vous demander quelque chose de difficile à faire, je vais tout simplement vous demander l'impossible : changer votre façon de vous nourrir. C'est tout.

— Manger autrement, et je vais guérir ? Cela me semble...

— ... trop simple, coupe la docteure Poncelet. C'est la faiblesse de ma prescription, elle est trop simple. Vous savez pourquoi les médicaments ont mauvais goût ? L'inconscient collectif nous transmet, de génération en génération, qu'il faut souffrir pour guérir. Plus un médicament est infect, plus il fait de l'effet. C'est ce qu'on croit. Avec les connaissances actuelles, on pourrait nous faire avaler des médicaments qui auraient le goût et la consistance d'une mousse au chocolat ! Mais serait-ce sérieux ? Peut-on guérir en se faisant du bien ?

Votre grand-mère pense que non, demandez-le-lui. Questionnez autour de vous. C'est dans la souffrance que se trouve le salut. C'est très chrétien comme croyance. Et ce n'est pas tout, il faut que cela soit cher aussi. Plus il coûte cher, plus un médicament a le pouvoir de guérir. Un médicament qui guérirait le cancer, qui serait doux comme de la confiture et coûterait le prix d'une glace à la vanille, vous n'y pensez pas !

Corinne se met à rire. La docteure gesticule et fait des grimaces, comme un clown, emporté par le sujet.

— Mangez sain et vous guérirez ! C'est tout ce que j'ai à vous dire.

— Bon, si ce n'est que cela, je pense pouvoir le faire, dit Corinne.

Elle a parlé avec assurance. Manger autrement ne lui paraît pas au-dessus de ses possibilités. Enfin, elle voit une issue à sa maladie.

— C'est la chose la plus difficile du monde, dit la docteure. Toute notre vie sociale, professionnelle, affective, familiale, amoureuse se règle autour de la nourriture. Autour des heures de repas. Ne sous-estimez pas la difficulté, elle est de taille. Sur cent patients gravement atteints, soixante disent oui, mais continuent à manger comme avant. Vingt tiennent quinze jours. Il en reste une petite vingtaine qui prennent leur vie en main, et ceux-là guérissent.

— Mais... faut-il manger des vers de terre... je ne comprends pas.

— Si vous mangiez des vers de terre, crus, vous guéririez, c'est sûr. Cela s'appelle le régime ancestral.

Corinne la regarde, horrifiée.

— Je ne plaisante pas. L'idée est de manger cru, le plus possible. Des aliments vivants. Cuits, ils sont morts, et même dangereux. Vous avez aimé ma salade de saumon ?

— Oui.

— Rien que des aliments vivants : salade, huile de première pression à froid, saumon cru pêché en haute mer – pas bio – le bio c'est de l'élevage programmé, on ne peut être sûr de la façon dont sont nourris les saumons d'élevage. Cela vous semble difficile ?

— Jusque-là, non. Mais je ne vais pas manger tous les jours de la salade ?

— Mais si, salades et légumes frais. Tous les jours. D'ailleurs, ce qui pose problème, c'est ce qu'il faut éviter de manger à tout prix.

La docteure ouvre la porte du frigo.

— Approchez, fait-elle. Voyons ce qui est interdit, maintenant. Vous ne trouverez dans mon réfrigérateur aucun aliment qui contienne du sucre. Pas de desserts sucrés, pas de jus de fruits, confitures, chocolat, ni substance à laquelle on ait incorporé du sucre. Sucre égal poison. Répétez tout haut : SUCRE = POISON.

Corinne sourit et se souvient des règles dictées par le docteur Rikson.

— Sucre = poison. Cela, je m'en doutais.

La naturopathe ferme la porte du frigidaire et, d'un grand geste, embrasse toute la cuisine.

— Plus de céréales. Plus de pain. Plus de pâtes. Plus de biscottes. Plus rien qui contienne du blé cuit, fini tout cela. Ça va toujours ?

— Plus de céréales ? Mais pourquoi ? Les diététiciens préconisent les céréales, au contraire. Vous avez vu la publicité autour du petit-déjeuner ? Les pétales de maïs, il n'y a rien de meilleur, dit-on.

— Qui le dit ? Les multinationales intéressées. Il y a trop d'argent en jeu. Comme pour le sucre. Des enjeux énormes. C'est toute l'industrie alimentaire qui s'effondrerait si le public savait cela et changeait sa façon d'acheter. Le blé, le maïs encrassent les parois de l'intestin qui s'irritent et laissent passer les pepsines de la maladie, qui en se mélangeant au sang désorganisent le système immunitaire.

Elle a un geste d'impuissance.

— Je vous passerai de la lecture sur le sujet. Il ne faut pas croire tout ce que je vous dis. Vérifiez par vous-même. Et puis, je n'ai pas la capacité ni l'envie de vous faire un cours de diététique médicale. Donc, plus de céréales, sauf le riz. Parce que la molécule de riz n'a pas muté. Elle est la même qu'autrefois, ancestrale. Vous aimez le riz ?

— Oui, quelle chance ! car je me demande ce que je mangerais.

— Vous êtes prête à entendre la suite ?

— Au point où j'en suis...

— Plus de lait. Du tout. Plus aucune protéine de lait. Plus de glace, ni de chocolat au lait. Plus de yaourt ni de dérivés. Traquez le lait, c'est le poison le plus violent. Notre organisme n'a pas l'enzyme pour le digérer, il cause des dégâts irréversibles à tous les niveaux et, surtout, participe activement à l'encrassage de l'intestin qui, lui-même, est la cause des maladies auto-immunes et d'autres affections.

Corinne a du mal à croire tout cela. C'est bien la première fois qu'elle entend dire que le lait est un poison. Encore hier, elle a été sensibilisée par une vaste campagne d'affichage vantant les bienfaits du lait pour la croissance des enfants.

— Toutes les campagnes publicitaires télévisées...

— ... prônent les produits laitiers. Pour la flore intestinale, on nous conseille de manger du yaourt ou des produits dérivés du lait. C'est faux ! La flore intestinale est détruite par les protéines du lait. Publicités mensongères et suicidaires. Ce devrait être interdit.

Empoisonnement général. Meurtre à grande échelle. Tout le monde y participe, le gouvernement, la télévision qui perçoit les recettes publicitaires, les publicitaires eux-mêmes qui conçoivent les slogans meurtriers, les mamans qui empoisonnent leurs enfants parce qu'elles ne prennent pas le temps de s'informer. Même les médecins, les pédiatres, les dermatologues, les généralistes dont toutes ces affections entretiennent les rentes. C'est tant la visite, au revoir et à bientôt ! Vous êtes soulagé provisoirement. Pendant ce temps, le mal fait son œuvre, lentement mais sûrement. Un jour, vous devrez consulter un spécialiste, qui vous prescrira une chimiothérapie ou des rayons X. Vous dépérirez, non pas à cause de la maladie, mais à cause des radiations et de toutes les pharmacopées meurtrières. L'un de mes amis vient de décéder d'une tumeur au cerveau, à la suite d'une chimiothérapie. Il avait une leucémie... Il n'est pas mort de sa maladie, comme il l'avait craint, mais des ravages de la chimio. Il est mort de sa thérapie ! C'est le traitement médical qui l'a tué.

— C'est difficile à croire. C'est insensé. Je ne sais que penser. Peut-être avez-vous raison, mais dans ce cas, nous vivons dans une société d'irresponsables. Je ne peux pas croire que tant de gens collaborent à notre perte, consciemment. Peut-être sont-ils ignorants ?

Françoise Poncelet la regarde bien en face.

— On a fait tout un scandale de la découverte en Belgique des fameux poulets à la dioxine. L'Europe a fermé ses portes à nos exportations. Mais, paradoxalement, un enfant peut entrer dans un magasin et acheter un paquet de cigarettes ou une bouteille d'alcool. Dites-moi, vous pensez vraiment que les gens ignorent les méfaits de ces poisons ? Je ne vous parle même pas des familles disloquées à cause de l'alcool, des enfants maltraités et abusés par les alcooliques. Vous pouvez acheter ces poisons en vente libre, alors le lait ou les céréales... vous pensez si le gouvernement va en parler !

Elle tend la main vers Corinne.

— Vous auriez un paquet de cigarettes ?

— Dans mon sac.

— Sortez-le !

Corinne fouille dans son sac, lui tend un paquet. L'autre sans doute va lui demander de le jeter, ce qu'elle n'est pas prête à faire. Pas encore.

— Gardez-le. Dites-moi seulement ce qui est marqué en tout petit, au bas de l'étiquette.

Corinne connaît le texte par cœur. Elle dit, sans regarder :

— ... que cela donne le cancer.

— Non, je vous demande de lire textuellement, tout haut, ce qui est écrit.

— « Fumer provoque le cancer. »

— Retournez le paquet et voyez la deuxième condamnation à mort.

— « Le tabac nuit à votre santé. »

— Vous aviez lu cela avant aujourd'hui ?

— Bien sûr.

— Et vous fumez toujours ? Expliquez-moi, il y a des choses que je n'arrive pas à comprendre.

— C'est plus fort que moi. Je me dis qu'un jour j'arriverai à m'en passer, peut-être quand je me sentirai mieux.

— C'est vous qui achetez vos fruits ?

— Oui.

— Quel est votre fruit préféré ?

— La banane.

— Si vous lisez sur la pelure d'une banane : « Contient du monoxyde de carbone – cause le cancer », en mangeriez-vous ?

— Bien sûr que non.

— Pourtant, vous en absorbez tous les jours, plusieurs fois, et consciemment. Des parents laissent leurs adolescents fumer parce qu'ils ne veulent pas entrer en conflit avec eux. Ce sont de bons parents, ils ont l'esprit large…

La docteure Poncelet rapproche deux chaises, prend Corinne par la main, la fait asseoir près d'elle.

— Voulez-vous encore un peu de thé ? Il en reste.

— C'est permis ? raille Corinne. C'est terrible, ce que vous m'avez appris là. Je ne sais si je dois vous croire, il me faudra du temps.

— Croyez-le ou non. C'est votre santé qui est en jeu.

Elle remplit les tasses.

— Je ne veux pas sauver le monde. Certaines personnes, malades, passent un jour par ici. Je leur montre des choses évidentes, comme manger de la nourriture saine, non trafiquée. Les gens ne voient pas ce que je leur dis, comme ils ne voient pas ce qui est écrit sur les paquets de cigarettes. Mais ils disent vouloir guérir envers et contre tout. Ils cherchent la pilule miracle. *Je veux continuer à m'empoisonner mais je veux vivre*, clament-ils comme des enfants irresponsables. *Maman, sauve-moi.* Mais les mamans ont d'autres préoccupations. Elles ont leur propre vie, leur couple qui meurt à petit feu, et surtout le temps qui passe, le fait qu'elles vieillissent inexorablement… qu'elles ne suscitent plus le désir… que cela les angoisse.

Elle boit une longue gorgée de thé.

— Ce soir, j'ai besoin de parler à quelqu'un qui peut m'entendre. Je voudrais vous confesser quelque chose.

Elle se tait un moment, la tasse à la main, réfléchissant.

— J'ai envie de vous parler, parce que je crois que mon mari est troublé par vous. Je l'ai senti à des petites choses insignifiantes. Quand il est descendu, il m'a juste dit que vous aviez fini, que vous alliez descendre. Et puis il est sorti. Ce n'est pas un comportement habituel. Ensuite, il est monté dans sa chambre sans passer par la cuisine. Il ne fait jamais cela. Même les clientes à qui il fait l'amour, en tant que thérapeute, je veux dire, il les accompagne jusqu'à ce qu'elles quittent la maison. Après, il éprouve le besoin de m'en parler. Ce soir, il nous évite toutes les deux. L'expérience m'a appris à identifier ce revirement d'attitude chez mon homme.

Corinne est mal à l'aise. Elle se sent coupable. Elle savait qu'il était marié, et que sa femme allait arriver.

— Je suis désolée, murmure-t-elle.

— Ce qui arrive n'a rien à voir avec vous. Ni avec lui, ni avec moi. Nous sommes tous prisonniers de l'éducation, de l'image du couple idéal. Même si nous décidons de vivre une vie en marge de l'éducation reçue, ces programmes nous poursuivront jusqu'à la mort et nous rendront malheureux, parce que toute notre intelligence refuse ce déterminisme. Nous ne pouvons nous en libérer. Je sais que je suis plus âgée que lui. Et je sais qu'il est beau. Il vous a parlé de sa théorie sur l'évolution de l'espèce ?

Corinne acquiesce.

— Même si son entendement, je veux dire sa raison, lui dicte qu'il n'est pas un animal, qu'il partage mon existence, que notre vie amoureuse va bien, ses cellules le pousseront à vouloir déposer ses petites graines chez toutes les femelles en âge de procréer. Moi, avec mes cinquante-huit ans, je ne suis plus dans le coup, je ne sers plus l'évolution de l'espèce. La théorie de l'évolution me condamne. Dans un troupeau, je serais oubliée, mise de côté, abandonnée, répudiée. Ce n'est pas très romantique comme thèse, je l'admets, mais je crois solidement à cette implacable évidence.

— Attendez, dit Corinne. D'abord, nous ne sommes pas des animaux, et ensuite, que faites-vous de l'amour ? Je sais que ce n'est pas facile de vivre en couple, je n'ai pas réussi, mes parents non plus, et si je regarde autour de moi, je ne trouve pas beaucoup de couples heureux, mais de là à effacer le côté affectif des relations… Je pense que vous exagérez ! Vous avez peur de vieillir, voilà tout. Mais les hommes aussi ont peur. Peur de vieillir et de mourir, de ne plus exister. L'amour existe, même si je ne l'ai pas encore vécu comme je le voudrais.

— Savez-vous qu'il arrive très souvent qu'un chirurgien épouse une infirmière ? Le croyez-vous ?

— Absolument. Mais je ne vois pas…

— Par contre, il n'y a aucune chirurgienne qui épouse un infirmier. Écoutez bien ce que je vous dis : aucune. Pas une. Nada. Ce n'est pas un pour cent, mais zéro pour cent. Ça, c'est la réalité. Je ne me demande pas où est l'amour, je le sais. Vous l'apprendrez aussi. Mon sexologue de mari vous expliquera tout cela si vous avez le courage d'affronter l'évidence.

Elle regarde sa montre.

— Il est 23 h ! Vous étiez censée consulter à 16 h. Et nous n'avons pas fini. Suivez-moi, nous allons passer dans mon cabinet, car j'en ai un. Un vrai médecin, tout naturopathe qu'il soit, ne vous reçoit pas exclusivement dans sa cuisine.

Elle passe devant Corinne qui la suit. Le cabinet se trouve au rez-de-chaussée. C'est une pièce plus stricte que le reste de la maison. Elle ne ressemble aucunement à un cabinet médical traditionnel. Un petit bureau en chêne. Et un peu plus loin, la table d'auscultation. Mais on se croirait plutôt dans un petit salon.

Rien n'est traditionnel dans cette maison, pas même ses occupants.

« On n'en a pas fini », pense Corinne en prenant place sur la chaise, devant le bureau.

La naturopathe prend le siège recouvert de cuir, de l'autre côté du bureau. Corinne perçoit que son hôtesse change le registre de la relation : on va passer du dialogue amical à l'entretien professionnel.

« Va-t-elle m'ausculter ? » se demande-t-elle. Elle n'en a pas envie. Elle ne veut pas se déshabiller devant la femme de l'autre. Elle a honte de ce qui s'est passé cet après-midi. Que peut bien penser la naturopathe d'elle ? Pour être médecin, elle n'en est pas moins femme. Elle lui a bien laissé entendre que son mari prend de la distance, qu'elle a peur de la vieillesse. Quelle embrouille !

Depuis sa visite chez le docteur Rikson, elle ne sait plus si elle vit vraiment. Son existence a éclaté. Elle se souvient de sa relation compliquée avec Adrian, et elle sourit. Mais c'était limpide avec lui, à côté de ce qui se passe ici... Elle est perdue. Vivement que Spiros revienne ! La relation amoureuse : c'est la seule chose à laquelle se raccrocher. Là au moins, elle manœuvre en terrain connu.

— Bon, je ne pense pas que vous vous en sortirez, mais nous allons faire comme si, dit le médecin en saisissant des papiers dans un tiroir. Voici le régime que je vous demande de suivre strictement. Si vous le suivez à 90 %, vous n'aurez pas de guérison possible. Certains patients pensent qu'en le suivant « presque » ils auront « presque » les mêmes résultats. Le problème est qu'ils n'auront *aucun* résultat. C'est tout ou rien. Le corps ne sait pas que son maître fait un effort, il reçoit les ingrédients et les traite suivant leur fonction de vie ou de mort.

— Mais, bredouille Corinne en prenant la feuille, pourquoi dites-vous que je n'en sortirai pas ? Vous me condamnez sans appel. Je trouve votre comportement négatif. J'attends un soutien, et vous m'enfoncez. Je sais que ce ne sera pas facile, mais vous ne m'aidez pas en ne croyant pas en moi.

— Croire en vous ne vous avancera à rien. Ce que je pense ou non n'a aucune valeur sur la prise en charge du traitement par le malade. Je n'ai rien à voir là-dedans. Je ne pense pas que vous vous en sortiez parce qu'un régime est pire qu'une chimiothérapie : vous devez vous prendre en charge toute seule. De plus, je vous le répète : il est extrêmement pénible de changer sa façon de manger, même si c'est une question de vie ou de mort. Si vous y arrivez, chapeau ! Ce n'est pas tout : voici une prescription pour une prise de sang, et vous remplirez ce petit bidon pour une analyse d'urine.

— Vous appelez ça un petit bidon !

— Vous commencez par les premières urines du matin, et vous continuez pendant 24 heures. Le mode d'emploi est sur l'étiquette. Si vous en manquez une, il faut tout recommencer depuis le début. Et m'en avertir absolument, car cela peut fausser les résultats.

— Vous voulez dire que je dois me balader avec ce réservoir partout où je vais ?

— C'est exact. Et à partir d'aujourd'hui, vous devez boire deux litres d'eau par jour. C'est important, pas pour des raisons de régimes amaigrissants, comme le clament les campagnes publicitaires débiles, mais pour que le sang et les cellules soient nettoyés de leurs toxines. Voici également une liste des aliments « interdits, tolérés à petite dose ou conseillés ». Si vous respectez cette liste, vous guérirez. Mais peu de gens arrivent à suivre ce régime plus de quinze jours. Si jamais vous arrivez à quinze jours, ce dont je doute, je vous conseille de rechuter pendant quelques jours.

— Pardon ?

— Sinon vous ne tiendrez pas. Laissez-vous aller à vos habitudes alimentaires, goinfrez-vous de tout : lait, sucre et céréales. Je vous conseille d'ailleurs de faire une orgie complète, une fois par semaine, quand vous commencez ne vous arrêtez pas, allez jusqu'au bout. Vous m'avez bien comprise ?

Corinne fait oui de la tête. La naturopathe lui tend une autre feuille qu'elle parcourt en silence. D'un œil amusé, le docteur regarde sa patiente qui déchiffre le feuillet en grimaçant.

— Vous ne risquez pas de mourir de faim, comme vous pouvez le remarquer. C'est une nouvelle façon de prendre soin de votre corps.

— Je vois. Manger cru me paraît tellement...

— ... il vous faudra six mois pour y prendre du plaisir. Un an et demi pour que vous ne puissiez plus vous en passer et pour que vous n'ayez pas envie de faire marche arrière. Parce que le nouveau comportement sera acquis. Il y a aussi une autre raison.

Elle se tait, attendant que son mental soit prêt à entendre, attendant qu'elle demande elle-même cette autre raison.

— Il est tard, dit la docteure, changeant volontairement de sujet.

— Quelle est l'autre raison ?

— Je ne sais pas si vous êtes prête à l'entendre. Je vous la dévoilerai plus tard. Vous avez assez de renseignements pour l'instant.

Elle se ravise, choisit plusieurs livres sur une étagère.

— Ne croyez rien de ce que je vous ai dit.

— Je ne vois pas où vous voulez en venir, répond Corinne.

— Tout ce que je vous ai dit sur la diététique est faux.

— ...

— Le pire qui puisse vous arriver, c'est de me croire. Lisez ces ouvrages, il vous faut comprendre le pourquoi d'une telle démarche. Sinon, vous ne tiendrez pas le coup. Lisez tous ces bouquins, ils vous apprendront à maintenir votre organisme en vie. Mais ne croyez pas non plus ce que les auteurs affirment, mettez-les à l'épreuve, vérifiez leurs théories. Expérimentez.

— Comment ?

— Mangez autrement. Seule votre expérience vous dictera la vérité. Je vous donne rendez-vous dans un mois, même heure, c'est-à-dire 16 h. Il faut un mois pour avoir les résultats des analyses. Après, il est probable que je devrai vous prescrire des compléments alimentaires.

— Bien, dit Corinne en rangeant les feuillets dans son sac, je vais tâcher de me rappeler tout ce que vous m'avez dit. Ah ! cela commence : Que dois-je manger au petit-déjeuner, puisque tout est défendu ?

— Des fruits. Trois à quatre cents grammes de fruits. Surtout, ne les mélangez avec rien d'autre. Vous verrez, vous n'aurez pas faim une heure plus tard, comme on pourrait le penser. Bien sûr, votre estomac va se rebeller. Il va ruer dans les brancards parce que vous changez ses habitudes. Vos intestins vont vous faire quelques coliques, quelques dysenteries pas tristes. Il faut tenir bon. Si vraiment c'est nécessaire, prenez du Bififlor Forte, donnez à votre organisme quelques milliards de bacilles qui vous aideront à restaurer votre flore intestinale et qui la maintiendront en bonne forme pour votre vie entière. Il faudrait d'ailleurs prendre ces bacilles à vie.

— À vie ? Même guérie ?

— Regardez-moi, Corinne. Vous ne serez jamais guérie. Vous serez en rémission. L'avantage d'être en rémission plutôt que guérie, c'est que cela vous obligera à rester attentive à votre corps, et donc à vieillir moins vite et à rester en forme. Car une des conséquences directes d'une telle conduite, c'est de vous donner une énergie de vie rarement éprouvée. Attendez-vous à être drôlement secouée, surprise de sentir la vie couler à nouveau avec vigueur dans votre corps. Pendant des années, ce corps a été maltraité, bafoué, ignoré, il va tout à coup être dorloté. Lui aussi va être surpris, c'est le moins qu'on puisse dire.

Françoise Poncelet se lève. Corinne comprend que la consultation est terminée. Il est 23 h 50. C'est la première fois qu'elle voit un médecin se consacrer avec autant d'attention à un patient. Un être humain attentif à un autre être humain. Jusqu'à aujourd'hui, tous les médecins qu'elle a consultés regardaient leur bracelet-montre, se servaient une tasse de café – sans jamais lui en proposer – ou demandaient à l'infirmière qui était le prochain patient, en précisant qu'ils avaient presque fini.

Cette sollicitude lui fait du bien. Elle la réconcilie avec l'humanité. Il existe donc des gens capables d'écouter les autres.

— Merci, bredouille Corinne en fixant la naturo-pathe dans les yeux. Sa gorge est nouée. Pour peu, elle en pleurerait de reconnaissance.

Elle prend ses affaires et quitte le cabinet. La praticienne la raccompagne jusqu'à la porte et la suit des yeux cependant qu'elle emprunte le sentier qui la ramènera à la civilisation. Corinne n'ose pas se retourner pour lui faire un dernier signe d'adieu, car l'émotion est trop forte. Devant elle, le chat lui ouvre le chemin.

* * *

La naturopathe laisse un message sur le répondeur du docteur Rikson.

« Docteur Rikson, c'est moi, Françoise Poncelet. Elle vient de quitter la maison. Tout s'est bien passé. Je vous préviens, elle vous en veut pour la vente de l'appartement. Je pense que vous avez été un peu trop rapide, elle va se méfier, à présent, tout sera plus difficile. Elle s'est aussi plainte de votre façon d'agir, à la limite de la légalité. Elle a essayé d'avoir mon point de vue. Je n'ai pas répondu, bien sûr. Mais elle soupçonne quelque chose... »

XVI

— Je suis obligée de revenir sur la question de l'argent, dit Corinne. Vous avez pris le contrôle de ma vie, mais aussi de mon portefeuille. Je suis passée à la banque : il me reste à peine de quoi vivre pour un mois. Qu'avez-vous fait de l'argent se trouvant sur mon compte courant ?

— Une partie a servi à couvrir vos premières consultations, celles des Poncelet, les annonces dans les journaux pour la vente de votre appartement. Le reste est en réserve sur un compte, et cette réserve servira à payer la suite de votre thérapie.

— Avouez que la façon dont vous vous y prenez est, disons-le, marginale. Je ne connais pas de telle façon de faire dans la profession.

— Nous en avons déjà parlé.

— Ce n'est pas pour cela que vous devez me tenir à l'écart des décisions que vous prenez pour moi. Je vous

247

demande de me tenir informée, par prévenance ou par respect. J'ai un cancer, c'est vrai, mais ce n'est pas une raison pour me dépouiller... Pourquoi vendez-vous mon appartement ? Qu'allez-vous faire du montant de la vente ?

— Il ira sur le même compte.

— Cette thérapie va me ruiner !

Corinne Bauwens est furieuse. Elle n'arrive plus à articuler, tant elle a de griefs contre le médecin.

— Et ce sexologue-fermier qui saute ses clientes, ce spécialiste des orgasmes ! Où voulez-vous en venir ?... Est-ce que vous croyez que je vais subitement monter au septième ciel pour la raison qu'il s'occupe des animaux, et qu'il sait y faire avec les bêtes ? Je ne comprends pas ce que vous me faites faire. La seule personne qui soit normale, dans tout cela, c'est Françoise, la naturopathe, sa femme. Je ne sais d'ailleurs pas ce qu'elle fait avec cet obsédé ! Il fait l'amour avec ses clientes, pendant ses consultations. Ce n'est pas très déontologique, tout cela. La pauvre ! Elle dit qu'elle l'aime, mais j'ai senti qu'elle subit les choses. Elle a peur de le perdre, car elle se sent vieillir... Elle perçoit son éloignement et il en profite...

Le docteur Rikson laisse sa cliente récriminer. Il est attentif, mais il garde le silence, ne répondant pas à ses reproches.

— Il y a deux choses qui restreignent notre liberté, finit-il par dire. Ce sont l'argent et le sexe. Regardez autour de vous. Dès que vous parlez d'argent ou de sexe, l'attention du monde se mobilise. Pourquoi tant de passion pour ces deux mots malheureux ? Pourquoi faisons-nous de l'argent et de la sexualité un problème ? La vraie question à se poser est : pourquoi faut-il que tout soit problème dans notre vie ? Travailler, gagner de l'argent, faire l'amour, vivre en couple ou vivre seul, penser, exister : tout est problème. Pourquoi acceptons-nous de souffrir, de vivre avec des problèmes ? Nous pourrions nous libérer de tous ces problèmes en une fraction de seconde, si nous le voulions vraiment. Qu'est-ce qui nous empêche de le faire ? Pourquoi sommes-nous si attachés à nos souffrances ?

— Il faut de l'argent pour vivre, nous évoluons dans une société où il faut payer son loyer, son eau, son électricité, son boucher, et aussi ses médicaments, et surtout son thérapeute. Et pour celui-là, il faut beaucoup d'argent. Plus d'argent ? C'est alors que les problèmes sérieux surgissent.

— Comment le savez-vous ? Avez-vous essayé de vivre sans argent ?

— Non, dit Corinne, mais j'ai déjà vu des gens qui ne peuvent plus faire face à leurs échéances. C'est lamentable.

— Je ne parle pas de cela, dit Rikson. Pourquoi en faisons-nous un problème ? Tenez, l'acte sexuel, en soi, n'en est pas un. Pas plus que celui de manger. Mais c'est le fait d'y penser constamment qui crée le problème. Pourquoi y pensons-nous toute la journée ? Là est la question.

— Avez-vous la réponse ?

— J'ai une réponse, mais vous la donner aujourd'hui ne vous servira à rien. Vous n'êtes pas prête à l'accueillir. C'est trop tôt.

— C'est facile ! Je pourrais vous dire que c'est à moi de décider quand je suis prête ou pas. Et aussi quand je vais vendre mon appartement. Et à qui. Et à quel prix. Je ne veux plus que vous m'envoyiez des acheteurs. D'ailleurs, je les reconduirai en leur disant que c'est déjà vendu. Promettez-moi de ne pas le vendre sans m'avertir.

—Je ne vous promets rien du tout. La vente de votre appartement fait partie intégrante de votre traitement. C'est moi qui mène votre psychothérapie, ne l'oubliez pas. Suis-je clair ?

—Vous l'êtes, mais je vous préviens, personne n'entrera chez moi.

—Passons à votre principale difficulté. Vous êtes une femme qui aime trop, n'est-ce pas ? Vous succombez aux hommes qui ont besoin d'une femme comme vous, aux séducteurs impénitents, aux hommes qui ont peur de l'engagement. Qui ont peur d'aimer. Vous êtes leur cible favorite, et vous, vous êtes attirée par eux comme une mouche par de la confiture. C'est votre schéma.

—Je sais, dit Corinne, je connais bien mon problème.

—Eux aussi, ils connaissent le leur.

Le docteur Rikson rapproche son fauteuil et lui dit, en lui désignant le grand miroir, à côté de son bureau :

—Vous voyez ce miroir ?

—Oui ?

—La porte, à côté ?

—Oui.

Il tourne son fauteuil, le fait rouler jusqu'à la porte.

—Prenez vos affaires, votre sac. Allez dans la pièce voisine.

Intriguée, Corinne se dirige vers la porte mystérieuse.

—Entrez et allumez.

Elle appuie sur l'interrupteur. Elle découvre une petite pièce vide, avec trois chaises placées devant le mur mitoyen au bureau du docteur. Au milieu du mur, des rideaux de velours rouges, comme pour occulter une fenêtre.

— Quand j'aurai fermé la porte, éteignez et asseyez-vous, dit Rikson. Vous sortirez quand je vous le dirai.

Il ferme la porte, et Corinne éteint la lumière.

— Maintenant, tirez les rideaux !

Elle écarte lentement les rideaux. Ce qu'elle voit alors lui fait dresser les cheveux sur la tête. Le miroir est sans tain. Elle voit le docteur Rikson dans son cabinet, qui lui fait de petits signes de la main.

— Vous m'entendez bien ?

Corinne ne peut répondre, tant elle est surprise. Elle lève les yeux et remarque le haut-parleur accroché au plafond.

— Vous m'entendez ? lance Rikson, en haussant le ton.

— Oui, répond Corinne, je vous vois et je vous entends. Mais... je ne comprends pas...

— C'est une pièce secrète, explique le docteur. Je m'en sers pour des thérapies de choc. Nous allons l'utiliser pour une thérapie hors du commun. Le miroir sans tain est employé fréquemment en psychothérapie, pour aider un étudiant à observer le déroulement d'une consultation dirigée par un thérapeute expérimenté, ou à l'inverse, par un professeur qui supervise le travail d'un étudiant.

Corinne fait mine de se lever.

— Ne bougez pas, surtout, et ne faites aucun bruit. Dans quelques instants, un client va pénétrer dans mon bureau. Je voudrais que vous me promettiez d'observer sans bouger toute la consultation. C'est un homme qui va vous captiver. Le genre à vous faire perdre la tête, qui vous scotche nuit et jour à votre téléphone en vous psalmodiant des mots d'amour, qui dit vous aimer éperdument mais qui, après les moments enflammés du début de la relation, vous oublie et vous rend atrocement malheureuse. Il est séduit par les femmes qui aiment trop. Il souffre de ses comportements amoureux aberrants. Mais il demeure incapable d'un engagement à long terme, incapable d'aimer.

— Qu'attendez-vous de moi ?

— Vous allez m'aider à le désintoxiquer, car il est comme un drogué, il a besoin de séduire, de rendre une femme folle de lui, et quand c'est fait, de l'abandonner, fier de sa puissance. Après quelque temps, il a besoin d'une autre victime. Je vous demanderai de vous placer sur sa route « par hasard ». Votre rencontre sera « organisée ».

— Pourquoi faites-vous cela ?

— Cela fait partie de votre thérapie. Le fait de pénétrer son schéma de séduction va vous aider à neutraliser votre schéma de femme qui aime trop. Cela vous permettra aussi de vous immuniser à jamais contre ce genre de personnes. Vous pourrez les repérer à distance. C'est ce que j'appelle une thérapie de choc.

Le docteur Rikson consulte sa montre-bracelet.

— C'est l'heure. Je vais aller le chercher.

— Attendez, crie Corinne, je ne sais pas si je suis d'accord. Vous ordonnez, et je dois exécuter. Laissez-moi réfléchir… Vous pensez vraiment que cela va l'aider à s'en sortir ?

— Absolument pas. Il n'y a rien à faire pour ce genre de problème, malheureusement. Un séducteur reste un séducteur, quels que soient les ravages qu'il occasionne autour de lui. Parce qu'il en est fier. Il aime cela. C'est un surhomme, un James Bond. Il n'est pas prêt à abandonner ce cliché, même s'il semble le demander à genoux. Vous ne pouvez pas lui faire de mal, il n'a aucun sens moral, il lui manque ce que nous appelons l'*empathie*.

— Mais je ne vois pas comment…

— Vous donnerez votre avis après la séance. Pour ce genre de travail, j'ai besoin de votre entière participation. Je ne vous obligerai pas à faire ce qui n'est pas bon pour vous. Cela vous va ?

— Cela me va.

***

— J'ai vécu deux fois en couple, commence l'homme, c'est toujours la même chose : au début, mes partenaires se plient à tous mes désirs, le sexe est une fête, une réjouissance, un festin. Aucun tabou : tout est autorisé, permis, proposé, expérimenté, goûté comme un mets raffiné. Je me dis : ça y est, j'ai trouvé la femme idéale. Une compagne qui apprécie la gastronomie, un être sensuel, qui donne et se donne et reçoit sans interdits. Une femme ouverte, dans tous les sens du terme, docteur, quelle jouissance ! On pourrait passer des heures à faire l'amour, elle en veut toujours plus. Dans toutes les positions. Elle veut tout expérimenter, tout. Je ne sais pas si je suis normal ou pas, mais j'ai des désirs, disons... bizarres. Enfin... j'aime la sodomie. Oh ! juste avec les femmes. Je ne suis pas pédé. J'aime le cul des femmes. J'adore qu'une femme me fasse le cadeau de sa croupe, c'est le plus beau présent, docteur, je ne sais pas ce que vous en pensez, mais c'est une offrande sacrée. Peut-être parce que cela reste quelque chose d'interdit ? Quand une femme accepte avec plaisir de se laisser pénétrer de la sorte, je considère que c'est une preuve d'amour.

Michel Lissens s'arrête un instant, se demandant s'il n'a pas été trop loin dans ses explications, s'il n'a pas choqué son interlocuteur. Mais non, le docteur Rikson l'écoute calmement, l'air neutre. Il a même l'air d'approuver.

Son expression est celle de quelqu'un qui lui dirait de poursuivre.

Et puis, c'est un psy recommandé par un ami qui a des problèmes plus graves que lui, un pédophile. Ce psy doit en voir de toutes les couleurs. Oui, son cas est somme toute bien banal. Cette idée lui permet de poursuivre son histoire en toute franchise.

— Excusez-moi si je vous parle crûment, docteur, mais j'appelle un chat un chat. Nous gagnons du temps si je vous dis tout, et tout de suite, n'est-ce pas ? Pourquoi tourner autour du pot ? Donc, au début, tout est magnifique, je flotte sur un petit nuage, comblé. Mes partenaires aussi, je pense, enfin c'est ce qu'elles me disent. Mais aussitôt installés en couple, dès qu'elles ont déballé leurs valises, eh bien, comment vous dire, on dirait que le sexe est devenu quelque chose d'ordinaire. Comme une salle de banquet au lendemain de la fête. Allez, ça suffit, on décrasse tout, on remet les choses à leur place, assez rigolé ! Plus de bougies, de musique, de magie. C'est étrange, mais le fait de vivre en couple suffit souvent à combler une femme sur le plan sexuel. Oh ! je ne dis pas qu'on ne fait plus l'amour, mais ce n'est plus la même chose. Sans cesse, il me faut demander. Ce n'est jamais le moment... Des vêtements à ranger, un plat sur le feu, il y a toujours quelque chose pour différer l'affaire. Je dois presque les contraindre, insister. Quant au lit, n'en parlons pas ! Moi qui aime le cul... Du cul, il n'y en a plus. Je commence à me trouver anormal ; enfin, c'est ce que je ressentais ou ce que « mes » femmes me faisaient ressentir par leur comportement. J'ai lu quelques livres de développement personnel, j'ai participé à des séminaires sur le couple... J'ai appris que ce genre de problème viendrait des non-dits. Qu'il faut parler à sa partenaire, et qu'alors tout s'arrange. Qu'en pensez-vous ? Est-il vrai qu'il suffit de parler pour que les problèmes trouvent une issue ? C'est ce que j'ai cru, moi aussi. Eh bien, rien n'est plus faux, croyez-moi, docteur. Tous les livres disent des conneries. Je leur ai parlé, à mes partenaires, avec le cœur, j'ai dit mes attentes, mes désirs profonds. J'ai dit qu'il m'arrivait d'être tellement excité que, sachant qu'elles n'auraient pas le temps de faire l'amour, je finissais par me masturber. Pourquoi ? hein, pourquoi se masturber quand on a une femme chez soi qui pourrait satisfaire vos désirs ? Je vous le demande. Savez-vous ce qu'elles me répondaient quand je leur demandais de faire l'amour vite fait, un petit coup rapide, ou bien de me sucer, là, tout de suite ? Qu'elles n'étaient pas des objets sexuels ! J'en ai parlé à mes amis. Eh bien, il semblerait que les femmes pensent comme cela : « *Nous ne sommes pas des objets soumis aux désirs des hommes. Nous sommes des êtres humains, le désir doit être partagé.* » C'est logique, docteur, je suis d'accord avec cela. Le problème, c'est que nous, les hommes, nous passons notre temps à nous masturber, car s'il faut vraiment attendre que les deux partenaires soient en phase, alors bonsoir. Je passais mon temps à regarder des films pornos en me prenant pour un débauché. Moi, si ma partenaire me demandait de la sucer juste parce qu'elle en a envie tout à coup, j'accepterais de lui faire plaisir, sans me faire prier. Je serais même enchanté de lui faire ce cadeau. Dix minutes d'attention de ma part, et je lui donne un bon orgasme, deux même si elle est gourmande. N'est-ce pas mieux que de lui offrir des fleurs ? Jamais je n'irais me plaindre d'être un objet sexuel ! Je suis son compagnon, je l'aime et je respecte ses désirs. D'ailleurs, si je ne la satisfais pas, je me demande à qui elle pourrait s'adresser, hein, qui sait ? Elles n'ont jamais pensé à ça, elles, vous savez pourquoi ? Parce qu'elles ne réagissent pas au sexe de la même façon que nous, les hommes, voilà tout. Elles ne savent pas que nous ne pensons qu'à ça, vingt-quatre heures sur vingt-quatre. Et qu'un homme insatisfait lorgne les culs, quels qu'ils soient, avec des yeux de chasseur. C'est à devenir fou. Je ne pense qu'à ça. Alors je suis venu vous voir, parce que j'ai un sérieux problème : je n'arrive pas à m'engager. Je suis, comme on dit vulgairement, un baiseur. Je passe ma vie à traquer les femmes. Et tout marche bien, du moins tant que mes partenaires ne sont pas lassées. Car je ne m'engage plus. Je ne vis que des débuts d'amours, docteur. Le coup de foudre. La fête, quoi ! Le quotidien ne m'intéresse pas. Je vis dans la sexualité. La baise pour la baise. Là, je suis comblé, docteur. Du cul, autant que vous le voulez. Ce sont elles qui proposent ! Je ne dois pas supplier, j'en reçois même trop, croyez-moi. L'abondance. C'est inouï... Il m'arrive même de solliciter une pause ! Comme elles en sont fières alors, de leur cul ! Mais moi je sais que ce n'est qu'un jeu, que si je tombe dans le panneau, ce sera comme avec les autres. Je ne veux plus de la routine, je veux célébrer la joie du corps, tous les jours. J'ai mis du temps à comprendre cela, je sais ce que je veux, et aussi ce que je ne veux plus. J'ai choisi ma vie, une vie de célibataire. c'est dur parfois, mais c'est un choix. J'ai des amis qui se confient à moi, docteur, ils n'attendent qu'une chose, c'est de sauter une autre nana que leur femme. Ils en rêvent, et ils en crèvent. Ils se masturbent comme des adolescents en reluquant des films cochons et, depuis l'avènement d'Internet, se connectent à des sites pornos. Les pauvres, ils ne se rendent pas compte que la vie est courte et que la leur est minable, avec des envies et des désirs insatisfaits ; les frustrations provoquent des disputes pour un oui ou pour un non. Des disputes, mais jamais au sujet de ce qui se cache derrière tout cela : le cul. Alors on se bagarre au sujet de l'argent, des repas, de l'éducation des enfants, d'un tas de choses dérisoires. Comment voulez-vous dire à votre femme : « Je suis mal, mon petit chou, car j'ai envie de t'enculer » ? Dites, docteur, même en thérapie de couple, quel homme oserait mettre cela sur le tapis, devant sa femme, sans avoir peur d'être pris pour un détraqué ? Alors on se plaint de ceci, de cela, et d'autre chose. Et puis... *combien je vous dois, Monsieur le Psy ?* On paie et on rentre chez soi, et rien ne change : on ne l'encule pas plus qu'avant, mais on range ses chaussettes au bon endroit. Ils vont vieillir comme ça, tous ces hommes, docteur. Quelle tristesse, vous ne trouvez pas ?

Michel Lissens se tait. Il ne sait plus où il voulait en venir. Il a perdu le fil de son histoire. Pourtant, il se sent détendu. Le fait d'avoir parlé l'a calmé. Pour une fois, quelqu'un l'a écouté avec attention. Ses problèmes sont sérieusement pris en considération.

Il s'enfonce dans le canapé et attend que le docteur parle. Le silence s'installe un long moment. Michel Lissens se penche un peu en avant.

— Pourquoi je suis là ? Eh bien docteur, j'ai quand même l'impression de vivre hors de la normalité. J'ai peur de vieillir célibataire, seul, sans enfants. Je me demande pourquoi je n'arrive pas à m'engager. Pouvez-vous faire quelque chose pour moi ? C'est comme si, en moi, il y avait deux personnes en conflit. L'une veut la liberté, l'autre aspire à créer une famille. Les deux m'attirent, et elles sont totalement incompatibles. Je pense que je devrais faire un choix. Quel choix difficile ! Il engage une vie entière. Je suis un être sensible, je sais que je fais du mal, à chaque rupture. Les femmes m'écrivent leur douleur, me traitent de salaud. Si vous saviez comme la vie de séducteur est parfois difficile ! Il m'arrive d'éprouver un sentiment de culpabilité. Cela m'empêche de dormir. Peut-être l'hypnose pourrait-elle m'aider à faire ce choix, soit de m'engager soit de choisir le célibat une fois pour toutes. Mon inconscient ne sait-il pas mieux que moi ce qui est bon pour moi ? J'ai lu cela dans un livre sur l'hypnose.

Le docteur Rikson approche un peu son fauteuil et dit tout bas :

— Dans votre cas, nous allons employer l'hypnose sans hypnose. Le résultat sera plus rapide.

Michel Lissens se gratte la nuque. Il se demande ce que cela peut bien être, l'hypnose sans hypnose.

— Vous avez une grande expérience de la femme, reprend le docteur, nous allons l'employer. Savez-vous qu'il y a des femmes qui succombent systématiquement à des séducteurs impénitents tel que vous ? Vous pourriez les aider.

— Oui, docteur, je le sais. Et j'en profite. C'est souvent ce type de femmes que je séduis : celles qui veulent m'aider à m'en sortir. Je leur raconte exactement l'histoire que je vous ai racontée, je ne leur cache rien. À peine mon histoire déballée, elles me regardent avec des yeux d'infirmière, convaincues de pouvoir m'aider. Si j'en suis là, pensent-elles, c'est que je ne suis pas encore tombé sur celle qui m'aimerait suffisamment pour me donner l'envie de vivre en couple. Un déclic se fait quelque part dans leur cerveau. Je deviens un homme à prendre en charge. Il existe des livres sur les femmes qui aiment trop. La plupart les ont lus aussi, mais elles ne peuvent pas s'empêcher de me sauver ! Moi, ça m'arrange. Je leur ai parlé de mes envies sexuelles, alors elles s'en donnent à cœur joie pour me prouver qu'elles, elles savent s'y prendre. Quelle fête ! Mais au bout d'un temps, elles s'essoufflent, commencent à geindre, à mendier, parlent de vivre à deux, de stabilité… Alors je m'arrange pour ne plus donner signe de vie. Certaines insistent encore un peu, puis se calment, elles abandonnent la partie, elles ont perdu : elles n'ont pas réussi à me guérir. Libre, je peux me mettre en quête d'une autre proie. Parfois je quitte l'une pour l'autre ; c'est mieux, j'évite les frustrations sexuelles. Mais vous disiez que je pouvais vous aider ?

— Je voudrais que vous baisiez l'une de mes patientes.

En écoutant ce tombeur vulgaire, Corinne se sent mal. Le sang lui bat dans la tête, comme un marteau sur une enclume. Spiros ! Elle pense à lui et à ses mots d'amour. Se pourrait-il qu'elle soit tombée sur le même genre d'homme que ce type ignoble ? Quelque chose en elle crie, mais elle ne veut pas entendre. Elle *sait*.

* * *

— Cela ne va pas ?

— Pas très bien, j'ai comme un vertige... une migraine épouvantable.

— Fermez les yeux, dit Rikson, je vais compter de dix à un, et à chaque chiffre, vous allez entrer dans une transe confortable, un peu comme un sommeil réparateur.

Il baisse la voix et accompagne sa patiente dans un état hypnotique.

— Vous êtes bien... et prenez... deux minutes de temps d'horloge... deux minutes... qui représentent tout le temps du monde pour l'inconscient... et pendant... ce temps... vous allez rêver... un rêve d'intégration... de compréhension... quelque chose que vous avez compris... qui vous servira... mais vous ne savez pas... encore... à quoi cette compréhension... va vous aider... et vous n'avez pas besoin de le savoir... consciemment... il se pourrait que vous ayez une surprise... à un moment où vous ne vous y attendrez pas... pendant que vous roulez en voiture... ou lors d'un *dialogue* avec un... *homme*... ou lors d'un repas avec un... *homme*... ou peut-être pendant cette nuit... lors d'un autre rêve... quand votre rêve sera achevé... vous ouvrirez les yeux... complètement rafraîchie... détendue... reposée... vous allez... rêver... *maintenant*...

Le docteur Rikson observe les yeux de Corinne. Les globes oculaires sont en mouvement. Ils frémissent derrière les paupières closes. Elle rêve.

Il l'abandonne un moment à ses songes, se sert un grand verre d'eau.

Puis il propulse son fauteuil roulant derrière son bureau, ouvre un dossier, y griffonne quelques mots. Il revient ensuite se poster devant sa patiente, qui ouvre lentement les yeux.

— Quelle heure est-il ? demande-t-il d'une voix forte, pour l'aider à se réorienter dans le présent.

Corinne regarde longuement son poignet, puis se souvient qu'elle a enlevé sa montre. Elle n'est pas tout à fait consciente. La voix de son psy lui parvient comme de très loin.

— Bougez la tête de gauche à droite. Très bien. Maintenant respirez profondément, et expirez.

Il tourne son fauteuil vers la gauche, lui présente une chaise.

— Puis-je vous demander de vous asseoir là ? Nous serons mieux pour discuter.

Corinne change de siège, complètement éveillée à présent.

— Un verre d'eau ?

Elle boit, lentement.

— Lissens. L'homme que vous avez observé derrière le miroir s'appelle Michel Lissens. Il est célibataire. Je vous demande de le rencontrer. C'est un fervent d'Internet. Il pêche ses conquêtes sur le site www.amourseduction.com. Notez l'adresse. Il s'y exhibe volontiers, avec photos à l'appui. Vous êtes connectée à Internet ?

— Oui.

— Alors, faites ce qu'il faut pour obtenir un rendez-vous. Votre objectif est d'adopter le même système de séduction que lui. Vous allez le séduire, *mais vous devez absolument rester inaccessible.* Cela va le rendre totalement fou d'amour pour vous. Il va faire tout ce qui est en son pouvoir pour arriver à ses fins. Je vous préviens, il va *vraiment* tomber amoureux. Ce ne sera pas un jeu. Ce type d'hommes ne sait pas qu'il joue. Il aime de façon authentique, comme Casanova. Il sera épris de vous, passionnément, tant qu'il n'y aura pas de réciprocité. Vous ferez de lui ce que vous voudrez, *je vous le répète*, tant que vous ne serez pas amoureuse de lui. Si vous succombez, il vous laissera pour courir vers d'autres aventures. Il en aura fini avec vous. Vous lui serez acquise, et vous n'aurez donc plus d'intérêt pour lui. Corinne, écoutez-moi bien : cet homme est malade. Toute sa vie, il va mentir, tromper, manigancer, combiner des plans pour mettre les femmes à ses pieds. Et il y arrivera à chaque fois. Il a une connaissance des besoins féminins que peu d'hommes possèdent. C'est, d'une certaine façon, un professionnel de la séduction. Il a des milliers d'approches dans son magasin d'expériences. Malgré ma mise en garde, vous risquez de vous laisser piéger, car les moyens qu'il met en œuvre sont tout simplement époustouflants. C'est pour cette raison que je vous propose cette thérapie hors du commun. Si vous réussissez, vous ne verrez plus la vie de la même façon.

— Je vous l'ai écrit, docteur, je viens de rencontrer un homme. C'est une histoire importante. Je suis amoureuse, et je crois qu'il l'est lui aussi. C'est un chirurgien. Un homme sérieux. Je ne suis donc pas disponible. Cela dit, je pense que je pourrais résister sans problèmes aux approches de ce pantin.

— Vous êtes un peu trop sûre de vous, Madame Bauwens. Avez-vous revu votre chirurgien ?

— Il vient de rentrer d'un congrès, il m'a appelée pour s'excuser de ne pouvoir me rencontrer tout de suite, il est débordé de travail. Mais nous allons nous voir dans les jours qui viennent.

— Comment savez-vous qu'il est chirurgien ?

— Il me l'a dit.

— Et cela vous suffit ?

— Que voulez-vous insinuer... ? Je suis allée chez lui, j'ai vu les livres de médecine, et des accessoires qui traînaient sur la table. Je vous rappelle que c'est moi qui l'ai accosté. Dans quel but me mentirait-il ?

— Si nous avions affaire au bronzé, je vous dirais que c'est un bon plan d'attaque. Savez-vous quel est le métier le plus admiré des femmes ?

— Chirurgien ?

— Gagné. Parcourez les petites annonces matrimoniales : les médecins sont les plus recherchés. Mais je délire, j'imagine bien que votre amoureux est sincère. Je veux tout simplement vous mettre en garde, car le bronzé n'hésitera pas à mettre en place ce genre de mise en scène. À propos, il est représentant en articles de sports. Il gagne bien sa vie. Il dépense tout pour séduire. Il ne vit que pour cela. Dans un sens, vous allez bien vous amuser, il va vous emmener dans les plus beaux endroits de la terre, *si vous avez l'intelligence de le faire lanterner*, sinon ce sera un bon restaurant ou peut-être deux, si vous avez de la chance.

— Qu'est-ce que je lui dévoile de ma vie ?

— Tout. Dès qu'il vous aura vue, votre passé sera démasqué. Il est trop adroit pour que vous inventiez.

— Je peux lui parler de Spiros ?

— Bien sûr, la concurrence va le stimuler, l'exciter plus encore. Dites-lui tout de vous, sauf que c'est moi qui vous envoie. Vous ne me connaissez pas.

— J'espère que je pourrai y arriver.

— Allez d'abord voir Patricia. À Londres.

— À Londres ? Qui est Patricia ?

— Elle est... la *déesse de la Perdition*. C'est une professionnelle de l'érotisme. Elle se présente elle-même comme la « *Grande Prêtresse de la Perdition* ». Elle enseigne le tantra. Le tantra est une philosophie ou un ensemble de rites, si vous préférez, que l'on trouve aussi bien dans le brahmanisme que dans le bouddhisme, et qui se donne pour but le salut par la connaissance des lois mystérieuses de la nature, mais surtout par l'érotisme. Elle donne aussi des cours de danse, de caresses, de sensualité. Mais ce n'est pas pour cela que je vous envoie chez elle. Patricia est une amie. J'ai eu beaucoup de chance de l'avoir rencontrée. Elle a changé ma vie. Mes thérapies ne sont plus pareilles depuis cette rencontre. Je vous la recommande parce qu'elle possède une connaissance ésotérique des processus amoureux, du mystère des hommes et des femmes. De leurs fantasmes et de leurs désirs occultes. De leurs scénarios amoureux. Pour connaître les hommes, vous serez en de bonnes mains. Je vous ai organisé un rendez-vous avec elle pour ce week-end. Samedi, 18 heures. Comptez une journée ou deux pour la consultation. Retour dimanche soir. Voici ses coordonnées.

Le docteur Rikson lui tend une carte de visite au dos de laquelle il griffonne une adresse.

— Des questions ?

— Non. Ou plutôt... Qui va payer mon trajet, mon logement, la consultation ?

— Vous, bien sûr. Pour la consultation, je m'en occupe, c'est moi qui la réglerai, avec votre argent.

— Vous savez qu'il n'y a plus grand-chose sur mon compte courant.

— Ne vous inquiétez pas, je vais libérer ce qu'il faut de votre compte d'épargne. Utilisez votre carte de crédit. Si jamais vous aviez un problème d'argent, appelez-moi.

— Elle parle français ?

— Très bien. Autre chose ?

— Non.

— Alors, la consultation est terminée.

XVII

L'Eurostar glisse vers Londres à toute allure, avec la douceur et la discrétion feutrée de la première classe. Au point où elle en est, Corinne peut bien s'offrir le meilleur confort. Au diable l'avarice. Son argent n'est plus à elle, alors... Gâtez-vous ! a recommandé Rikson avec le plus grand sérieux. Elle a d'abord pris cela comme une boutade, mais l'idée a fait son chemin, et au guichet de la gare elle s'est surprise à réclamer une première classe non-fumeur.

Elle a ouvert le livre qu'elle a emporté, intitulé *Comment rester jeune plus longtemps*, mais elle n'arrive pas à se concentrer, son esprit vagabonde. C'est d'ailleurs un ouvrage trop technique. Ce qu'elle en a retenu, jusqu'ici, c'est que l'organisme peut, à cause de l'âge ou d'accidents dus au stress, à la fatigue ou à la malnutrition, fabriquer moins d'hormones. Pour éviter ces incidents de parcours, il suffirait de consommer les hormones manquantes pour retrouver son équilibre, et rester jeune plus longtemps.

Les anomalies ne sont décelables que dans le sang et les urines. Cela lui rappelle qu'elle n'a pas encore fait ce qu'il faut à ce sujet : se déplacer avec son petit bidon. Elle s'en occupera la semaine prochaine, lundi ou mardi.

Elle a rendez-vous avec Spiros dès son retour de Londres. Il viendra la chercher à la gare dimanche soir.

À cette pensée, son rythme cardiaque s'accélère. Enfin, ils vont se retrouver ! Il lui a téléphoné tous les jours depuis son retour de Corfou, mais n'a pas trouvé un moment pour la voir. Il ne veut pas de retrouvailles à la sauvette, il préfère attendre d'être vraiment disponible. Dans un sens, il n'a pas tort. Mais n'est-ce pas tout aussi frustrant de rester ainsi éloignés l'un de l'autre alors qu'ils vivent dans la même ville ? Heureusement, il l'a appelée quotidiennement. Parfois même plusieurs fois par jour, pour lui manifester sa présence, lui dire quelques mots tendres. N'est-ce pas la preuve qu'elle compte pour lui ? Cette conviction l'a soutenue dans son combat contre l'alcool. Il lui a suffi de penser à lui ; son image la remplit tout entière.

Bizarrement, chaque fois qu'elle songe à lui, la physionomie d'Emmanuel Delcourt, le sexologue, se superpose à celle de son amant. Le visage de Spiros et celui du fermier se confondent.

Elle a encore du mal à admettre ce qui s'est passé dans cette ferme. Par moments, elle se demande si elle n'a pas rêvé. Elle doit le revoir dans trois semaines. Elle en a peur. Envie aussi. Un désir mêlé d'inquiétude. Que craint-elle ? Ce qu'il a fait en la déshabillant et en se couchant contre elle, nu, n'est pas déontologique, elle en est sûre, même s'il se prétend sexologue. Elle a l'impression d'avoir été abusée. Pourtant, sa femme Françoise Poncelet... étrange qu'elle accepte ce genre de chose. Moi je ne pourrais jamais, se dit-elle.

Un homme d'affaires bedonnant, âgé d'une cinquantaine d'années et habillé d'un complet gris de bonne coupe, s'installe à la place vide en face d'elle, avec un vague sourire de salutation. Elle ne se souvient pas de l'avoir vu monter dans le compartiment au départ du train, il doit avoir fait un petit crochet par le bar. Corinne lui adresse un signe de tête poli et détourne le regard vers son livre.

L'homme semble se demander s'il va engager la conversation tout de suite ou s'il est préférable d'attendre pour ne pas brusquer sa voisine. Il se lève et prend un attaché-case de cuir rangé au-dessus de son fauteuil. Il le dépose sur la tablette qui les sépare, l'ouvre, fouille dans des papiers, cherche sous des dossiers, sort un agenda électronique qu'il glisse dans la poche intérieure de son veston. Ensuite, il referme sa mallette, se relève et la remet en place. Il se laisse tomber dans le fond de son siège, fixe sa voisine. Va-t-il lui adresser la parole ? Elle a l'air absorbée par sa lecture. Plus tard. Il sort son agenda, le consulte à l'aide d'un stylet en plastique gris.

Corinne n'arrive pas à se concentrer sur son livre : l'inconnu ne reste pas en place. C'est un nerveux. Elle est tombée sur le bon numéro, une fois de plus. C'est bien elle, ça ! Le plus discrètement possible, elle observe son visage. Un visage agréable aux traits presque adolescents mais assez épais, comme un enfant qui n'aurait pas grandi.

Il semble jouer au grand chef d'entreprise préoccupé par quelque problème important. L'homme continue son petit jeu, se saisit d'un téléphone portable qu'il pose en face de son agenda. Il pianote encore avec son stylet sur l'écran de l'agenda, puis sur les touches du téléphone. Il finit par se carrer dans son siège, avec un regard de fierté sur le matériel électronique déployé devant lui.

— Excusez-moi, dit-il en relevant les épaules nerveusement, j'attends un e-mail.

Corinne le regarde sans répondre. Il décide de changer de tactique.

— Vous y croyez ? demande-t-il.

— À quoi ?

L'inconnu pointe le doigt sur la couverture du livre.

— Vous pensez qu'il est possible de rester jeune toute sa vie ?

— Je ne sais pas, mais je l'espère, dit Corinne. C'est un livre assez compliqué. Il semblerait qu'en se nourrissant sainement on pourrait garder très longtemps la forme de sa jeunesse.

L'homme sourit, moqueur :

— La légende du Graal ! La promesse de la vie éternelle. La même utopie, encore et toujours !

— Il ne s'agit pas de prendre des médicaments. C'est en se nourrissant d'une façon plus intelligente qu'on pourrait éviter les désagréments du vieillissement.

— Je le pense aussi, admet l'homme. Il faudrait que je m'y mette, je me sens constamment fatigué. Mais avec mon métier – *je suis avocat* – je ne vois pas comment... Pourtant, j'en aurais bien besoin.

Il lance à son interlocutrice une œillade de complicité qui veut dire « Je pense la même chose que vous, nous sommes semblables. »

— Mais pour manger plus intelligemment, ce n'est pas chez les Anglais qu'il faut aller, plaisante-t-il en s'esclaffant bruyamment. Les autres voyageurs se retournent vers l'inconnu qui parle haut et contrevient aux règles du savoir-vivre.

— J'oubliais, c'est plein d'Anglais ici, dit-il en baissant la voix et en approchant son visage de celui de Corinne.

Elle a un sourire poli et ferme son livre. Manifestement, elle va devoir le supporter jusqu'au bout du voyage.

— Je ne me suis pas présenté.

Il tend la main.

— Alain Jespers.

— Corinne Bauwens, répond-elle en lui serrant la main.

— Je suis ravi de partager cette petite expédition avec une jolie femme. Je fais ce trajet plusieurs fois par mois, et je peux vous affirmer que c'est la première fois que j'ai le plaisir d'être assis en face d'une femme si raffinée. Regardez autour de vous, ce sont tous des hommes d'affaires. C'est mon jour de chance. C'est un signe. Je ne vais pas manquer de fêter cette aubaine.

La voix ferme et décidée révèle l'aisance à convaincre due à sa profession. Il sait dire les mots qu'il faut au bon moment, même si cela sonne faux. Corinne est en présence d'un avocat qui plaide une cause, la sienne, et qui paraît déterminé à gagner la partie. Comme toutes les femmes, elle est heureuse d'être admirée, même par un importun. Pourvu cependant qu'il n'en fasse pas trop ! Elle n'a pas envie de discuter avec lui pendant tout le trajet.

— Vous allez à Londres ?

— Oui, dit Corinne.

— Pour affaires ?

— Oui, pour affaires.

— Quel genre d'affaires ?

— Un rendez-vous avec une diététicienne, invente Corinne.

— Oh ! je vois. Vous êtes dans le métier aussi ?

— Non, je vais consulter.

— Il n'y a pas de bonne diététicienne en Belgique ?

C'est à ce moment que le téléphone se met à bourdonner.

— Excusez-moi, dit-il avec un regard sur l'écran. C'est mon e-mail qui arrive. C'est fantastique ! Voici un contrat qui vient tout droit des États-Unis, et je le reçois dans le train de Londres ! Incroyable. Cela m'épate à chaque fois. Je peux y apporter des corrections et le renvoyer aussitôt. C'est ce que je ferais si je n'avais pas une voisine aussi charmante. Je m'en occuperai plus tard. Vous avez une adresse électronique, vous aussi ?

— Oui, dit Corinne, je suis branchée sur la nouvelle folie à la mode.

— Tenez, voici ma carte, mes coordonnées y figurent. Si vous avez un moment, envoyez-moi un petit bonjour. Si je me trouve dans un train, entouré d'Anglais, cela sera pour moi un rayon de soleil.

Corinne jette un coup d'œil sur la carte :

Alain Jespers, avocat

Cessions immobilières

Suivent son adresse, ses numéros de télécopieur, de téléphone, et son adresse électronique.

— Vous êtes juriste spécialisé en immobilier ? C'est intéressant, dit Corinne.

Elle songe au pacte qu'elle a eu le malheur de conclure avec le docteur Rikson, pacte qui lui octroie les pleins pouvoirs sur ses finances mais aussi sur son appartement. Elle aimerait avoir l'avis d'un expert.

— Vous pensez à quelque chose ?

— Je ne veux pas vous importuner avec mes problèmes. J'ai bien peur que chaque fois que vous sortez votre carte de visite, les gens en profitent pour vous soutirer une consultation, non ?

— C'est vrai, mais je suis libre d'accepter ou de refuser. Vous avez attiré mon attention sur les bienfaits d'une nourriture plus saine, et qui sait ? cela va peut-être faire son chemin et me sauver la vie. Si, à mon tour, je peux vous conseiller, je le ferai avec plaisir.

— J'ai signé un contrat, et je ne suis pas sûre qu'il soit légal.

— Vous l'avez sur vous ?

— Non, je ne voyage pas avec ce genre de papier.

— Envoyez-le-moi. J'y jetterai un coup d'œil et je vous le réexpédierai avec mes observations. Mais peut-être n'allez-vous pas oser me l'adresser, une fois rentrée chez vous. Donnez-moi votre adresse électronique, je vous rappellerai à l'ordre.

Corinne hésite. Son interlocuteur a l'air sincère. Le docteur Rikson est-il intègre ? Elle a besoin d'avoir un avis sur la question.

— corinne_bauwens@hotmail.com, lâche-t-elle du bout des lèvres.

— Merci. Je vous enverrai un petit message lundi prochain.

Un contrôleur passe pour vérifier les billets, et Corinne en profite pour tenter de reprendre sa lecture. Mais elle sent la présence de l'avocat et se doute qu'il ne va pas la laisser en paix. Elle fixe son attention sur la page, mais a du mal à se concentrer. Elle a envie d'appeler Spiros. C'est fou ce qu'il lui manque. Elle ressent son absence comme s'il était à l'autre bout du monde. Juste entendre sa voix... Elle serait bien restée à Bruxelles, même sans le voir, pour être plus proche de lui.

— Je vous invite à dîner.

La voix rauque de son voisin la tire brusquement de sa rêverie. Elle lève les yeux et aperçoit le chariot des repas, et l'hôtesse qui dépose deux plateaux sur la tablette vidée des machines électroniques qui l'encombraient.

— Poulet, riz curry, salade avec vinaigrette, petit pain, mousse au chocolat. Je me demande comment vous allez vous en tirer, vous qui mangez différemment. Montrez-moi.

Corinne sourit en découvrant le plateau. Elle va répondre.

— Non, laissez-moi deviner, la coupe l'avocat. Vous allez retirer la peau du poulet ; pour le riz, pas de problème ; la salade, mais sans la vinaigrette, et bien sûr pas de mousse au chocolat.

— Vous avez tout bon, dit-elle en faisant mine de l'applaudir.

L'hôtesse se penche vers elle.

— Que voulez-vous boire ?

— Du vin, dit l'avocat.

Puis, s'adressant à Corinne, il ajoute, taquin :

— Oui, je sais, je suis démasqué. Chaque chose en son temps ! Vous avez de l'expérience, moi je ne suis qu'un débutant, plaisante-t-il en remplissant son verre. « À votre santé ! » Vous avez remarqué le vœu que je viens de faire ? J'absorbe la liqueur dangereuse, et vous, vous obtenez la santé.

Corinne sourit. Elle le trouve amusant, cet homme-enfant. Elle s'ouvre à la relation avec cet inconnu. Finalement, elle est heureuse de faire le trajet en compagnie.

L'odeur du curry la met de bonne humeur. Elle attaque son poulet.

— Où descendez-vous à Londres ?

— Je ne sais pas encore, répond Corinne. Cela dépendra de mon rendez-vous.

— Oh ! fait l'avocat, j'ai une fameuse idée. J'ai une chambre au Trafalgar London Hilton ; une suite, pour être plus précis. Or, il se fait que je logerai probablement chez mon client. Un client fortuné, une affaire de succession d'entreprise, je vous épargne les détails. Nous allons travailler chez lui, car il réunit sa famille, sœurs et frères, associés, toute la clique. La réunion risque de se terminer tard. Chaque fois, il prend pour moi une chambre d'hôtel, et il me presse finalement de loger chez lui. C'est encore plus chic qu'à l'hôtel. Pourquoi me réserve-t-il aussi l'hôtel ? Il veut me laisser libre de faire la fête, si je suis accompagné. Il pense à tout. Il m'est arrivé de profiter de la suite, si vous voyez ce que je veux dire. Mais la plupart du temps, elle reste inoccupée.

Il se met à rire.

— Je n'en ai pas le temps. Il en veut pour son argent. Alors, voilà, elle est à vous. Il n'y a rien à payer, tout est réglé. Le Trafalgar London Hilton, plein centre. Au nom d'Alain Jespers.

— Je vous remercie, dit Corinne, mais je ne voudrais pas...

— Vous ne me dérangez en rien. Prenez-la, ce serait dommage d'aller ailleurs ; vous connaissez les prix des hôtels à Londres ? C'est la ville la plus chère du monde. Cela me fait mal au cœur de laisser cette suite inoccupée.

— Je ne sais pas si...

— Oh ! vous craignez que j'aie une idée derrière la tête ? Mais non, rassurez-vous. Je vous l'ai dit, je n'ai pas le temps de mettre le nez dehors. Je vous jure que vous ne me verrez pas, je ne vous importunerai pas. Et si jamais quelqu'un vient frapper à votre porte, ne répondez pas. Je vais téléphoner pour prévenir de votre arrivée. Vous n'avez à vous occuper de rien.

— Et votre client, s'il l'apprend ?

— Je lui dirai que vous êtes ma maîtresse. C'est pour cela qu'il m'offre une chambre, je vous le répète. C'est une coutume dans les affaires. Il est déjà arrivé qu'il m'offre la chambre et la femme. Oui, oui, ne me regardez pas ainsi. Et j'ai profité des deux!

Il éclate soudain d'un rire spontané et se sert un autre verre de vin. En l'observant, Corinne remarque son crâne dégarni. Quelques rares cheveux tâchent sans succès de dissimuler la calvitie.

— J'espère que je ne vous ai pas choquée. Je suis célibataire, précise l'homme.

Il regarde Corinne, qui ne bronche pas.

— À mon âge, cela devient problématique. Jamais marié. Pas d'enfants. Ce ne sont pas les occasions qui manquent, mais je n'ai pas encore trouvé. Je ne suis pas difficile, je veux aimer une femme qui m'aime. C'est tout. Je suis tombé chaque fois sur des femmes à problèmes. Je suis un romantique, moi. Les femmes me tournent autour parce que je suis fortuné. Elles lorgnent ma situation, pas mon physique, c'est évident. Je ne suis pas beau. Vous ne trouvez pas que la nature est injuste? Si vous saviez les efforts que je déploie, depuis l'adolescence, pour plaire! Au collège, j'ai dû potasser comme un malade pour être parmi les élites, de telle sorte que les filles me remarquent un peu. D'autres étaient des cancres, mais dotés d'un physique d'Adonis. C'est eux qui couchaient, sans lever le petit doigt. Plus tard, je me suis fait une situation enviable, le meilleur cabinet juridique de Bruxelles. Les mondaines couchent et en redemandent, mais uniquement parce que je suis un homme en vue. L'amour est absent de mes liaisons. Cela me désole. Il y a un vide. Je m'éveille souvent à côté d'une femme qui m'est totalement indifférente. Alors je me noie dans le travail, je m'y noie à fond la caisse. Le naufrage du *Titanic* à côté, c'est de la rigolade. Je trime tous les week-ends. Je pourrais me retirer, j'ai assez d'argent, mais que faire? Que faire? Me prélasser dans un fauteuil en contemplant mon jardin et ma piscine?

Désolant ! Je vieillis, et je me dis que je vais finir vieux garçon. Vieux et riche, heureusement. C'est toujours mieux que vieux et pauvre. Et vous ?

Corinne ne répond pas tout de suite. Elle est surprise qu'il dévoile ainsi sa situation personnelle devant une inconnue. Peut-être a-t-il déballé sa vie intime justement parce qu'ils ne se connaissent pas ? Elle est touchée par son aveu. Il est rare qu'un homme se confie à son désavantage. En confiance, elle a envie de parler d'elle. Elle a l'impression d'être avec un ami de longue date.

— Je suis divorcée. Moi non plus je n'ai pas eu une vie facile, mais pour d'autres raisons. Je viens de rencontrer un homme – un chirurgien – alors que je désespérais. Je n'ose pas me prononcer, mais je crois que cette fois c'est le bon.

L'avocat a un geste de victoire.

— Formidable ! Voilà une bonne nouvelle. Et une mauvaise en même temps. Je tombe sur les femmes attachantes un rien trop tard, c'est mon destin. Je me suis fait une raison. Vous allez le retrouver à Londres ?

— Non, il vient me chercher à la gare, à mon retour.

L'avocat reporte son attention sur son assiette qu'il racle à l'aide d'un morceau de pain. Il attaque ensuite la mousse au chocolat.

— Je me rue sur la nourriture. Il ne me reste que ce genre de petites douceurs. Douceurs qui vous sont interdites. Vous en avez d'autres...

Corinne rougit.

— Comment me trouvez-vous ? demande-t-il subitement.

— Je vous trouve amusant, attirant même. Je ne comprends pas pourquoi vous n'avez pas encore rencontré de femme qui vous plaise. Il y en a des centaines qui seraient heureuses de vous connaître, même sans connaître votre situation professionnelle. Je soupçonne que vous en êtes parfaitement conscient, et que...

Une sonnerie de téléphone les interrompt. L'avocat lâche ses couverts et se met à fouiller ses poches intérieures.

— Excusez-moi, dit-il à Corinne en se calant dans le fond de son siège et en amorçant une conversation en anglais.

Corinne profite de l'occasion pour se lever et pour se dégourdir les jambes. Elle va jusqu'au bar. Elle y prend un jus de tomates, debout contre le comptoir, cernée d'Anglais qui boivent de la bière à la bouteille et la reluquent sans décence. Quand elle regagne sa place, la tablette est débarrassée. Elle trouve son voisin les jambes allongées, la tête sur le côté, contre la fenêtre. Il fait un somme.

Il émerge de sa somnolence quelques minutes avant l'arrivée en gare de Waterloo.

— J'ai dormi ?

— On dirait.

— Je dors comme un bébé, n'importe où. Je manque tellement de sommeil...

Les voyageurs se lèvent et réunissent leurs bagages. Le train entre en gare, il roule plus lentement.

— Où allez-vous précisément ? demande l'avocat.

Corinne lui montre une adresse sur une carte de visite.

— Je vous dépose, dit-il, c'est sur mon chemin.

— Ce n'est pas la peine, je peux prendre un taxi.

— Mais c'est sur ma route ! insiste-t-il. Mon client m'envoie sa voiture et son chauffeur, autant en profiter. À propos, j'ai confirmé la réservation au Trafalgar London Hilton, à votre nom. Quelle que soit l'heure, la chambre est à vous. Vous pouvez y dîner, vous servir du bar à volonté, tout cela est à la charge de mon client. Surtout, jouissez-en, si j'ose dire.

Comme prévu, une voiture attend Alain Jespers, qui bavarde quelques instants avec le chauffeur. Après un trajet d'une vingtaine de minutes dans la ville, Corinne se retrouve devant le 9, Greenstreet. Il est presque 18 heures.

L'avocat descend de voiture pour la saluer.

— Lundi, je vous envoie un petit mot comme prévu, pour vous rappeler de me soumettre votre contrat.

— Très bien, dit Corinne. Merci beaucoup.

— Rappelez-vous que vous avez un logement en or cette nuit.

— Pour cela, je vais encore réfléchir.

— Il n'y a rien à réfléchir ! Si vous n'y allez pas, je n'examinerai pas votre contrat, dit-il en riant. Le Hilton se trouve à un quart d'heure d'ici. Je vous souhaite une bonne fin de journée. Moi, je vais jouer au médiateur. Je ne sais pas ce qui vous attend, mais cela ne peut pas être pire que pour moi. On se fait la bise ?

L'avocat l'embrasse amicalement sur la joue et réintègre la voiture, avec un signe de la main à Corinne.

Elle regarde la voiture qui s'éloigne, et se dit qu'elle a croisé par hasard un homme attachant. Encore un qui a besoin d'amour. Il fait des affaires, gagne de l'argent, séduit des femmes, mais rien de tout cela ne le satisfait, faute de sens.

Ce que Corinne ne peut voir, c'est que, sitôt hors de vue, l'avocat sort son téléphone portable et appelle le docteur Rikson.

— Tout s'est déroulé comme prévu. Je pourrais lui faire son affaire cette nuit. Non, non, rassurez-vous, je vais patienter un peu. Ce sera pour la prochaine fois. De toute façon, j'aurais peut-être rencontré quelque résistance, à cause de la bite de Spiros, elle a l'air d'y tenir. Elle en est amoureuse. Dites-lui qu'il a bien bossé. Non, non, soyez tranquille, je n'y toucherai pas cette fois-ci, de toute façon, je n'ai pas le temps. Pour l'hôtel, c'est arrangé, la chambre est réservée. Oui, je vous tiens au courant...

C'est un grand immeuble victorien, dans la banlieue de Londres. La façade délabrée aurait bien besoin d'un coup de peinture. Les rares rayons de soleil donnent à ce bâtiment un air oublié par le temps. L'édifice comporte plusieurs étages, mais aucune des fenêtres n'a de rideaux. Les appartements paraissent inhabités.

Devant l'entrée, un groupe d'hommes et de femmes. La plupart ont un sac de sport posé à côté d'eux, sur le trottoir. Elle se fraye un passage jusqu'à la sonnette, vérifie les noms, sans trouver celui de Patricia. Elle parcourt des yeux un petit groupe de femmes dont certaines sont en tenue de danseuse, accoste l'une d'elles.

— Tu cherches Patricia ? répond la femme en français. Tu es française ?

— Oui, répond Corinne, enfin, non. Je suis belge.

— Moi, je viens de Paris. Tu viens à l'école de Biodanza de Londres pour la première fois ?

— J'ai rendez-vous avec Patricia, où puis-je la trouver ? dit Corinne.

— Elle est dans les vestiaires du studio, au premier étage, à droite.

Corinne remercie et monte au premier étage. Dès l'entrée, elle est accueillie par un groupe de danseurs. L'un d'eux lui montre Patricia Alberoni, une femme d'une trentaine d'années, de petite taille, aux longs cheveux d'un noir d'ébène, lisses et satinés. Des yeux pénétrants et vifs. Un sourire séduisant. Elle est vêtue d'un body de couleur bleue, décolleté, qui laisse entrevoir une poitrine généreuse mais ferme. Elle a les pieds nus.

— Vous êtes Corinne, dit-elle en lui faisant la bise. Donnez-moi quelques minutes.

Pendant que Patricia se change, Corinne observe les attitudes amicales et détendues des participantes. Le cours doit être terminé.

Elles descendent l'escalier de bois cependant que les notes de la musique de Vangelis se font entendre dans le studio.

Patricia hèle un taxi, lance une adresse au chauffeur.

— Où logez-vous ? s'enquiert-elle.

Corinne hésite un instant.

— Au Trafalgar London Hilton.

— Oh ! fait Patricia avec une mimique qui en dit long.

— J'ai fait une rencontre dans le train, un homme d'affaires qui m'a offert sa chambre, explique-t-elle.

— Il vous offre sa chambre ? et son lit ?

— Non, il ne sera pas là. Il loge chez son client.

— Dommage, dit Patricia en éclatant de rire.

Le taxi traverse Westminster Bridge quand Patricia interpelle le chauffeur et lui signifie de prendre à droite vers Trafalgar Square et de les conduire au Hilton.

Corinne dévisage sa voisine.

— Le luxe a un pouvoir de séduction, comme une parure, un bijou. Nous sommes des femmes, non ? Nous devons utiliser tout ce dont nous disposons, mais en sachant que la séduction, c'est autre chose.

— Quoi donc ?

— Nous verrons cela à l'hôtel.

Corinne l'observe du coin de l'œil comme une femme épie une rivale. Elle est jolie, certes, mais pour une « déesse de la Perdition », elle s'attendait à une créature de rêve. Celle-ci est petite, et même si elle a un joli visage de Sud-Américaine, un corps bronzé de poupée aux formes opulentes, elle n'est pas du genre à faire perdre la tête aux hommes. Sans doute dispose-t-elle d'autres atouts. Elle doit s'offrir généreusement aux mâles. Elle ne doit pas être frigide, elle !

— Vous m'imaginiez autrement, n'est-ce pas ?

Corinne est saisie d'étonnement. Patricia lirait-elle dans les pensées ?

— On m'appelle la déesse de la Perdition. C'est un titre un peu surfait, mais qui ne me déplaît pas. Il vaut mieux avoir ce sobriquet que celui de *Femme sérieuse sous tous rapports*, appellation contrôlée qui ne mène à rien, sinon peut-être à la désolation et à la misère.

— Comment est né ce pseudonyme ?

— La rumeur, je suppose. J'y suis quand même pour quelque chose : j'anime des stages de tantra. Vous connaissez le tantra ?

— J'ai écrit un article autrefois. Sur Margaret Arnold, la grande prêtresse du tantra, c'est ainsi que nous l'appelions au journal.

— Vous voyez, dès qu'on touche à la sexualité, les sobriquets fusent. Dans mes stages, j'apprends aux gens à faire l'amour.

— Pendant le stage même ?

— Oui, nous pratiquons la chose, effectivement. On ne peut apprendre réellement que de cette manière.

— Vous êtes mariée ?

— Je suis une vraie Sud-Américaine, répond Patricia. Le mariage, pour moi, est une institution sacrée. J'ai un mari et deux enfants. La déesse de la Perdition est aussi une mère de famille. Ce n'est pas incompatible. J'ai également une multitude d'amants et d'amantes. Je vis pour l'amour. Rien d'autre n'a d'importance à mes yeux.

En bordure de la Tamise, en plein centre de Londres, à deux pas de Trafalgar Square, le Hilton, immense, a des allures de building d'affaires. Cependant, dès que l'on franchit la porte tournante, le luxe du hall rappelle que l'on se trouve dans l'un des plus beaux hôtels de la ville.

À la réception, le concierge confirme à Corinne qu'une suite a été retenue pour elle. Un groom les conduit au douzième étage jusqu'à un appartement au mobilier contemporain et confortable, mais somme toute banal.

Patricia furète partout avec des gloussements de ravissement, visite la chambre au lit *king size* démesuré, poussant des *oh!* et des *ah!* qui en disent long sur les occupations possibles dans un tel endroit.

Elle jette un rapide coup d'œil à la salle de bain, fonctionnelle, ouvre la porte du minibar dont elle inspecte le contenu, avant de retrouver Corinne qui l'attend calmement dans le coin salon. Patricia s'installe dans un fauteuil, en face d'elle.

— J'aime l'excès, déclare-t-elle. Ce qui m'excite ici, c'est le montant astronomique qu'il faut débourser pour y passer une nuit. C'est ce qui donne du piment aux activités possibles dans un tel lieu. Il doit s'en passer des choses, ici, non?

— Sûrement, dit Corinne.

En tant que journaliste, il lui est arrivé de fréquenter de tels endroits, pour interviewer des personnalités en vogue, ou pour participer à des conférences de presse. Elle ne trouve pas cela excitant du tout. L'envers du décor est plutôt minable. On y trouve les plus infectes manipulations, les coups les plus bas. Les truands de la pire espèce.

— Il est 18 h 30, dit Patricia en consultant son bracelet-montre. J'ai deux heures à vous accorder. Nous avons largement le temps. Ce que j'ai à vous confier ne prend que quelques minutes.

— Pardon ?

— Mais oui, rien de plus. À peine deux phrases.

— C'est pour entendre deux phrases que j'ai fait ce voyage ?

— Mais ce ne sont pas n'importe quelles phrases !

— Je vous écoute.

— Non, c'est trop tôt, vous ne m'écoutez pas vraiment. Vous êtes distraite par votre monologue intérieur. Vous *vous* écoutez. Il faut que nous nous parlions, d'abord. Dites-moi la raison de votre visite. Pourquoi venez-vous me voir ?

— Le docteur Rikson ne vous l'a pas dit ?

— Il m'a demandé de vous apprendre à séduire les hommes.

— Séduire les hommes ? Vous êtes sûre qu'il vous a dit ça ? J'arrive parfaitement à les séduire. Pour tout dire, je ne fais rien pour ça, ils rappliquent tout seuls. Ils veulent du sexe. Quand ils ont eu ce qu'ils voulaient, ils me quittent. Je suis une femme qui aime trop. Je suis dépendante affectivement. C'est comme ça qu'on appelle les femmes telles que moi. J'en souffre. Je voudrais tant rencontrer un homme qui m'aime vraiment, créer une relation équilibrée. Tous les hommes que j'ai connus, sans exception, m'ont trompée. Et quittée. Tous. Je ne comprends pas pourquoi. Je dois aussi vous avertir que je suis frigide. Mon sexologue m'a dit que je refusais aux hommes un cadeau sacré : mon plaisir. Peut-être le problème est-il là. Voilà, vous savez tout.

Patricia secoue la tête, mais ne répond pas tout de suite. Après un moment de silence, elle dit :

— Nous sommes tous dépendants en matière d'amour. Les femmes comme les hommes. Tous, sans exception. Je le suis aussi. Mon mari est musicien. Il côtoie d'autres femmes, j'ai toujours peur qu'il n'en rencontre une autre, plus belle, plus intelligente ou plus dépravée. Je suis comme vous.

— Et comment vivez-vous cela ?

— C'est un jeu, murmure Patricia. Il suffit d'avoir les bonnes cartes, comme au poker, ou de faire semblant de les avoir. Faire semblant est suffisant. La séduction amoureuse, ce n'est que cela : faire semblant d'avoir un jeu gagnant.

Les deux femmes s'observent un long moment en silence. Une expression d'extrême douceur se dessine sur le visage de Patricia.

— Nous pourrions nous servir un verre d'alcool. J'ai aperçu dans le minibar tout un assortiment de boissons perverses.

— Excusez-moi, dit Corinne, j'aurais dû y penser. Vous êtes chez moi, en effet.

Elle se précipite et ouvre la porte du bar.

— Un Baileys avec glace, demande Patricia.

Corinne la sert, prend un autre verre qu'elle remplit de jus de pomme.

— Vous ne buvez pas d'alcool ? questionne Patricia.

— Pas d'alcool ! Ordre du docteur Rikson. Je suis dépendante en tout genre. C'est pénible, le manque d'alcool, particulièrement quand je suis seule, le soir... Mais j'ai décidé de m'en sortir. Pour corser la chose, comme si tout cela n'était pas assez éprouvant, j'ai développé un cancer du sein. Je veux éviter l'ablation. Vous voyez, j'ai du pain sur la planche.

— Mon Dieu ! murmure Patricia en posant son verre sur la table. Je ne veux pas vous donner de faux espoirs, mais vous pouvez vous en sortir. Plusieurs de mes élèves l'ont fait, sans chirurgie.

— Comment ?

— Par la chimiothérapie.

— Je tente le coup par une autre voie. En changeant de vie, complètement. C'est une des raisons de ma visite à Londres. Je suis prête à mettre de l'ordre dans mon existence. Je veux savoir ce que je fais, et où je vais. J'en ai assez de faire n'importe quoi. Ma vie est un chaos. Je cherche la porte de sortie. Je suis prête à entendre ce que vous avez à me dire.

Patricia se penche vers Corinne.

— Je vais vous confier le plus grand secret du monde. Je ne sais pas si vous êtes digne de le recevoir. Pourtant, si vous intégrez cet héritage ancestral, qui m'a été confié lors de mon initiation tantrique par la prêtresse de la Volupté, vous deviendrez une femme irrésistible. Les portes de l'amour vous seront grandes ouvertes. Vous serez la femme entre les femmes, aimée et courtisée jusqu'à la fin de votre vie. Oui, même vieille, vous serez entourée, et c'est vous qui choisirez les hommes et les femmes qui vous aimeront. Les hommes et les femmes ; pourquoi limiter votre plaisir ?

Corinne a envie de rire devant la grandiloquence de cette prétendue initiée. Cela ressemble à une farce.

— Corinne, les chemins raisonnables que vous avez suivis vous ont-ils rendue heureuse ?

— Pas vraiment.

— Alors, peut-être est-il temps pour vous d'entrer dans la Connaissance. Dans l'Irrationnel. Dans l'Occulte. Cela peut faire rire, mais qu'avez-vous à perdre ?

— C'est que... mon éducation... Je ne peux m'empêcher de juger, de critiquer, de me poser des questions.

— Jugez, critiquez et posez-vous des questions, mais en même temps, *faites ! Goûtez ! Expérimentez !*

— Allez-y, dit Corinne.

— Avant que je vous confie le plus grand secret, vous devez me promettre de faire tout ce que je vous dirai, de vous abandonner totalement à ma volonté, quoi que je fasse, quoi qu'on vous fasse.

Corinne se met debout. Elle s'attend à devoir s'engager en donnant sa parole, comme chez le docteur Rikson.

— Je promets, dit-elle, un soupçon d'anxiété dans la voix.

Patricia se lève, se dirige vers l'interrupteur, coupe la lumière d'ambiance.

D'un pas souple, elle pénètre dans la chambre. Elle fouille dans son sac, en sort deux bougeoirs d'argent qu'elle place à la tête de lit. Elle gratte une allumette, allume les bougies.

— Déverrouillez la porte d'entrée, crie-t-elle à Corinne, et laissez-la contre le battant.

Sans chercher à comprendre, Corinne obéit.

— Maintenant, venez dans la chambre.

Corinne s'arrête net sur le seuil, déroutée. Patricia est debout, nue, ses vêtements épars sur le tapis. Elle lui fait face, la poitrine et le ventre offerts au regard, un léger sourire sur les lèvres, ses longs cheveux lisses dénoués sur les épaules.

— N'ayez pas peur, murmure-t-elle. Je ne suis qu'une femme. Téléphonez au service de chambre et commandez une bouteille de champagne.

Corinne reste interdite.

— Je ne bois pas d'alcool...

— Ce n'est pas pour la boire. Choisissez la bouteille la plus chère. Ce que j'ai à vous confier vaut tout l'or du monde.

Corinne décroche le combiné.

— À servir dans la chambre par un homme, précise Patricia.

— À servir dans la chambre… (elle hésite) … par un homme, répète timidement Corinne. Suite 625.

À peine a-t-elle raccroché que le téléphone bourdonne.

— Oui ?

Elle reconnaît la voix enjouée et rauque de son compagnon de voyage, l'avocat. Il appelle pour prendre de ses nouvelles. Est-elle bien installée ? A-t-elle besoin de quelque chose ?

— Qui est-ce ? s'enquiert Patricia.

Corinne éloigne le combiné de sa bouche pour que son interlocuteur ne l'entende pas répondre à Patricia.

— C'est l'homme du train, celui qui m'a offert cette suite, l'avocat, répond-elle en chuchotant.

— Où est-il ?

— Où êtes-vous ? répète Corinne.

Il est en bas, il passait par là, des papiers à confier au coffre de l'hôtel. Il ne veut pas l'importuner, qu'elle se rassure. Juste la saluer.

Patricia s'est approchée et a plaqué son oreille contre le combiné. Elle fait signe à Corinne de faire patienter son interlocuteur.

— Dites-lui de monter lui-même la bouteille de champagne, de l'apporter *dans la chambre*.

— Avec plaisir, fait l'avocat qui ne se tient plus de joie.

Il a tenté le coup, il a gagné. Les femmes sont bien toutes les mêmes ! Celle-ci est seule dans une ville inconnue, dans une chambre luxueuse, loin de son amoureux… Il pense avec malice à son compère, Spiros Klidaras, et se réjouit de la tournure que prend la soirée. Le chirurgien de madame n'a pas opéré comme il le fallait ! Grave faute professionnelle ! Tant pis pour Spiros. Le docteur Rikson ne sera pas contrarié, pense-t-il encore, c'est elle qui le sollicite. Il n'a fait que prendre de ses nouvelles. Il se frotte les mains et se renseigne sur le service de chambre vers lequel il se dirige. Il commande du saumon et quelques autres douceurs.

Patricia s'approche de Corinne, lentement, et se met à la déshabiller tout en lui parlant doucement. Sa voix a changé. Le ton est tendre, suave, flatteur. Corinne ne cesse de penser à l'homme qui, dans quelques instants, va pénétrer dans la chambre et les trouver nues. Elle n'arrive pas à se concentrer sur les paroles de Patricia.

— Les grandes séductrices de l'histoire, celles qui ont changé la face du monde, n'étaient pas spécialement jolies, dit celle-ci. La plupart étaient même très banales, au point de vue physique. Ce n'étaient ni le maquillage ni les fragrances coûteuses ni les toilettes somptueuses qui rendaient ces femmes irrésistibles. C'était… le fait qu'elles étaient *uniques*. Ce qui est rare a une valeur inestimable. Avez-vous déjà participé à une vente aux enchères ? Plus un objet est convoité, plus les enchères montent, et plus il devient précieux. Voyez les antiquités : objets, mobiliers, bijoux. C'est leur rareté qui fait leur prix. La même loi régit la séduction. Si vous avez beaucoup de prétendants, cela *prouve* votre valeur et vous serez vivement recherchée. On se disputera vos faveurs. La compétition masculine est l'atout le plus précieux de la séduction féminine.

Corinne, presque nue à présent, ne peut s'empêcher de répondre.

— Personne ne s'est disputé mes faveurs.

— Parce que vous voulez être la femme d'un seul homme. Fidèle. Réservée. Vouée au mâle tout puissant. Femme banale et sans intérêt. Remplaçable sur-le-champ par n'importe quelle autre femme sincère et sacrifiée. Pourquoi un homme se battrait-il pour vous ?

Vous lui êtes déjà acquise. Le grand secret, le voici : «*La femme en vous doit toujours rester inaccessible.*» Même si vous n'avez qu'un seul homme, il doit l'ignorer. *Faites croire que vous êtes encombrée d'admirateurs. Que vous avez l'embarras du choix, que votre choix n'est pas fixé une fois pour toutes et ne le sera jamais.*

— Mais c'est un jeu malsain. Je trouve cela infantile, c'est de la manipulation ! Je n'ai pas envie de passer ma vie à faire ce genre de choses.

— Si vous refusez les règles du jeu amoureux, vous y serez perdante. Parce que l'amour est un jeu malsain. Avec ses règles strictes et exigeantes. Peu de femmes sont conscientes de cela. Elles prennent l'amour au sérieux, et il le devient aussitôt. Elles entrent alors dans l'enfer et la tourmente. Où votre noblesse de cœur vous a-t-elle menée jusqu'à présent ? N'êtes-vous pas une perdante ?

Elles sont debout, l'une contre l'autre, nues, devant le lit. Leurs seins se touchent. Corinne, troublée, se souvient de l'épisode ambigu vécu dans l'atelier du fermier-sexologue. Elle a regretté d'avoir perdu la tête, de s'être abandonnée à lui. Et cet avocat qui va débarquer dans la chambre... Va-t-elle devoir faire l'amour avec lui, sous les yeux de l'autre femme ? Ou bien sera-t-elle invitée à contempler leurs joutes amoureuses ? Vont-ils faire l'amour à trois ?

Elle fait un effort pour se rassurer ; aujourd'hui, elle est consentante. D'ailleurs, que pourrait-il lui arriver ? Elle en arrive à souhaiter ce qui va se produire et qu'elle ignore encore.

Un frémissement la prend. Le désir.

Elle se surprend à goûter pleinement le moment présent tout en attendant ce qui va suivre.

Les corps nus des deux femmes se frôlent. Les flammes dorées des bougies posent sur leur chair des reflets chauds aux ombres mouvantes. Lueur intime et changeante qui semble caresser tantôt l'ovale d'un visage, tantôt le contour d'une épaule, la courbe d'un dos, l'arrondi d'une hanche, d'une cuisse... La lumière danse sur les corps, dissimulant et dévoilant, par à-coups, leur beauté.

Alain Jespers a obtenu un chariot qu'il a garni de mets raffinés : une bouteille de Dom Pérignon dans un seau à glace, deux flûtes à champagne, du saumon fumé légèrement persillé et saupoudré d'oignons finement hachés ; du caviar d'Iran ; des anchois à l'huile d'olive ; quelques tranches de jambon de Parme ; des toasts grillés à point – pour lui tout seul, puisqu'elle ne mange pas de pain. Il sort de l'ascenseur et cherche la suite 625.

La porte est ouverte. Il frappe deux fois, pour s'annoncer, discrètement. Pas de réponse. Il entre. Dans l'appartement, il fait sombre. Une faible lumière émane de la droite, de la chambre, devine-t-il. Que faire ? Avancer avec le chariot, ou d'abord aller saluer la femme qui l'attend ? Peut-être est-elle étendue, nue dans le lit ?

— C'est moi ! dit-il en refermant la porte avec force de façon à annoncer sa présence. Toujours pas de réponse. Il se sent un peu nerveux tout de même. Il décide d'avancer, poussant devant lui le chariot.

Deux femmes nues se caressent dans un mouvement lent, composant une arabesque érotique. Le spectacle, rendu plus insolite encore par l'éclat des bougies, l'immobilise sur le pas de la porte.

Il s'est attendu à tout, sauf à cela.

Cela change tous ses plans.

À son âge, il a tout vu, tout expérimenté, il connaît la vie. Mais ce qui le désoriente, c'est qu'il ne s'attendait pas à ça.

Il avait déjà tout organisé dans sa tête. Comment il allait s'y prendre avec la femme. Ce qu'il allait lui dire. Comment il allait s'approcher d'elle, les mots qu'il allait lui murmurer en la déshabillant lentement pour ne pas l'effaroucher, tout en faisant monter le désir ; il a même programmé le genre de caresses auxquelles il allait se livrer, l'ordre des enchaînements amoureux. Tout était prévu comme dans un scénario de cinéma. Tout était écrit.

Mais il est pris au dépourvu.

Les deux femmes ont senti la présence de l'homme, mais ne lui accordent pas la moindre attention, tout absorbées qu'elles sont par leur jeu amoureux.

Alain repousse le chariot derrière lui, sans les quitter des yeux, fasciné par leurs indolentes évolutions. Il comprend qu'il est témoin d'une scène singulière. Quelque chose se passe sous ses yeux, qui n'est pas de l'ordre de la luxure ou de la trivialité. Il s'agit d'autre chose, et il ne sait pas de quoi. Elle lui a dit de monter dans la chambre avec du champagne, pourquoi ? Quel sera son rôle ? Spectateur ? Acteur ?

Il attend, osant à peine bouger, pour ne pas contrarier l'harmonie mouvante. Les corps se courbent et s'épousent dans une chorégraphie d'une extrême lenteur. Les mains et les jambes s'entrelacent, les regards se caressent, les seins et les hanches se frôlent, d'invisibles duvets s'effleurent, les chevelures s'éloignent, se touchent, se confondent et s'éloignent encore.

La musique s'est tue. Elles demeurent enlacées, comme nouées l'une à l'autre, sans mouvement aucun. Des perles de sueur luisent sur les courbes des corps accouplés. Sculpture sacrée qui respire. Le Paradis perdu. Le jardin du bien et du mal. Femmes dévoilées dans une étreinte tout à la fois chaste et indécente. Une perfection profane se dégage de ce tableau païen.

Enfin elles semblent émerger de cette panto-mime comme d'un rêve profond, perçoivent graduel-lement les contours de la chambre et l'homme qui les regarde.

— Vous avez le champagne ?

C'est Patricia qui a parlé. Il débouche la bouteille d'une main experte, prend les deux verres prévus pour Corinne et lui, attendant la permission.

— Entrez et versez du champagne dans un verre, poursuit Patricia qui, entre-temps, s'est couverte d'un sari aux tons cuivrés.

Corinne s'est entouré les hanches d'un foulard de soie bleu et rouge. Elle est debout, la gorge dénudée. Elle ne pense pas, totalement présente à l'expérience.

Patricia ouvre le lecteur de CD et y introduit un disque. Ennio Moricone, *Once upon a time in America*.

Après quoi, la déesse de la Perdition s'avance près de l'homme et s'empare du verre.

— Déshabillez-vous, lui murmure-t-elle.

Il enlève son veston qu'il laisse tomber sur la moquette. Et comme il hésite à poursuivre :

— Entièrement, précise-t-elle.

Il s'exécute, dérouté, ôte ses vêtements sans plus poser de question. Il ne sait pas où tout cela le mènera. « Ce n'est pas le moment de tergiverser », pense-t-il.

Il est debout, un peu incliné, gauche, embarrassé par sa nudité offerte sans réserve au regard féminin. Heureusement, la lumière est tamisée.

Patricia défait le nœud du foulard de Corinne, qui glisse sur le sol. La voici nue de nouveau.

Corinne sent le regard de l'homme, sans ressentir la moindre gêne.

Patricia enlève son vêtement, elle aussi. Les deux femmes sont nues côte à côte. Enivrante suggestion charnelle.

L'homme est mal à l'aise. Il s'approche. Les trois corps se touchent en une gerbe de volupté.

Patricia incline le verre sur la gorge de Corinne. Le champagne s'égoutte, pétille sur les mamelons qui frémissent de plaisir.

Patricia et l'homme approchent leur bouche de l'offrande et y posent délicatement les lèvres. Du bout de la langue, ils s'enivrent aux perles sacrées du désir.

« La femme en toi doit toujours rester inaccessible. »

XVIII

Passant d'un été prolongé à un automne doux, l'hiver a surgi brusquement.

De légers flocons de neige viennent fondre sur les pavés de la Grand-Place. « Pour que la neige puisse tenir, il faudrait que le froid s'intensifie », pense Corinne, installée bien au chaud derrière la fenêtre du Roy d'Espagne.

Il est tôt encore, et elle est la première cliente. D'autres consommateurs vont arriver. Des fonctionnaires, pour la majorité. Des vendeuses de boutiques avoisinantes, qui viendront prendre un café et papoter entre elles avant l'ouverture des magasins.

Le serveur doit la prendre pour une excentrique oisive.

Corinne sirote un thé-citron sans sucre. Elle a pris son petit-déjeuner de fruits chez elle, avant de partir. Elle trouve étonnant de constater avec quelle facilité elle est parvenue à changer son alimentation. Plus de produits laitiers, de céréales et de sucre. Elle aurait cru que cela lui serait pénible. Le plus difficile, c'est encore et toujours l'alcool et la cigarette. Le manque d'alcool surtout, le soir, seule dans son appartement.

Il faut dire qu'elle se sent en pleine forme, ce qui l'a aidée à poursuivre son régime. Jamais elle ne s'est sentie aussi bien. Elle n'était pas grosse, et pourtant la taille s'est affinée, les muscles du ventre, raffermis.

Mais c'est surtout au niveau du visage qu'elle a pu noter les métamorphoses les plus visibles. La peau s'est purifiée. Les quelques ridules inévitables de la trentaine se sont estompées, comme si elle avait remonté le temps. Ses cheveux poussent à vue d'œil, plus abondants et plus drus. Son coiffeur l'a d'ailleurs questionnée sur le genre de soins qu'elle utilise, il ne comprend pas cette soudaine vitalité capillaire.

Des flocons de neige viennent s'écraser puis ruisseler sur la vitre. Corinne suit le parcours sinueux de l'eau sur le carreau. « Nous ne sommes que des gouttes d'eau », murmure-t-elle en songeant aux événements de ces derniers mois.

Une rupture suivie d'une troisième tentative de suicide, un cancer du sein, puis la rencontre de ce psy hors du commun, le docteur Gérald Rikson. Surtout n'y allez pas ! Quel étrange personnage. Un thérapeute handicapé mais diablement futé. Ses prescriptions invraisemblables ont porté leurs fruits, il n'y a pas à dire ! Elle éprouve pourtant encore des difficultés à admettre les péripéties survenues depuis sa première consultation chez lui, avec toutes ces règles absurdes et rigoureuses. Ce qu'elle avait pris pour de la tyrannie ou de l'intransigeance a eu raison de ses dernières résistances.

Elle s'est d'abord rebellée violemment contre son emprise autoritaire, puis elle a accepté ses suggestions, exaspérée d'avoir à se soumettre. Mais aujourd'hui, elle est heureuse de coopérer à sa guérison. Parce que c'est bien de guérison qu'il s'agit.

Elle remonte dans le passé, visionne sur son écran mental le film de son étonnante histoire. La première consultation chez le sexologue-fermier ainsi que les rendez-vous suivants. Elle le rencontre une fois par semaine dans sa ferme.

Dans son atelier aménagé en temple d'amour, comme il dit, il met du Mozart, allume les bougies, la déshabille de façon rituelle, se déshabille à son tour, et il lui fait l'amour. Ou plutôt, il simule techniquement l'acte amoureux. Rien d'affectif ne vient troubler son travail.

Il l'initie à l'amour en lui faisant découvrir ses zones érogènes. Il lui a parlé du fameux point G qu'il éveille, du bout des doigts. Il utilise, selon les circonstances, des accessoires de dimensions et de forces vibratoires différentes. Il l'encourage aussi à se caresser devant lui alors qu'il la dévore des yeux, ou encore à se masturber en même temps que lui, en accordant leurs rythmes et en se regardant dans les yeux. L'épouse du praticien, Françoise Poncelet, n'ignore rien de tout ce qui se passe pendant qu'elle reçoit ses propres patients, en bas, dans son cabinet.

Oui, ce qu'elle aurait refusé de ce sexologue audacieux il y a quelques mois fait maintenant partie de sa vie. Elle a aujourd'hui accepté et intégré la méthode singulière qu'il utilise pour soigner sa sexualité.

En y réfléchissant, elle trouve la thérapie tout à fait appropriée : quand on a mal au dos, on vous masse le dos. Quand on a le cœur malade, c'est cet organe que soigne le cardiologue. Quoi de plus naturel que de pénétrer l'intimité pour défaire un nœud sexuel? Comment agir autrement? L'initiateur emploie toutes sortes de processus pour l'éveiller au plaisir. Pourtant, le feu d'artifice lui échappe encore. Il y a progrès, cependant: elle se sent très excitée rien qu'à l'idée d'être manipulée, et lorsqu'il la pénètre des doigts, avec un accessoire ou «naturellement» avec sa verge, elle sent l'excitation monter progressivement par paliers et la secouer parfois violemment.

Sa féminité semble s'éveiller après une longue hibernation. Elle découvre la vitalité primitive de son intimité, comme une source desséchée qui, sous les remous féconds des caresses masculines, retrouve vie; elle reconnaît désormais la montée de l'excitation génitale, mais l'orgasme continue de se refuser à elle. Il se dérobe au dernier instant et la laisse pantelante, dans un état de profonde frustration, avec comme une douleur dans le bas-ventre, plusieurs heures encore après la relation intime.

«C'est très bien ainsi», dit l'initiateur. Il vaut mieux qu'elle patiente encore un peu, elle n'est pas prête. En se livrant trop vite, elle risquerait de compromettre le plaisir à long terme.

Il en a fini avec elle. Sa thérapie sexuelle va se dérouler sans lui, dorénavant. Il la confie à la Vie, maîtresse de loin supérieure à lui. L'apprentissage véritable va se faire désormais en dehors de la ferme.

Quant à Françoise Poncelet, la naturopathe, elle suit Corinne sur le plan médical. Les analyses d'urine et de sang ont révélé qu'elle était atteinte, en plus de sa tumeur, de la maladie d'Achimoto, une déficience de la glande thyroïde, glande essentielle à l'équilibre immunitaire. Les trois quarts de la population ont des troubles thyroïdiens et l'ignorent, a ajouté la docteure Poncelet.

Les examens ont également révélé de graves carences en vitamines et minéraux, carences que la docteure Poncelet équilibre par des apports complémentaires.

Tous les jours, Corinne avale une quarantaine de pilules multicolores : hormones, vitamines et minéraux. Cela commence dès le réveil par 50 mg de DHEA, suivis de 120 mg d'hormones thyroïdiennes et 1 g d'œstrogène ; le tout est accompagné de sélénium, de fer, de magnésium, d'enzymes, de vitamines, d'huiles de poisson, et de 3 mg de mélatonine, l'hormone régulatrice du sommeil.

Il neige toujours sur la Grand-Place, à gros flocons.

Les vendeuses et les fonctionnaires sont nombreux à présent dans l'établissement. Leurs imperméables et manteaux sont recouverts d'une fine poudre blanche qui s'évapore au contact de la chaleur dès leur entrée dans la taverne. La plupart s'installent à une table attitrée. Ils ont leur coin favori. Ce sont des habitués qui la reconnaissent et la gratifient d'un signe de tête cordial ou d'un sourire. Rarement ils lui adressent la parole, car Corinne, tout en répondant poliment à leurs saluts, reste distante. Elle n'a pas envie de partager quoi que ce soit avec qui que ce soit. Elle a éloigné sa famille, ses amis, ce n'est pas pour se lier d'amitié avec des inconnus sortis d'on ne sait où, comme Spiros.

À la table voisine, là où justement elle a rencontré Spiros Klidaras, s'installent deux jeunes femmes. Elles commandent un copieux petit-déjeuner : œufs, bacon, tartines grillées, confiture, fromage et croissants. À la vue de ces aliments, Corinne fait une grimace de dégoût. Elles en auront pour la matinée à digérer tout ça.

Spiros Klidaras, le chirurgien esthétique qui voyageait de congrès en congrès ! Elle pouffe de rire à son souvenir. Elle se rappelle son retour de Londres. Il était venu la chercher à la gare, mais comme il devait opérer le lendemain très tôt, il ne l'a reçue qu'une heure à peine – le temps de la sauter vite fait – dans son pied-à-terre. Son piège à femmes. Piège à connes. Comme elle.

Il n'avait jamais le temps, ce pauvre docteur. Il travaillait vingt-quatre heures sur vingt-quatre. Quand il n'était pas en salle d'opération, il écrivait des articles médicaux ou participait à l'un ou l'autre congrès quelque part autour du monde.

Un jour, Corinne lui a proposé de venir elle-même à l'hôpital pour le rencontrer, ne fût-ce que quelques minutes, puisqu'il était encore une fois de garde.

À l'hôpital où il officiait, Spiros l'attendait à la cafétéria. Il était en blouse blanche, tout frais sorti d'une opération. Ils ont échangé quelques mots autour d'un jus d'orange.

Il était désolé de n'être pas plus disponible, mais ne l'avait-il pas prévenue ? Il avait un métier ingrat qui l'empêchait d'entretenir une vraie relation. Aucune femme, lui a-t-il rappelé, n'avait pu tolérer ce manque de disponibilité. Même s'il l'aimait très fort, et c'était le cas, elle cesserait très vite de le voir, car l'amour repose sur une relation suivie. Corinne lui a donné raison, mais, lui a-t-elle dit, elle patienterait. De toute façon, elle n'avait pas le choix, elle était éprise.

C'est en sortant d'une séance d'hypnose chez son psychiatre qu'a surgi une mise en garde de son inconscient. « Suis-je sûre qu'il est en congrès ? Est-il vraiment chirurgien ? Comment savoir ? Pourquoi ne pas vérifier ? »

Son instinct voulait-il la prévenir que sa rencontre avec Spiros pouvait n'être qu'une vaste mise en scène ?

Alors, elle s'est mise à épier les faits et gestes de son soupirant affairé. Elle s'est rendue jusque chez lui, a appris le nom du propriétaire de l'immeuble, avec qui elle a pris contact. Elle avait encore sa carte de presse, a prétexté un reportage sur les immeubles de charme de Bruxelles.

Le propriétaire lui a longuement parlé de ses locataires, pour la plupart des fonctionnaires du Marché Commun, seuls à pouvoir s'offrir un logement dans ce quartier très recherché. Qui donc, a-t-elle demandé, avait la chance d'habiter cet adorable dernier étage, avec la terrasse surplombant la place du Petit Sablon ?

—Oh ! Un homme charmant, un chirurgien esthétique. Il a une marotte : il écrit des poèmes. Il vit à Wavre, dans le Brabant wallon, mais vient au Sablon deux ou trois jours par semaine pour écrire en toute tranquillité, sa famille l'empêchant de s'adonner à sa passion. Un homme posé. Il reçoit pas mal de visites. Des femmes pour la plupart, des auteures. Des poètes, comme lui.

Son Spiros, un poète ? Corinne tombait des nues.

Elle s'est rendue à l'hôpital Érasme, s'est adressée au service du personnel. Le docteur Spiros Klidaras y était parfaitement inconnu. Le service de chirurgie esthétique où elle s'est renseignée a confirmé ses doutes : le médecin grec n'existait pas.

Elle s'est souvenue de sa rencontre avec lui à la cafétéria de l'hôpital. Il portait une blouse blanche. Se serait-il déguisé afin de valider son personnage de médecin ? Elle ne pouvait y croire. C'était insensé. Il devait y avoir une autre explication.

Elle n'a eu aucun mal à se procurer son adresse personnelle. Elle a sonné chez lui, à Wavre, un samedi après-midi. Il devait être là.

Une villa de plain-pied entourée d'un petit jardin, dans l'une de ces cités où toutes les habitations se ressemblent.

Wavre, c'est un peu la campagne, et le froid s'y était établi rudement. La neige avait blanchi la région, enveloppé les rues, les jardins, les arbres et la végétation.

Corinne a suivi les empreintes de pas fraîchement imprimées dans l'allée qui menait de la rue à la porte d'entrée. Elle a imaginé sa réaction lorsqu'il la verrait. Et sa femme ! Elle ne lui ferait pas de cadeau. Elle lui balancerait toute l'histoire, même si elle se demandait un peu comment l'aborder. En vérité, elle ne savait même pas pourquoi elle était là. Peut-être pour le confondre. Elle avait du mal à admettre qu'elle s'était fait berner. Tout de même ! Quelle mise en scène ! Quel déséquilibré !

M. et Mme Klidaras. Elle a pressé le bouton de la sonnette. La porte s'est ouverte sur une femme d'une quarantaine d'années, de taille moyenne, au visage mince, les traits fins, de type méditerranéen, jolie, une vraie petite poupée, cheveux noirs semés de quelques fils blancs. Les yeux étaient résolument joyeux. Corinne lui a présenté sa carte de presse.

— Madame Klidaras ?

— Oui.

— Je fais un article sur le quartier, commença-t-elle, et je...

— Entrez, a dit la femme, comme si elle l'attendait.

Elle a pénétré dans un hall qui donnait sur le salon meublé d'un canapé et de fauteuils de cuir noir. Une petite table basse sur laquelle s'étalait un puzzle presque complété. Dans la cheminée, deux ou trois bûches. Une porte-fenêtre donnait sur un petit jardin bordé d'une haie qui l'isolait des deux maisons voisines. Une modeste maison familiale, a pensé Corinne. On était loin du niveau de vie d'un illustre chirurgien esthétique.

— Il fait rudement froid tout à coup, a-t-elle dit.

— Oui, on est à la campagne. L'hiver a son charme, tout est blanc à l'extérieur. J'aime l'intimité d'un feu dans la cheminée.

Mme Klidaras a aidé la visiteuse à se débarrasser de son manteau et lui a proposé de s'installer dans le canapé de cuir noir. Elle s'est éclipsée, est revenue avec un plateau sur lequel étaient posés un service à thé, deux tasses et des biscuits.

— Je ne sais par où commencer, a dit Corinne.

— Laissez-moi vous aider. Vous venez pour me parler de mon mari, Spiros. Vous êtes la troisième en quelques mois. Malgré toutes les précautions qu'il prend, certaines arrivent à le retrouver. Toutes ne viennent pas jusqu'ici, je reçois aussi des coups de téléphone et des lettres. Êtes-vous vraiment journaliste ?

Confondue, Corinne a reposé sa tasse de thé et les deux femmes sont restées un long moment à écouter le ronflement du feu dans la cheminée. Dehors, il recommençait à neiger, de gros flocons cette fois. Corinne a senti son cœur se serrer. Quel courage ! a-t-elle pensé. Elle s'en voulait d'être venue importuner cette femme. De quel droit ?

— J'étais rédactrice en chef, répondit Corinne. J'ai démissionné il y a quelques mois, à la suite d'une grave maladie.

— Vous allez mieux ?

Elle prenait de ses nouvelles ! Comment sortir de là ? Corinne ne voulait pas lui faire du mal. Elle avait songé à l'attaquer pour confondre Spiros, mais maintenant, elle n'en avait plus envie. Elle avait en face d'elle sa sœur en damnation. Elle aussi était une femme qui aimait trop. Une femme qui subissait et qui ne pouvait pas faire autrement.

— Excusez-moi, madame, a-t-elle lancé, confuse, en faisant mine de se lever. Je ne vais pas m'attarder. J'étais venue vous parler de votre mari, en effet, mais je n'ai plus grand-chose à dire sur lui. C'est inutile. Je lui en voulais, mais...

— Attendez, a murmuré Mme Klidaras, parlez-moi. J'ai besoin d'entendre, même si je sais déjà ce que vous allez me dire. Ne croyez pas me faire du mal. C'est moi qui m'inflige ce supplice en acceptant de vous écouter.

Et comme Corinne hésitait encore, elle a ajouté :

— Il vous a raconté que son métier de chirurgien détruisait sa vie familiale et affective, qu'il partait tout le temps en congrès, que sa femme l'avait quitté, qu'il avait peur désormais de vivre en couple...

Corinne lui a déballé toute l'histoire. Quand elle s'embrouillait dans les événements, son interlocutrice l'arrêtait et demandait des éléments précis. « Poursuivez », disait-elle. Corinne lui a révélé en détail les sujets de conversation qu'ils avaient échangés, Spiros et elle. Et son frère ?

— L'incident est authentique. Son frère ne veut plus lui parler. C'est un malheur, car il l'aime profondément. Et la distance que son frère a mise entre eux deviendra un fossé difficile à combler. Un jour, ils seront vieux, et ils mourront chacun dans leur coin. C'est triste.

Elle a hoché la tête et a ajouté :

— Vous voyez, c'est parce qu'il exprime des choses qui l'affectent que les femmes succombent si facilement. Il est authentique dans ses sentiments. Toujours.

— Authentique ?

— Mais oui. Il tombe réellement amoureux. Passionnément. Il ne triche pas. Il est en adoration devant la femme qu'il convoite. Aucune autre ne compte pour lui. Évidemment, cela ne dure qu'un court moment. Mais pendant ce laps de temps, il est sincère. Les femmes perçoivent cette ferveur, voilà son secret. Ne sommes-nous pas programmées depuis la naissance pour réagir avec empressement à l'inéluctable appel de l'amour ?

— Mais il se fait passer pour un chirurgien ! Il a organisé toute une mise en scène dans son appartement. Vous appelez ça *être vrai* ?

— Mais oui, il emploie les mots que les femmes attendent. Des mots qui font mouche à tous les coups. Un employé de banque (mon mari est employé de banque) a moins de chance de réussir qu'un chirurgien esthétique. Il fait ce qu'il faut.

— Il est fort !

— Il n'est pas fort, il est fou, a rectifié Mme Klidaras.

Corinne lui a lancé un regard interloqué.

— L'empathie, c'est-à-dire la faculté de s'identifier à autrui, lui est totalement inconnue. Il ne ressent pas le mal qu'il fait. C'est un pervers. J'ai consulté, le mot est exact. On m'a conseillé de le quitter.

— Pourquoi ne l'avez-vous pas fait ?

— Parce que je suis une femme qui aime trop. Dépendante en amour. Comme vous, je suppose, puisque vous êtes tombée amoureuse de lui. Il ne choisit que les femmes atteintes du même trouble. Il se trompe rarement. De toute façon, les autres s'éloignent de lui dès les premières approches. Les attitudes que nous voulons ignorer, nous les femmes qui aimons trop, les autres – les femmes normales – les décèlent au premier coup d'œil et ne poursuivent pas la relation.

Elle attendit un moment puis poursuivit :

— Mais oui, il présente des signes bizarres : il n'est jamais disponible les week-ends, ne passe pas une nuit complète avec une femme, ne la voit que quelques heures, juste le temps de faire l'amour ; quand elle devient plus exigeante, il disparaît, ne donnant quasiment plus signe de vie, attendant qu'elle se lasse. Il ne rompt jamais lui-même, ce sont les femmes qui se fatiguent. Et le plus beau de cette duperie, c'est qu'il les prévient du déroulement de l'affaire, dès le début : « *Les femmes me quittent parce que je suis indisponible, elles se fatiguent. Je ne peux leur en vouloir.* »

Mme Klidaras sourit. Un sourire différent qui dévoilait une autre facette de sa personnalité. Un sourire empreint d'une supériorité légère, une ombre de plaisir méprisant, presque insolent et qui aussitôt a révolté Corinne, même si elle savait qu'en lui rendant visite elle lui avait tendu le bâton pour se faire battre.

Mme Klidaras a plongé son regard dans celui de Corinne, comme on plonge un poignard dans le cœur d'un ennemi. Au fond, ce qu'elle sous-entendait était clair : en ignorant les signaux d'alarme, n'êtes-vous pas responsable ? Si vous laissez la porte grande ouverte, ne venez pas vous plaindre d'avoir été cambriolée. Voilà la leçon qu'elle lui donnait.

Et pour être sûre que le coup avait porté, elle a ajouté d'une voix mielleuse :

— Spiros ne vous a-t-il pas avertie ?

Bien sûr qu'il l'avait fait, plusieurs fois même, mais Corinne entendait des plaintes et non pas des mises en garde déguisées. Elle croyait que cela concernait ses liaisons passées. Pas elle. Pas elle qui, par sa patience, sa loyauté, sa compréhension, son amour absolu, allait enfin aider ce pauvre homme abandonné à construire un foyer. Cette femme avait entièrement raison, elle était tombée dans un traquenard qu'elle avait elle-même encouragé.

Des pas se sont fait entendre dans la pièce voisine. Des pas d'homme. Corinne a tourné la tête.

— Il est là, n'est-ce pas ?

— Oui, a répondu Mme Klidaras en hochant la tête. Laissez-le tranquille. En le démasquant, vous l'avez pris en faute. C'est un mauvais perdant. Il digère son échec. C'est chaque fois la même chose, il va se cloîtrer pendant quelques jours dans son bureau fermé à double tour. C'est à peine s'il va nous adresser la parole, aux enfants et à moi. Il tape des choses sur son ordinateur. Je présume qu'il racole encore sur Internet. Il doit prendre sa revanche. Une de perdue…

Corinne a croisé les jambes et s'est abandonnée contre le dos du canapé. Elle avait besoin d'en savoir plus sur ce cinéma conjugal. Cette femme était complice. Des amants diaboliques !

Comment un couple pouvait-il fonctionner dans la tricherie ? Elle était sur le point de lui poser la question, mais son hôtesse l'a devancée.

— Ne me regardez pas comme ça. Je ne suis pas fâchée contre vous. Quand je vous regarde, je me vois. C'est quoi l'amour ? En avez-vous une définition ? Combien de gens restent en couple uniquement parce qu'ils ont peur de la solitude ? Je pourrais le quitter. Mais pour faire quoi ? Pour un autre homme, un autre vice ? Nous entretenons de nombreuses relations, mon mari et moi – des couples avec enfants pour la plupart –, nous avons aussi noué des relations cordiales avec les voisins de la cité… J'observe ce qui se passe chez tout ce petit monde. Eh bien, ce n'est pas mieux ! Souvent pire. Je connais des maris alcooliques, pédophiles, incestueux, fous, assassins, escrocs, gangsters. Leurs femmes, comment font-elles ? Moi, j'ai de la chance.

Une à deux fois par semaine, mon homme introduit son membre dans une autre femme en lui déclarant qu'il est follement épris. C'est tout.

Mme Klidaras s'est levée et s'est approchée de l'armoire basse sur laquelle reposaient les photos de famille. Elle a choisi une photographie prise sur une plage, l'a contemplée pensivement.

— Pour le reste, c'est un père modèle, il aime ses enfants et prend soin d'eux. Il m'aime aussi, dit-il. Et je le crois. Bien sûr, j'aurais préféré un mari de conte de fées, l'homme idéal qu'on nous promet depuis l'enfance, mais il semble que ce brave chevalier qui d'un langoureux baiser réveille la princesse ne vive que dans les contrées imaginaires des légendes pour enfants.

Elle s'est assise près de Corinne.

— Je suis devenue réaliste. Je n'attends pas ce qui n'existe pas. Je prends ce qui est là, et qui me fait le moindre mal. Je dis bien le moindre mal. Je ne choisis pas le meilleur, mais le moins mauvais. Si je divorçais et vivais seule, la douleur serait plus grande encore. Je me connais. Je n'ai pas le courage d'affronter l'isolement. Cela me briserait. Je suis lâche. J'ai donc fait un choix délibéré.

— Mais vous devez souffrir ?

— Vous ne souffrez pas, vous ? Je ne vous croirais pas si vous me répondiez que non. Chacun porte sa croix. Moi, je suis une femme qui aime trop. J'ai lu des tas de livres là-dessus, j'ai consulté des thérapeutes. On ne sort pas de là facilement. Pourtant, moi, je m'en suis tirée.

Elle semblait parler toute seule. Corinne aurait pu se lever et sortir sans que cette femme le remarquât, absorbée qu'elle était dans son discours.

— Voulez-vous savoir comment je m'en suis sortie ?

Son visage avait changé d'expression, ses yeux brillaient. Elle détenait un secret qui la maintenait en vie et donnait un sens à son existence. Elle protégeait jalousement ce secret comme une recette miraculeuse. Allait-elle le partager avec cette inconnue ? Elle hésitait.

— Mon Dieu ! a dit Corinne, si vous avez vraiment trouvé la formule magique, vous me sauvez la vie.

Les bruits se sont intensifiés dans la pièce voisine. Spiros installait un lit pliant. Mme Klidaras a haussé les épaules avec une grimace. Il allait se lasser en deux jours. Il n'avait jamais dit à sa femme pourquoi il s'isolait ainsi quand il était pris en faute. Il devait avoir honte, supposait-elle.

Mme Klidaras a posé sa main sur le bras de Corinne.

— Revenons à nous. Je vais vous sauver la vie. Voici mon secret : l'acceptation.

Aucun ménage n'est heureux à cent pour cent, a-t-elle expliqué. Elle faisait donc constamment la balance entre les joies et les peines. Le bonheur d'être en famille l'emportait haut la main sur les malheurs : 65 pour cent de satisfaction contre 35 pour cent de tristesse. Le bon sens la guidait. Elle préférait accepter les infidélités organisées de son mari. À part cet ennui somme toute mineur, tout allait pour le mieux dans leur foyer. Et puis, ne fallait-il pas relativiser ? Que sommes-nous dans l'univers ? Nous vieillissons, nous mourons et nous finissons en poussière. Nous vivons comme si nous étions immortels, mais nous ne le sommes pas. Nous mourons tous, c'est une évidence. Les cimetières pullulent d'amants trahis. Aujourd'hui, s'ils le pouvaient, ils ironiseraient à propos de leurs angoisses passées.

Corinne n'en revenait pas. Cette femme encourageait les agissements de son époux ! Elle voulut répliquer, mais son hôtesse la devança et continua de plus belle.

Elle lui raconte que de vieilles connaissances à elle allaient se faire fouetter une fois par semaine chez des prostituées. D'autres se faisaient sodomiser. Certains participaient activement à des rituels sataniques durant lesquels on souillait des enfants pour ensuite les immoler. Oui, on sacrifiait des enfants. Et la justice était au courant. Pourquoi personne ne parlait ? Parce que des personnalités étaient impliquées. Le monde grouille de déséquilibrés. Tenez, même le président des États-Unis, Clinton, s'est fait sucer dans un coin par sa secrétaire ! Et cet incident n'est que l'un de ceux qui nous sont divulgués ! Sa femme ferme les yeux, les avantages étant plus nombreux que les ennuis. Alors, les turpitudes de la bite de son mari, hein ? C'est la vie !

Corinne lui a fait remarquer qu'en soutenant son époux dans ses pratiques adultères elle risquait sa vie. Était-elle sûre qu'il se protégeait efficacement ? Mme Klidaras s'est mise à rire et lui a rétorqué qu'elle-même, en se laissant abuser par son mari, avait exécuté un saut périlleux. S'était-elle protégée ? Non. Pourquoi ne l'avait-elle pas fait ? Parce qu'elle avait fait l'amour avec un médecin, une autorité en matière de maladie. Voilà la première ânerie que les femmes sans jugeote – amoureuses – gobent aveuglément. La deuxième, c'est qu'un stéthoscope et quelques photos attestent une profession médicale.

On a sonné à la porte. Deux fillettes sont entrées dans le salon en se disputant. Leur mère les a aidées à enlever leur manteau et, après les avoir présentées à Corinne, les a menées à la cuisine où elle leur a servi une collation.

Corinne les a entendues demander où était leur père. Il avait un ennui sérieux avec son ordinateur.

Il fallait le laisser tranquille pendant quelques jours.

Quand Mme Klidaras est revenue dans le salon, sa visiteuse s'était volatilisée. Sans lui dire au revoir ! Elle l'avait abandonnée à ses 65 % de félicité familiale.

Cette conversation révoltante a poursuivi Corinne nuit et jour. Elle savait qu'elle ne pourrait s'empêcher, désormais, de contrôler systématiquement dans le détail le passé, le présent et même le futur des hommes dont elle ferait la connaissance, avant de se lancer dans une relation affective.

Lucide, elle a admis sa part de responsabilité dans cette tromperie. Ne s'est-elle pas donnée à un inconnu quelques heures à peine après leur rencontre ? Et n'est-elle pas tombée amoureuse aussitôt qu'il a manifesté son désarroi ? Aveugle, sourde, muette et ensorcelée, tout ensemble.

Mme Klidaras a raison sur toute la ligne : elle s'est laissé emporter par son désir d'aimer un homme désemparé qui avait besoin d'être secouru. Son fidèle et impitoyable réflexe de dépendance avait joué une fois encore. Comme avec Patrick, Adrian et les autres, tous frères siamois, attirés par son propre schéma mental. Elle a même croisé la route d'un autre Quasimodo : Alain Jespers, l'avocat d'affaires rencontré dans le train de Londres.

Londres ! Elle y a vécu des moments d'intense folie. L'empreinte indélébile de ce périple a marqué son cœur et soulevé son âme. La déesse de la Perdition, Patricia, l'a ouverte à un monde de sensations inconnu jusqu'alors. Ce n'était pas sexuel, tout en l'étant. Ils n'ont pas fait l'amour à trois, comme elle l'a d'abord pensé en voyant l'avocat s'approcher d'elles. Pourtant, ils ont sans aucun doute effleuré une dimension sacrée de l'extase. Le cérémonial du champagne lui a révélé quelque chose de tout à fait neuf. Sa structure affective s'en est, en quelque sorte, trouvée modifiée. Un peu comme si elle s'était enfin connectée à son humanité.

Après avoir bu l'alcool sur son corps, ils l'ont couchée sur le lit. Ils ont rassemblé leurs affaires et quitté discrètement la chambre. Seule, elle s'est endormie. Des rêves étranges ont peuplé sa nuit.

Quelques jours après son retour de Londres, elle a reçu un e-mail de l'avocat qui lui rappelait d'envoyer le contrat signé avec le docteur Gérald Rikson. Elle le lui a transmis aussitôt. Il a répondu dans la journée, demandant à la rencontrer d'urgence pour en parler.

Il l'a reçue à son cabinet et lui a expliqué que la convention était diablement bien ficelée. Tous ses avoirs étaient dorénavant sous la tutelle de ce Gérald Rikson. Comment avait-elle pu signer un tel document ? C'était insensé. Elle lui donnait une procuration sur tout. Il pouvait vendre ses biens, dilapider son argent, sans lui rendre de comptes. Elle se retrouverait sur la paille sans rien pouvoir tenter. Tout était parfaitement légal et inattaquable. «Je peux essayer quelque chose», lui a-t-il proposé. Mais Corinne a refusé.

— Je me suis engagée. Il m'a sortie du trou. Je lui dois la vie.

— Ce n'est pas une raison pour vous escroquer ! Ce qu'il a fait est innommable. Il a bel et bien profité d'un moment d'égarement. Je pourrais l'attaquer.

Corinne a refusé. Jusqu'ici, tout ce qu'a fait le docteur Rikson, il l'a fait pour son bien. Il lui laissait de quoi vivre, elle ne manquait de rien.

Son chevalier servant a donc abandonné l'affaire du contrat pour s'intéresser à sa personne. Il lui a déclaré son amour.

Depuis qu'il l'a contemplée nue à la lueur des bougies, depuis qu'il a bu à sa gorge, il ne peut plus dormir.

Il la désire de toutes ses forces. Il veut vivre avec elle. Il aménagera sa vie en fonction d'elle. Enfin, il a trouvé la compagne idéale, l'amour tant et tant recherché. «Merci de cette offrande divine», lui a-t-il dit au restaurant où il l'a emmenée ce soir-là.

Mais Corinne a résisté.

Elle avait encore Spiros Klidaras dans la peau. Ce n'est que bien plus tard, quand la supercherie a été découverte, qu'elle a envisagé, mais avec défiance, une liaison possible avec lui.

Son aventure avec Spiros l'avait meurtrie. Elle avait peur de s'abandonner.

Alain Jespers l'a sommée de s'expliquer. Que craignait-elle tant ? Elle a fini par lui parler de son histoire avec Spiros, de la mise en scène grotesque du chirurgien esthétique, de la complicité de son épouse. Elle n'avait plus envie d'être dupe, voilà pourquoi elle était sur ses gardes.

Il comprenait. Malgré l'appétit qu'il avait d'elle, il attendrait. Et il le fit. Pendant des semaines, il lui envoya des e-mails pleins de charme, de courts messages écrits sur son portable, des cartes postales électroniques par Internet. Il lui téléphona des dizaines de fois juste pour lui dire : «Je brûle d'amour pour toi.» Il l'invitait tous les jours dans des restaurants de charme – qu'elle refusait d'abord, puis acceptait ensuite avec l'impatience d'une jeune femme amoureuse.

Cependant, toutes ces marques d'attention, plutôt que de la rassurer, l'éloignaient de lui.

Elle a eu l'idée de téléphoner à Patricia, la déesse de la Perdition. Celle-ci lui a recommandé d'attendre et d'observer, les yeux grands ouverts. Elle avait quelque chose d'unique à apprendre de cette cour effrénée, lui a-t-elle expliqué. Tant qu'elle ne céderait pas, elle serait la reine d'Angleterre. Son galant lui offrirait la lune. Qu'elle patiente donc et jouisse de tout ce que son avocat lui proposerait. Surtout, qu'elle soit bien attentive au changement qui surviendrait forcément, une fois qu'elle aurait fait l'amour avec lui. Car il changerait d'attitude, c'était certain. C'est alors qu'elle pourrait constater si ses intentions étaient bien fondées sur un sentiment vrai.

Un week-end de février, Alain Jespers l'a emmenée faire du ski à Courchevel.

Trois semaines plus tard, ils ont passé deux jours dans une auberge pittoresque à Strasbourg. Au cours d'un voyage-surprise à Rome, ils ont flâné comme des millions d'amoureux l'avaient fait avant eux, main dans la main, parmi les édifices et monuments illustres.

Il lui offrait la lune, Corinne le constatait et ne savait plus comment refuser de lui accorder ce qu'il attendait.

Ils passaient les nuits dans la même chambre, partageaient le même lit, mais dès qu'il faisait mine d'approcher, elle lui murmurait « patience ».

Pour elle, se refuser à un homme était quelque chose de tout neuf. Il allait s'épuiser et l'abandonner pensait-elle, angoissée par la peur de le perdre. Souvent, elle était sur le point de succomber. Ne l'avait-il pas suffisamment méritée ?

Mais cette résistance était devenue comme un jeu, une expérience qu'elle voulait mener à son terme.

Et lui, il patientait comme un collégien devant son premier béguin.

Elle avait rarement vu un homme aussi respectueux. Quoiqu'elle ne lui accordât que de légers attouchements, il restait tendre et affectueux. Déjà, elle était séduite ; elle l'aimait de tout son cœur. Mais elle attendait encore, pour voir et contrôler les éventuels travers cachés.

Il l'introduisit même dans son cabinet, faisant patienter ses clients, le temps de lui prendre un baiser et de lui murmurer : « Je brûle de toi. »

Elle continuait à résister. Elle avait appris la leçon : « La femme en toi doit toujours rester inaccessible. »

Un jour, il l'a invitée dans sa famille.

— Je te présente le plus beau cadeau du monde, a-t-il dit à sa mère. Voici ma future femme.

Cette nuit-là, elle est devenue son amante. Il a répété la scène du Hilton, avec bougies et musique douce. Il l'a déshabillée lentement, debout devant le lit, a arrosé son corps de champagne qu'il a léché à petits coups avant de se jeter fiévreusement sur elle. Comme tous les nouveaux amants, ils ont manifesté sans retenue le désir qu'ils avaient l'un de l'autre. Alain fut secoué des spasmes d'un plaisir ignoré jusque-là, proclamait-il. Ce plaisir-là était nourri de passion.

Corinne, de son côté, simulait l'orgasme. Comme toujours, elle pressentait la jouissance, mais au dernier moment, celle-ci s'esquivait. « Faites semblant, lui avait recommandé son sexologue-fermier. Et un jour, vous oublierez que vous faites semblant. »

Ce fut un beau week-end. La maman d'Alain était radieuse, elle a pris Corinne à part pour lui dire combien son avocat de fils était transformé. Elle ne l'avait jamais vu dans cet état. Jamais non plus il n'avait amené une femme à la maison. C'était un signe qui ne trompait pas.

Corinne commençait à y croire. Son existence avait pris une autre tournure. Sa vie s'est transformée en romance. Ils se voyaient deux fois par jour. Déjeunaient et dînaient ensemble. Parlaient et riaient de choses anodines, comme des fiancés.

Alain Jespers occupait une belle et grande maison de maître. Il avait réservé le rez-de-chaussée à sa profession, les deux étages à sa vie privée. Il jugea qu'il en avait assez fait pour la justice et, voulant préserver sa vie intime, il avait envie de s'établir avec elle à la campagne. Une ferme, il désirait acquérir une ferme qu'ils aménageraient avec simplicité.

Ils ont épluché les annonces, prospecté les résidences vacantes, recherchant le coup de cœur. Cette chasse au trésor était l'occasion de randonnées champêtres excitantes, saupoudrées de rires et de baisers, accompagnées de sensualité, de confidences et de plaisirs partagés.

Un jour, il lui a proposé de l'épouser. De sacraliser leur rencontre. La date du mariage a été choisie d'après l'horoscope conjoint établi chez une astrologue notoire. Ce serait le 7 juillet. Santorin, une île grecque du Dodécanèse, serait le lieu rêvé pour la cérémonie.

Ils ont commencé à se pencher sur la liste des invités qu'ils convieraient sur l'île, parents, amis, clients privilégiés. Alain Jespers voulait des noces fastueuses dont tout Bruxelles parlerait.

Corinne avait fait le vide autour d'elle. Elle souhaitait vivement que sa fille, sa mère ainsi que son amie Geneviève soient de la fête. Elle a consulté le docteur Rikson qui ne l'a pas encouragée. Elle devait patienter, sa psychothérapie était à un point critique. Peut-être que, dans les mois à venir, il lèverait son interdit.

Corinne était aux anges, elle ne vivait plus que pour son amant inespéré descendu du nirvana. Elle se sentait femme comme jamais auparavant.

Du côté de sa santé, tout avait également l'air d'aller pour le mieux. Elle avait été convoquée à l'hôpital par le docteur Vrydag pour de nouveaux examens. Elle n'avait nulle envie de s'y rendre, mais Françoise Poncelet l'a persuadée d'y aller. Un contrôle approfondi ne pouvait que confirmer l'amélioration de son état.

En effet, le cancérologue a dû constater que non seulement la tumeur n'avait pas progressé d'une façon alarmante comme il l'avait prédit, mais même qu'elle avait régressé. Cela dépassait son entendement. Ce n'était pas ordinaire. Un miracle était possible, bien sûr, mais pour lui, ce curieux phénomène pouvait tout aussi bien présager une avancée menaçante dans les semaines suivantes. Il fallait rester vigilant.

Corinne lui a expliqué qu'elle consultait une naturopathe, qui lui avait prescrit un régime particulier.

Pas de laitages, céréales ni sucre; par contre, beaucoup de fruits et de légumes peu ou pas cuits, un peu de viande, du poisson et du riz complet.

Pour elle, c'étaient la nourriture et les compléments alimentaires – 40 pilules par jour – qui avaient eu raison de sa tumeur. Il n'y avait pas à chercher plus loin. Elle avait aussi abandonné l'alcool et la cigarette. Le médecin a écarquillé les yeux – avait-il bien entendu? – mais devant la mine imperturbable de sa patiente, il a fini par changer de registre et par hausser le ton.

— Vous n'allez pas me dire que vous prenez aussi de la DHEA ou de la mélatonine?

— Si. Comment le savez-vous?

— Vous jouez avec votre vie, Madame Bauwens.

Il l'a mise en garde sérieusement contre les charlatans qui profitent lâchement de la détresse humaine.

— Vous avez raison, a rétorqué Corinne sarcastique, j'ai appris à les repérer, et ce ne sont pas toujours ceux que l'on croit.

* * *

Corinne lève la tête et fixe un énorme flocon de neige, gros comme un rocher, pense-t-elle, qui vient de se coller à la vitre.

Dehors, il fait jour, mais la neige tombe comme un épais brouillard et empêche de voir à plus de quelques mètres.

La brasserie est prise d'assaut. Presque toutes les tables sont occupées. Corinne a commandé une tarte aux pommes. Ce n'est pas prévu dans son régime, mais elle a une bonne raison pour faire un écart : elle ne peut décemment pas occuper une table en ne prenant que du thé pendant toute la matinée.

Elle ouvre son carnet de rendez-vous. Le docteur Rikson lui a prescrit de répondre aux annonces de rencontres sur Internet et de voir plusieurs candidats par jour. C'est sur le nombre qu'elle trouvera l'âme sœur, a-t-il affirmé. La majorité des hommes ne recherchent que des aventures sexuelles. Mais dans le lot, elle finira par tomber sur quelqu'un d'acceptable.

Les flammes de gaz au milieu de la taverne traversent les fausses bûches et dansent dans la cheminée, en donnant l'illusion d'un vrai feu. Une illusion de plus.

Elle revient à Alain Jespers, son avocat éperdu.

Du jour au lendemain, il a espacé les coups de téléphone. Plus de messages. Plus d'e-mails. Quand il lui téléphonait, c'était pour s'excuser d'annuler un rendez-vous, car un travail urgent le retenait au bureau. Une affaire délicate. Les mots doux se sont faits rares ; il ne l'appelait plus que par son prénom : Corinne.

Il n'avait plus envie de faire l'amour, repoussait tout signe de tendresse. Lorsqu'elle a fini par lui demander ce qui n'allait pas, lors d'un dîner en tête-à-tête qu'elle a réussi – non sans peine – à organiser, il lui a avoué honnêtement (!) qu'il s'était trop avancé en lui parlant mariage, ainsi qu'avec la ferme et tout le reste. Il paniquait à l'idée de s'engager. Il vivait seul, sortait beaucoup, ne se voyait pas vieillir à côté d'une seule femme. Il n'était qu'un coureur de jupons. Il était désolé.

D'ailleurs, il voyait un thérapeute, car sa conduite le rendait malheureux. Il avait espéré que leur rencontre allait le détacher de ce schéma négatif qu'il traînait comme un boulet depuis toujours, mais c'était plus fort que lui, il se trouvait pris comme dans un cercle vicieux. Il la priait de lui pardonner. Il savait le mal qu'il faisait. Mais c'était lui le plus malheureux. Il était désespéré…

Corinne en avait assez entendu. Lui sont revenus en mémoire les jeux malsains de son ex-mari Patrick, ceux d'Adrian, de Spiros et de tous les autres !

Oui, c'était encore et toujours la même histoire.

La différence, c'est que, cette fois, elle a été consciente des attitudes de ces hommes qui avaient peur de s'engager. Elle a appris aussi, à ses dépens, qu'elle pouvait obtenir la lune « avant », mais plus grand-chose « après ». Elle ne sait pas encore très bien comment équilibrer l'avant et l'après.

Mais chaque chose en son temps. On ne devient pas femme du jour au lendemain, a-t-elle pensé.

Curieusement, ces épisodes douloureux l'ont fortifiée. Elle s'est surprise à échafauder des projets amoureux en se promettant d'être vigilante. Il lui arrive même de pouffer de rire au souvenir de la famille modèle de Spiros Klidaras.

Pendant quelques semaines, Alain Jespers l'avait fait rêver, elle qui ne rêvait plus depuis longtemps.

Heureusement, elle avait retenu les leçons de Patricia, sans quoi son aventure avec l'avocat n'aurait duré que quelques jours, le temps pour lui de faire le tour de son corps. Elle vient de comprendre le jeu amoureux. Il lui reste à l'intégrer.

Autrefois, devant ce genre d'aventures – de déconfitures – elle se serait vautrée pendant des jours et des jours dans l'alcool, ressassant son infortune avec des idées suicidaires. Personne ne m'aime. Tous les hommes sont des salauds. La vie ne vaut pas la peine d'être vécue. J'en ai marre d'être seule.

Aujourd'hui, elle veut vivre, avoir la chance de rencontrer tous les hommes du monde, les salauds et les autres.

Mais où trouver les autres ? se demande-t-elle.

***

Peut-être se serait-elle inquiétée si elle avait su que, derrière les rideaux de son bureau à la maison, Spiros Klidaras avait épié son départ. Il l'avait guettée sur le trottoir en train de se débattre avec son manteau qu'elle tâchait de maintenir sur ses épaules en courant vers sa voiture à travers les bourrasques de neige. Il avait attendu qu'elle démarre, avait décroché le téléphone et composé un numéro.

— Docteur Rikson ? Elle m'a repéré. Elle est venue jusqu'à la maison parler à ma femme… Elle va se méfier à présent. Il faut agir vite. Prévenez les autres. Que dois-je faire si elle me contacte ? Bien.

Oui, elle se serait infiniment alarmée si elle avait encore appris que son cher avocat s'était rendu immédiatement après leur rupture chez le docteur Rikson et lui avait fait un compte rendu rigoureux.

— Je ne sais pas ce qui s'est passé, Docteur Rikson, mais c'est la première fois que je tombe sur une femme qui me donne du fil à retordre. J'en ai été vraiment amoureux, pendant un bon moment. Tant qu'elle ne m'a pas cédé. Elle n'a pas réagi à ma cour. Pourtant, j'avais mis le paquet. Vous m'avez demandé de la baiser, je l'ai fait, mais ça m'a coûté cher. J'ai dû aller jusqu'à la présenter à ma mère pour lui donner le coup de grâce. Je dois dire que cette femme m'a déstabilisé. J'étais sur le point de l'épouser. Un moment, j'ai bien cru avoir réglé mon problème de non-engagement, mais ça n'a pas tenu. Plus la date approchait, moins j'arrivais à dormir. Je me réveillais la nuit en sursaut, avec des sueurs froides... Je viens de faire la connaissance d'une autre femme. Une femme distinguée, une cliente qui vient de divorcer. Elle, je l'ai sous mon contrôle. Pour l'instant, elle ne demande pas d'engagement, ni de vivre à deux, ni le mariage. Vous pensez, elle en sort! Cela me va. De plus, elle aime la baise. L'autre, Corinne Bauwens, je ne la sentais pas. Docteur Rikson, il y a trop de femmes, trop de tentations. Je ne me vois pas passer mes soirées devant un feuilleton télévisé en tenant ma petite vieille par la main. Quel cauchemar! Ne me demandez plus jamais ce genre de service, docteur, plus jamais. J'y ai presque perdu mon âme. Bon, voici mes notes de frais. Comment allez-vous me régler?

* * *

Sur la Grand-Place, la mince pellicule de neige a l'air de tenir, recouverte à chaque instant par la suivante.

Corinne consulte sa montre. 9 h 50. Il lui reste quelques minutes avant d'accueillir le premier candidat dragué sur Internet.

XIX

Cher Docteur Rikson,

Il y a longtemps, j'étais morte. Je n'arrive plus à me rappeler le siècle de mes désespérances. C'est si loin. Était-ce moi cette femme détruite ? Comment ai-je pu déchoir à ce point !

À ma dernière consultation, je vous ai raconté mes déboires avec mes deux filous, le chirurgien esthétique et l'avocat romantique (je le regrette, celui-là, c'était un amant idéal, même s'il ne m'a pas fait jouir).

Après les deux pieds nickelés, vous m'avez collé Michel Lissens, dit le bronzé. Vous m'avez demandé un rapport détaillé. Je prends sur moi l'initiative de le résumer, sinon je serais bien capable d'écrire un livre là-dessus (l'idée fait son chemin, je n'ai pas été journaliste pour rien).

Donc, je me suis connectée sur le site Internet de rencontres que vous m'aviez indiqué et j'ai tout de suite trouvé notre homme : photographié avec des lunettes de soleil sur le crâne, un peu beaucoup m'as-tu-vu.

Voici comment il se décrit : Homme de 36 ans – cherche femme pour « activités » – Métier : Manager commercial – Célibataire – Signe astrologique : lion – Plats favoris : italiens – Acteurs préférés : Al Pacino, Andy Garcia – Style de voiture : Porsche 911 – Style de vacances préféré : Club Med – Renseignements complémentaires : Je veux rencontrer des femmes qui ont une vie active et qui sont un peu amusantes et fofolles. Je suis un homme du type « fou de vivre ». Faire l'amour, pour moi, est une fête, une réjouissance, un gala, un festin. Je cherche une femme sans tabou pour qui tout est autorisé, permis, goûté comme des mets raffinés.

Il répète sur le site ce qu'il vous a déballé en consultation. Je me demande si les femmes réagissent à ce genre de proposition débile. Je soupçonne que oui, sans quoi il aurait depuis longtemps modifié son exhibition pour lycéennes de 15 ans. Les assoiffées d'amour (comme je le fus) tombent dans n'importe quel traquenard, aussi énorme soit-il.

Je lui ai transmis une photographie de moi assez provocante (minijupe, corsage décolleté), accompagnée d'une déclaration discrète (« je vous trouve authentique ») insinuant que je corresponds au type de femmes qu'il cherche. Je suis sélective, car sensible, et je ne veux plus souffrir. Je sors d'une relation déchirante. Les hommes ne sont pas doux quand ils nous laissent. Relation publique d'une multinationale pharmaceutique, je suis fréquemment en voyage d'affaires. Je désire néanmoins rencontrer un homme qui puisse m'apporter de la tendresse et de la stabilité. Moi aussi, je considère une liaison sentimentale réussie comme un mets raffiné à savourer. J'adore faire l'amour dans une ambiance tamisée par le rayonnement de bougies, aux accents des harmonies divines de Mozart. Vous voyez, je suis irrémédiablement romantique.

Je lui ai filé mon numéro de téléphone portable et mon adresse e-mail. Il a répondu aussitôt (il devait être en manque) et nous avons fixé un premier rendez-vous le lendemain soir à 19 h, au Roy d'Espagne, comme vous vous en doutez.

Dès qu'il m'a aperçue près de la fenêtre, j'ai su que j'avais fait mouche. Il avait l'air empoté comme un puceau sur le point de passer à l'acte pour la première fois, le trac des stars, ne sachant comment se tenir, peur de rater son entrée. J'ai dû le prier par deux fois de s'asseoir à ma table.

Il a pris un scotch, ce qui l'a un peu détendu. Au deuxième, il s'est rappelé qu'il avait une prestation de charme à exécuter. Il a redressé les épaules, souri en coin à la Brad Pitt, et il a attaqué son discours de prédateur.

Son numéro de séduction m'a émerveillée. C'est du moins ce que je lui ai laissé croire. Me voyant défaillir d'admiration devant son fabuleux plaidoyer, il a accentué son discours d'une manière plus que suffisante (c'est un mâle !). Les femmes le harcelaient, oui, mais aucune n'était à son goût, il recherchait une femme de classe, sérieuse mais pas trop ; sa Porsche provoquait quelque jalousie de la part de ses collègues ; professionnellement, il était sur le point de récolter une promotion de manager général des ventes pour l'Europe, juste reconnaissance de son talent d'excellent manager commercial...

Nous nous entendions si bien – je ne faisais que l'écouter. Pourquoi ne pas prolonger notre première rencontre dans un ravissant resto branché ? Je n'étais pas libre ce soir, je voyais un copain, et malgré mon irrésistible désir, je ne pouvais pas annuler ce rendez-vous. Il n'avait qu'à me téléphoner. Je n'avais pas mon agenda sur moi.

Il m'a appelée le lendemain matin. Il avait rêvé de moi. Je courais pieds nus sur une plage de sable fin, au bord de l'eau. Il me talonnait, mais avait du mal à me rattraper. Était-ce un signe ?

Il avait le sentiment d'avoir enfin trouvé la femme sérieuse mais également amusante et fofolle qu'il recherchait. Le genre de compagne avec qui il aimerait construire quelque chose de durable. Aucune rencontre ne l'avait autant bouleversé.

À partir de là, nous nous sommes vus régulièrement. Un flirt poussé, sans plus. Pour le tenir en haleine, je lui octroyais à chaque rendez-vous davantage de mon corps, excepté ce qu'il convoitait.

Inévitablement, comme tous les autres avant lui, il a mis le paquet, question séduction : envois quotidiens de fleurs, deux à trois e-mails par jour, cartes drôles, lettres tendres, cadeaux, invitations dans les endroits en vogue.

Le fait que je me refuse à lui le dérangeait moins que mon indisponibilité quand il téléphonait. J'avais d'autres rendez-vous. Avec qui ? Je restais évasive. Ça le rendait fou.

La femme en toi doit toujours rester inaccessible.

C'est ma règle, à présent, Docteur Rikson. Quelquefois, c'est dur, seule devant la télévision. Surtout quand le gars vous plaît. Parce que, bien sûr, je n'ai pu m'empêcher de tomber amoureuse, ben oui (ne riez pas). Il est grand, sportif, c'est un charmeur. Il sait y faire. Mes leçons d'éveil sexuel me donnaient envie d'aller plus loin, mon corps le désirait. Mais je savais que si je cédais trop vite, je le perdrais.

Mon sexologue-fermier a développé une théorie intéressante sur les relations hommes-femmes. Selon lui, « chez les animaux, le mâle doit faire sa promotion en se pavanant. Quitte à simuler, tricher, exagérer ses atouts. C'est la loi du plus fort. Seuls les meilleurs perpétuent l'espèce. Cela nécessite qu'ils exhibent leurs avantages. Les femelles observent et évaluent. Les mâles plus convaincants pourront copuler, les autres non. C'est tout bénéfice pour la descendance qui sera d'autant plus vigoureuse. Imaginez un instant que ce soient les plus faibles qui s'accouplent ! La race serait nivelée par le bas ; la descendance, chétive, finirait par s'éteindre. »

Rien de fondamentalement différent chez les humains. L'homme étale son pouvoir : force, beauté, intelligence, argent, statut social. La femme examine et apprécie. Elle n'a pas droit à l'erreur. Si elle se trompe, par exemple parce qu'elle est en manque d'amour, et qu'elle élit un géniteur irresponsable, elle le payera très cher. Le père – qui doit être présent le temps d'élever et de protéger les petits – risque en effet de mettre les voiles pour copuler ailleurs. Et sans protection, la progéniture a peu de chance de grandir harmonieusement.

La chevauchée effrénée des hommes infidèles serait en quelque sorte génétique. Elle serait ordonnée dans le but de perpétuer l'espèce. L'homme qui a réussi – le succès prouvant l'excellence – est fortement sollicité par la gent féminine (c'est vrai dans tous les domaines – chanteurs, sportifs, écrivains, politiciens, hommes d'affaires...). Ses chromosomes sont programmés pour enfanter des êtres d'exception afin que la race se perpétue.

La morale sociale confirme d'ailleurs ce dogme darwinien. L'intérêt ultime de la société n'est-il pas d'engendrer des prix Nobel ? Nos mâles – les prototypes supérieurs – reçoivent de la collectivité la permission de déposer leurs petites graines chez le plus grand nombre possible de femelles en âge de procréer (voilà pourquoi ces messieurs préfèrent les lolitas). La communauté glorifie les conquérants virils. Les Don Juan ne sont-ils pas considérés avec indulgence ?

Le contraire n'est pas vrai. Discrimination sexuelle ? Certes ! Paradoxalement, les femmes perpétuent ce phénomène en incitant leurs fils, et avec quelle fierté ! à multiplier les aventures amoureuses[1].

Ces mêmes femmes, par contre, doivent impérativement attester leur sens de la fidélité, car il est hors de question pour le mâle de s'investir dans l'éducation d'enfants dont il ne serait pas certain d'être le père.

Une femme qui affiche trop sa sexualité est donc une pute – bien sûr ! – ardemment recherchée et honorée pour la bagatelle, mais exclue en tant

---

1. Robert Wright, *L'Animal moral*, éd. Michalon, 1995.

que mère. Pour le long terme, on lui préférera une sainte ou une madone (frigide, si possible – et là, j'ai ma chance).

Tout ce mécanisme échappe à la conscience, et mon bronzé tente par tous les moyens de me fasciner afin de glisser sa petite graine dans mon giron. Moi, pendant ce temps, je le regarde, l'évalue, et j'estime... qu'il n'est pas apte à cohabiter au quotidien.

J'ai l'œil, non ? J'admets avoir suivi un entraînement de choc.

Que pensez-vous de cette psychologie évolutionniste, docteur ? Cela ne change-t-il pas la donne thérapeutique ? À quoi bon consulter un psy pour des démangeaisons extraconjugales, alors qu'il ne s'agirait que de causalité naturelle ! Conseillez à vos patients de baiser gaiement à tout vent au lieu de les inciter à cultiver leurs frustrations en maintenant un ménage chancelant. La fidélité d'un couple, n'est-ce pas très égoïste par rapport à ce que demanderait la perpétuation de l'espèce ?

Mais revenons à mon mâle du moment, votre Michel Lissens. Selon l'enseignement reçu, je devais donc, pour me l'attacher, me montrer aguichante sexuellement – pas trop cependant – et surtout obstinément fidèle à un seul individu : lui, l'homme de ma vie. Je jouais serré. Avoir des amis pouvait passer pour du marivaudage, et ne pas en avoir me dépréciait puisque aucun homme ne me sollicitait. Quel casse-tête !

J'ai également assimilé le fait que, en ne cédant pas trop facilement, j'augmente ma valeur d'épouse hypothétique et j'obtiens la lune à chaque coup : il m'a proposé le mariage.

Finalement, après m'être bien fait désirer et beaucoup gâter, je me suis laissé entraîner chez lui, et nous avons consommé le festin.

Il est assez fort au lit. Je veux dire par là qu'il bande plusieurs fois de suite sans se fatiguer. Malgré toute son ardeur, je n'ai toujours pas joui (je commence à désespérer).

Cette nuit-là, Docteur Rikson, pour la première fois, j'ai innové. Je me suis levée, habillée, j'ai appelé un taxi et je suis rentrée chez moi. J'avais inventé un congrès le lendemain à Montréal. Je l'appellerai dès mon arrivée au Canada. Il a été surpris que je m'éclipse en pleine nuit. Car nous, les femmes, nous désirons tellement dormir avec l'élu qui nous a transportées plusieurs fois au septième ciel !

Bien sûr, je ne lui ai pas donné de nouvelles pendant cinq jours. Coupé, mon téléphone.

À mon soi-disant retour, aussitôt que j'ai reconnecté mon portable, il m'a appelée. Furieux. Il bafouillait, le pauvre. Il s'était inquiété. Il m'avait laissé des dizaines de messages. Comment se faisait-il que je n'aie pas pensé à lui et que je ne l'aie pas appelé une seule fois ? J'avais des réunions importantes, il devait me pardonner, j'étais entourée. La nuit aussi ? La scène ! Je peux passer ce soir ? Justement, non, pas ce soir, mon chéri, j'ai un repas d'affaires. Disons… dans deux jours. Il est resté sans voix. Dans deux jours !

Merci déesse de la Perdition, merci sexologue-fermier, merci Docteur Rikson ; je suis devenue une femme qui a pris en main les rênes de sa vie affective. Je peux décrocher la lune. Ou plutôt, j'ai appris la marche à suivre pour inciter les hommes à me la décrocher. C'est même devenu un peu trop facile.

Je me suis bien amusée avec Michel Lissens. Il est drôle et désarmant. Toutes les femmes doivent lui tomber dans les bras. L'amour, pour lui, est un art. Au lit, c'est un amant exceptionnel, très attentif aux besoins de l'autre. Il sacrifierait même sa jouissance pour celle de sa partenaire. Il prend son temps, fait tout ce qu'il faut pour qu'une femme soit satisfaite. Il m'a fait le coup de la sodomie, puisqu'il est tombé amoureux fou de mon cul. Là aussi, j'ai feint l'engouement. Souvent, je suis même allée au-devant de ses désirs. Là, il perdait carrément la tête. Et le lendemain, comme par hasard, j'étais « en congrès », cloîtrée chez moi, devant la télévision.

Il devenait jaloux. M'interrogeait sur mes activités quand je ne le voyais pas. Sport, danse, cinéma avec des amis.

— Quels amis ?

— Des amis.

Il ne me sentait pas tout à fait à lui. Je lui échappais. Pour me prouver son amour, il s'est retiré du site Internet « Rendez-vous ». J'ai vérifié. Il l'a vraiment fait. Il voulait m'épouser, disait-il. Je lui avais rendu le goût de vivre à deux. Mais je restais fuyante.

Alors il en remettait. Voulait inviter mes amis invisibles, lors de petites fêtes qu'il projetait d'organiser.

Docteur Rikson, j'aurais pu, je crois, parvenir à me faire épouser. Oui, cet homme qui a peur de l'engagement était prêt à s'engager avec moi. Mais pour combien de temps ?

Je l'aimais. Il représentait le type d'hommes pour qui je vibrais. J'étais la femme indispensable qui pouvait le sortir de son cercle vicieux.

Lui apporter la stabilité et la chaleur d'un foyer uni. Je pouvais l'aider.

Mais je ne le voulais plus. Je n'étais ni infirmière ni thérapeute. S'il avait des problèmes d'engagement, il n'avait qu'à s'en occuper. Je n'avais ni le désir ni la force de me perdre là-dedans. Je sais aujourd'hui la différence entre une amante et une nurse. Je ne veux plus être la seconde.

Michel Lissens a représenté pour moi un cours de séduction. Il était mon devoir d'écolière. Grâce à lui, je me suis octroyé un dix sur dix en travaux pratiques.

Pour la première fois de ma vie, j'ai rompu avec un homme. Je l'ai jeté, moi qui ai toujours été jetée. Ça m'a fait mal quand même, car je savais ce qu'il devait ressentir.

Il a pleuré, comme un gamin. M'a relancée sans trêve.

— J'ai besoin de toi, insistait-il. Tu es la femme que je cherchais désespérément. Je suis un séducteur, c'est vrai, mais tu sais, toi, que ce n'est qu'une façade. J'ai besoin d'amour. Je suis faible, j'ai besoin de ta force. Depuis que je te fréquente, je ne vois plus aucune autre femme.

— Michel, tu as besoin d'être entouré. C'est ta nature. Et moi, je ne veux plus d'un homme qui triche, qui mente et qui combine.

— Je suis en train de changer. Je vois un psy. N'est-ce pas la preuve que je veux m'en sortir ?

— Quand tu en seras sorti, reprends contact, si je suis libre, nous verrons... À ce moment-là, ce sera peut-être un autre genre de femme qu'il te faudra.

J'avais des doutes. Ma présence n'allait-elle pas le remettre sur le droit chemin ? Et si ça marchait, nous deux ? Si je nous donnais une chance ? Il suffirait de mettre un cadre et de s'y tenir. Il m'a fallu une force incroyable pour me convaincre qu'il y a un monde de différence entre l'amour et la relation.

Michel est un impuissant de la relation.

Un jour, j'ai trouvé le hall de mon étage tapissé de fleurs, et même les marches de l'escalier. C'était lui. Touchant. Il m'a donné la lune. Mais je n'en avais plus besoin. À présent, elle est à ma portée.

Après cette première rupture, j'ai poursuivi la nouvelle mission que vous m'aviez assignée. Je me suis livrée corps et âme sur le site Internet amourseduction.com – photo à l'appui.

Mon annonce a suscité plus de neuf cents réactions ! Je n'en revenais pas. Après un tri impitoyable, j'ai rencontré environ quatre cents hommes à raison de cinq rendez-vous par jour, tous les jours, pendant trois mois.

Je ne vous dis pas la misère humaine à laquelle j'ai dû faire face lors de cette épreuve. Les tordus et les obsédés pullulent autour de nous. Derrière le bon père de famille qui pousse son caddie dans les rayons d'un grand magasin se cache un tourmenté en puissance.

Je vous passe aussi les propositions impensables qui m'ont été adressées. Avec souvent de l'argent à la clé. Vous qui œuvrez dans les coulisses de l'humanité, vous devez savoir à quoi je fais allusion. Comprenez bien, Docteur Rikson, je ne la juge pas, l'humanité. Je n'en ai pas le droit, moi qui reviens des limbes. J'en pénètre l'autre facette. Derrière la façade de la respectabilité se cache l'inavouable. Il fait partie intégrante de la création, et loin de moi l'idée de le rejeter. Étrangement, je trouve l'arrière du décor émouvant. L'indécent, le honteux, le malhonnête, la fripouille, l'indécis, l'infidèle, le tricheur... ne sommes-nous pas tout cela aussi ? Une indicible perfection se dégage de tout cela, celle de la vie.

Je comprends enfin l'affolement des copines qui se sont hasardées à éplucher les petites annonces de rencontres à la recherche du prince charmant. Elles courent toujours, écœurées. Elles ignorent qu'il faut creuser profond pour trouver l'émeraude, que sur des centaines de prétendants, on risque bien de n'en trouver aucun. Alors, avec leurs douze réponses et leurs quatre rendez-vous...

Une entreprise qui recrute du personnel examine avec soin des centaines de candidatures avant d'embaucher le bon postulant, passant souvent une deuxième, voire une troisième annonce.

Trouver l'âme sœur est une quête, la plus noble de toutes, qui engage la vie tout entière. Pourquoi abandonner si vite ? Ne vaut-elle pas que l'on se donne du mal ? Que l'on souffre ? Que l'on soit déconcertée ? Fatiguée ? Écœurée, s'il le faut ?

J'ai entrevu chacun des prétendants triés en dix minutes, le temps de leur dire que j'avais rencontré l'homme de ma vie la veille (le moyen le plus aisé pour me débarrasser des fâcheux – croyez-moi, j'en ai essayé des trucs). J'en ai escorté plusieurs pendant un mois ou deux (les attentionnés). Quelques-uns étaient à mon goût, et je les ai goûtés. J'en ai mis deux ou trois de côté pour les soirs de blues.

Cependant, j'ai gardé le contrôle de la relation. Quelquefois, il m'est arrivé de vibrer (sans orgasme). Deux fois, je suis tombée amoureuse. Mais comme une femme qui ne s'engage pas. À la façon des hommes, qui, autrefois, m'ont fait tant de mal.

Et maintenant, Monsieur le psy hors normes ?

Je suis vivante, mais sans orgasme. Est-ce ma limite ? Si c'est le cas, je l'accepte, je suis déjà plus que satisfaite de ma vie actuelle.

Je voudrais revoir ma fille. Mon amie Geneviève. Mes copines.

Mes parents, mes frères et sœurs. J'éprouve la nécessité de retrouver les membres de ma famille et de me réconcilier avec eux.

De faire la paix avec toute la communauté.

De me remettre au travail.

Suis-je guérie, docteur ?

Avec tout mon amour,

Votre patiente,

Corinne Bauwens.

P.-S. Je vous adresse ce rapport des Maldives où vous m'avez envoyée pour dix jours. Il n'y a pas à dire, vous avez du goût : l'endroit, l'hôtel, la mer, le ciel, tout est paradisiaque. Ma thérapie me coûte les yeux de la tête. Je vous prie de réapprovisionner mon compte courant, la note de l'Éden va être salée. Merci d'avance.

XX

Le transfert de l'aéroport de Malc à l'hôtel se fait en hy-
dravion. Pendant les quarante-cinq minutes de vol,
Corinne est restée le nez collé au hublot. Elle contem-
plait une carte postale. Le paradis existe donc ; pour y
accéder, il suffit d'y mettre le prix.

La voici enfin au cœur de la lagune, « les pieds
dans l'eau ». L'air est chaud, l'horizon lointain, la mer
peinte en pastel azur.

Un bateau-taxi la mène à l'hôtel, en compagnie de
sept autres passagers.

Son bungalow de luxe, climatisé, est planté dans
l'eau. La chambre donne sur une immense terrasse-
solarium avec vue sur la mer. À travers les lattes de
bois de la terrasse, elle peut observer les poissons
colorés qui glissent dans l'eau cristalline.

Sur l'îlot, il n'y a que l'hôtel. Pas de routes, de magasins, d'habitations, d'autochtones.

Rien à faire, qu'à se laisser vivre.

La seule distraction possible est la plongée sous-marine.

Mais Corinne n'est pas venue là pour scruter la faune subaquatique. Elle caresse un autre dessein. Le docteur Gérald Rikson l'a envoyée là dans un but bien précis.

À sa dernière consultation, il lui a fait une suggestion hypnotique, «*elle allait faire une rencontre intime... très intime... excitante... au cœur de sa féminité... qui allait se réveiller... comme un volcan en... éruption... elle allait être bouleversée dans sa chair... son corps allait reprendre vie... quand elle ne s'y attendrait pas... une rencontre particulière avec un homme et une femme... une expérience attendue... depuis longtemps... une réconciliation avec elle-même... et cela se fera tout simplement... quand elle ne s'y attendra pas... une surprise... et son corps apprendra... et pourra recommencer... à l'avenir... parce qu'il aura appris... et elle entreposera cet apprentissage dans son magasin de souvenirs... elle pourra y faire appel à tout moment... seule... ou accompagnée...*»

Elle laisse passer les heures et les jours à nager, à se promener au bord de l'eau. De sa terrasse, elle contemple le panorama immuable de l'horizon qui rejoint la mer au loin. Elle caresse des yeux le coucher du soleil avant de s'habiller pour aller dîner. Elle a emporté quelques livres de diététique et de mise en forme. Les romans l'ennuient profondément. Des histoires inventées, dans lesquelles elle n'arrive pas à embarquer. Sa vie est un roman. Elle se dore aux rayons du soleil, sans se poser de questions sur son avenir. Quelqu'un s'en occupe...

C'est le cinquième jour qu'a lieu la rencontre.

Corinne était là pour une semaine. Il lui reste deux jours, et elle se demande ce qui va se passer, car elle ne voit rien se préciser.

Cet après-midi-là, elle est allongée sur la terrasse, nue. Elle aperçoit une forme humaine qui nage vers son bungalow. Un plongeur, sans doute, qui explore les fonds marins. Mais le plongeur s'approche lentement de la terrasse, s'agrippe à l'échelle de bois. C'est une femme. Une Eurasienne, la trentaine, aux cheveux d'ébène longs et luisants et à la poitrine ferme et provocante. Une très belle créature, en vérité. Corinne contemple ce corps mince, sculpté et musclé. La perfection. Un visage long, des yeux bleus, des lèvres fines.

La créature la fixe un très long moment avant de prononcer deux mots :

— Gérald Rikson.

Corinne se lève. Elle est nue, mais ne s'en soucie guère. Elle fait signe à l'inconnue de s'avancer.

L'Eurasienne s'approche de Corinne, qui recule.

La femme enlève son maillot. Corinne connaît alors un moment de confusion extrême. Un pénis lui apparaît, en érection.

C'est une femme et un homme à la fois.

La créature approche encore, pose les lèvres sur les siennes. Étrangement excitée, Corinne recherche la langue de l'Eurasienne. Elles restent ainsi, debout, à se toucher et à s'embrasser.

Ensuite, elles s'allongent sur le lit, explorent chaque recoin de leur chair, lentement, perdant la notion du temps qui passe.

Cette femme – ou cet homme – a toute la délicatesse et la force de l'amour. Homme et femme réunis. Le yin et le yang. Féminité et masculinité.

C'est là, face à l'océan Indien, que Corinne fait vraiment l'amour pour la première fois.

L'excitation monte et déferle en elle comme une onde venue de l'océan, qui l'emporte dans un orgasme infini, sous des vagues de caresses délicates, de baisers saphiques et de pénétrations viriles.

C'est comme si elle faisait l'amour avec elle-même. Enfin, elle découvre cette chose inconnue qui toujours lui a manqué : la part féminine de l'homme. Quelque chose en elle a toujours rejeté l'homme, car il prend mais ne donne pas. Elle vient de rencontrer le chaînon manquant, la féminitude de l'homme.

Elle s'est réconciliée avec le mâle.

Pour la première fois, elle déborde d'amour. Elle aime la femme en l'homme et l'homme en la femme. Les deux réunis, complémentaires.

Elles sont restées de longues heures à s'aimer, unies, comme fondues l'une à l'autre, sans dire un mot. Juste des chuchotements, des murmures et de petits cris d'animaux comblés.

Au soir tombant, l'amazone est repartie comme elle était venue, en silence, et l'eau s'est refermée sur elle.

Corinne reste étendue sur le lit, heureuse, comblée, reconnaissante. Des larmes de gratitude coulent sur ses joues, tandis que sa main caresse doucement son pubis.

Et les orgasmes se succèdent, comme des vagues, jusqu'au lever du jour.

Jamais elle n'a revu l'étrange créature, mais elle l'a identifiée dans chacun des hommes qu'elle a aimés par la suite. Dans l'homme, elle recevait la femme.

XXI

L'avion a atterri à Zaventem à 23 h 30. Corinne récupère sa voiture au parking et retrouve la circulation, les embouteillages, les coups de klaxon. La ville. Avec un soupir, elle se rappelle l'immensité bleutée qu'elle vient de quitter. Elle a vécu toutes ces années dans une telle petitesse !

Il est temps pour elle d'occuper plus d'espace dans sa vie. Maintenant qu'elle est en quelque sorte une femme achevée, elle a décidé d'introduire de la magie dans son existence.

Il y a de la lumière à la fenêtre de son appartement. Aurait-elle oublié d'éteindre ? Il lui semble pourtant bien que...

Prudente, elle sonne chez elle et attend. Comme si quelque chose, mystérieusement, l'avertissait.

— Oui ?

Il y a quelqu'un chez elle. Julie ? Elle ne reconnaît pas sa voix. C'est une voix de femme mûre qui lui a répondu.

— Je suis Corinne Bauwens, dit-elle.

— Oui ? insiste la voix qui, manifestement, ne la reconnaît pas.

S'est-elle trompée de sonnette ?

— Je suis Corinne Bauwens et j'occupe le penthouse, le dernier étage. Je me suis trompée de sonnette ?

— Non, vous êtes bien à l'appartement du dernier étage. Nous venons d'emménager. Nous sommes les nouveaux propriétaires.

Corinne reste un moment sans voix.

Il l'a fait ! Le docteur Rikson a profité de son absence pour vendre son appartement.

— Puis-je vous voir quelques instants ? demande-t-elle, la voix tremblante.

Elle entend le déclic de l'ouverture de la porte. Elle prend l'ascenseur.

La porte de l'appartement est ouverte, et une femme d'une quarantaine d'années l'attend sur le palier.

— Je ne comprends pas..., commence Corinne.

— Entrez, dit la dame.

Corinne fait quelques pas à l'intérieur et pousse un cri : ses meubles ont disparu, remplacés par d'autres.

— Où sont mes affaires ?

Un homme, assis sur un divan de velours rouge, se lève.

— Nous sommes les nouveaux propriétaires, dit-il. Nous venons d'emménager il y a quelques jours à peine. Vous devez être Madame Bauwens, à qui nous avons acheté cet appartement, par l'entremise de votre notaire, Me Guillaume Van Acker.

Corinne se sent mal. Elle s'assied. Et elle apprend la nouvelle dans les détails.

Ils ont vu une annonce quelques mois plus tôt, et y ont répondu. Ils ont traité avec un certain Rikson. Il s'est présenté comme le fondé de pouvoir de Mme Bauwens qui ne voulait pas être dérangée. Il leur a fait visiter les lieux un soir où elle était absente. Le prix leur convenait, et ils ont signé. Tout a été réglé légalement. Ils ont la copie de l'acte, elle peut y jeter un coup d'œil. Le bien a été acheté au-dessus du prix, mais ils voulaient un penthouse dans ce quartier, et ils ont fait ce qu'il fallait.

Corinne, assommée, compose le numéro de téléphone du docteur Rikson, mais ce numéro «n'est pas attribué». Elle essaye plusieurs fois, toujours sans succès.

Elle quitte l'appartement et se rend chez lui. Mais là encore, une surprise de taille l'attend: le rez-de-chaussée est vide. Elle jette un coup d'œil par la fenêtre et constate que ce qui était une salle d'attente dix jours auparavant n'est plus qu'une pièce vide, sans aucun mobilier. Même la plaque professionnelle de la porte d'entrée a été enlevée.

Une affiche «Rez-de-chaussée à louer pour profession libérale» est collée sur la vitre, avec un numéro de téléphone qu'elle compose aussitôt sur son portable.

Elle tombe sur le répondeur d'une agence immobilière, qui lui conseille de téléphoner pendant les heures de bureau.

Corinne prend une chambre dans un hôtel du centre de la ville et attend le lever du jour. Pas moyen de fermer l'œil!

Elle ne peut imaginer ce qui s'est passé. Le docteur Gérald Rikson, un escroc! Elle a fait confiance à cet homme, entièrement, depuis le début. Quelle naïveté!

Elle lui a donné une procuration sur son compte. Il a dû le vider et prendre la fuite. Pourquoi son numéro de téléphone n'existe-t-il plus ? Que va-t-elle devenir ? Plus de travail, plus d'appartement, plus d'argent, plus d'objets personnels. Brusquement, elle réalise qu'elle n'est plus rien.

D'une certaine manière, elle s'est suicidée. Avec succès, cette fois.

Elle tente de se rassurer en se disant que tout cela n'est qu'un coup monté du médecin. Elle a voulu se supprimer et voilà qu'elle n'existe plus. Mais ce raisonnement ne tient pas. L'homme a vraiment disparu, et ce sont de vrais acheteurs qui ont acquis son appartement. Elle doit attendre le matin, un matin qui n'arrive pas.

Le sommeil la prend subitement. Le repos souvent se moque de ce qui nous arrive. Quelles que soient les circonstances de la vie, on finit toujours par sombrer dans l'inconscient. Le corps sait ce dont il a besoin, et à quel moment, et pourquoi il nous coupe du monde. Corinne sort de son histoire, le temps de recharger ses batteries.

À sept heures du matin, elle est tirée du sommeil par du bruit dans la chambre voisine. Un voisin lève-tôt prend sa douche sans se soucier d'elle.

Qui d'ailleurs se soucie d'elle ?

Elle a du mal à reprendre pied. Hier, elle était aux Maldives, s'éveillant à l'orgasme, femme enfin totalement. Aujourd'hui, elle ouvre les yeux dans une chambre d'hôtel anonyme. Il lui faut quelques instants pour se rappeler qu'on lui a volé son appartement.

Il est trop tôt pour entamer la moindre démarche. Elle décide donc de faire sa toilette et de descendre au petit-déjeuner.

Ce sera toujours ça de fait. Elle est encore vivante. Il reste de l'espoir.

Elle ne prend que des fruits. Ses malheurs ne l'éloignent pas de sa nouvelle façon de se nourrir ! Elle s'en rend compte et se met à rire.

Puis elle pense à son amie Geneviève. Celle-là… ! Elle l'a poussée dans la gueule du loup.

Elle compose son numéro.

« Le numéro que vous avez composé n'est pas attribué… »

Qu'est-ce que c'est que cette histoire ? Le monde entier semble conspirer contre elle.

Elle quitte l'hôtel et se rend tout droit chez Geneviève.

Elle appuie longuement sur la sonnette, comme si sa détermination avait le pouvoir de faire apparaître son amie.

C'est Albert, le mari de Geneviève, qui lui ouvre la porte, affolé par son insistance.

— Corinne, tu peux arrêter de sonner ! Je suis là…

Elle lui sourit, un peu gênée, l'air égaré.

— Je ne sais pas ce qui m'arrive… Je suis désolée.

Il l'observe en silence et l'invite à entrer.

Elle pénètre dans la salle de séjour qu'elle connaît bien et se dirige vers la véranda.

Combien de soirées n'ont-elles pas passées là, à siroter un Irish Coffee tout en devisant sur les hommes et sur leurs amours perdues et retrouvées ? C'était au temps où Geneviève était célibataire. Puis elle a rencontré Albert, et leurs rencontres se sont espacées. Les soirées dans la véranda n'avaient plus le même charme ; un homme entre elles et tout était différent. La grâce avait disparu.

Elle s'assied sur un canapé d'osier recouvert de coussins habillés de cotonnade blanche.

Albert, debout, continue de l'observer.

Il attend qu'elle s'explique. Elle le fixe sans le voir. Elle se dit que Geneviève va descendre et tout éclaircir, enfin.

— Tu veux boire quelque chose ?

Corinne n'entend pas.

— Geneviève est occupée ? demande-t-elle.

Albert s'assied en face d'elle.

— Corinne, j'ai l'impression que tu ne vas pas bien. Qu'est-ce qui t'arrive ? Je pensais que tu étais au courant.

— Au courant de quoi ?

— Geneviève m'a quitté. Définitivement. Elle est tombée sous le charme de son thérapeute, un certain Gérald Rikson. Ils s'aiment et vivent ensemble. Je pensais que Geneviève t'en avait parlé. Tu es sa meilleure amie.

Corinne a une soudaine envie de whisky. Un verre, juste un. Une énorme sensation de brûlure, qu'elle doit apaiser. Une goutte ou deux. Elle voudrait demander à Albert, mais quelque chose en elle la retient. N'est-ce pas dans des situations comme celles-ci qu'il lui faut tenir bon ? Des drames, elle en a vus, et elle en verra d'autres. Il y a mille raisons de se remettre à boire, mais aucune n'est suffisante.

Se suicider, non, elle ne le veut plus. Elle veut vivre, au contraire, et comprendre.

Elle secoue la tête, se rapproche d'Albert et lui raconte toute l'histoire, depuis le début. La tentative de suicide, le réveil, la carte de visite du psychiatre « Surtout n'y allez pas ! » et toute sa thérapie complètement dingue.

— Surtout n'y allez pas ! répète-t-il. Et tu y as foncé.

— Où est Geneviève ? Je veux la voir et lui parler.

— Je l'ignore. Je me suis renseigné, comme toi, auprès de ses amies, et aussi à l'hôpital, elle est partie sans laisser d'adresse. Elle a quitté son emploi sans prévenir personne. Un matin, elle ne s'est plus présentée. Personne ne sait rien. Cela fait dix jours maintenant. Moi aussi, je me suis rendu chez ce fameux psychiatre. Comme toi, je n'ai pu que constater qu'il a mis la clé sous le paillasson. Cela semble inimaginable… à moins que… Tu es riche ?

— Pas vraiment. Il y a mon appartement et quelques économies sur mon livret d'épargne.

— Je n'y comprends rien. Sauf…

— Sauf ?

— Sauf s'il a préparé son coup et réussi à léser d'autres patients de la même façon que toi, et en même temps.

— Geneviève serait dans le coup ? Ma meilleure amie !

— C'est aussi ma femme.

— Il doit l'avoir envoûtée. Il emploie l'hypnose… Il m'a persuadée de lui confier la gestion de mes affaires, et j'ai signé tous les papiers qu'il a voulu. Encore aujourd'hui, je ne sais toujours pas ce que j'ai signé exactement.

— Que comptes-tu faire ?

— Je ne sais pas. Porter plainte et le retrouver. J'y arriverai, j'en fais le serment. Et toi ?

— Rien. Elle m'a quitté, mais elle m'a mis au courant. Nous nous sommes parlé. Elle l'aime profondément et veut refaire sa vie avec lui. Que veux-tu que je fasse ?

— Mais… C'est un handicapé… et il a l'âge d'être son grand-père ! Et tu ne fais rien ? Je te dis qu'il l'a hypnotisée.

— Il est handicapé, dis-tu ? Elle ne me l'a pas décrit comme ça. D'ailleurs, il est venu la chercher dans un coupé Mercedes. Il est descendu et l'a aidée à mettre ses affaires dans le coffre. Il n'avait pas l'air handicapé. Même si, c'est vrai, il paraît plus âgé qu'elle.

— Alors ce n'était pas lui. Gérald Rikson ne peut pas marcher, il a les jambes paralysées. Tu comprends, Albert ? Je te l'affirme, cela fait presque un an que je le consulte. Mais dis-moi... Geneviève n'a pas laissé d'adresse ?

— Elle a dit qu'elle me préviendrait quand elle rentrerait.

— Quand elle rentrerait ? Ils sont donc partis à l'étranger ?

— Ou en voyage de noces. Pourquoi pas ?

— Cela n'a pas l'air de te troubler. À t'entendre, on pourrait même croire que cela t'arrange.

Corinne se tourne vers le jardin. Il pleut. Le vent balaye les feuilles mortes. Les arbres tremblent sous les bourrasques. La nature vit, indifférente aux problèmes psychologiques des hommes. La vie naît, évolue, décline et se renouvelle. Simplement.

— Assieds-toi, murmure Albert, je voudrais te parler de moi.

Corinne considère l'homme qui lui fait face. C'est le mari de sa meilleure amie. Les cheveux bruns et rares dissimulent mal une calvitie déjà avancée. Un visage mince et sans âge. Des petites lunettes ovales d'intellectuel, sur un nez aquilin. Il est chef de projet en recherche biologique dans un laboratoire pharmaceutique. La peau mate, des rides profondes creusées sans doute par les rigueurs du destin. Un être qui a vécu. C'est la première fois qu'elle le dévisage ainsi. Lors de ses visites chez Geneviève, il n'était que l'homme de la maison. Elle venait voir son amie, et c'est à peine si elle lui adressait la parole. Jamais il n'a été admis dans leurs soirées fofolles. Elle se rend compte qu'elle ne sait pas qui il est.

Dans la véranda, le temps semble s'être arrêté, ce temps qui lui a toujours manqué. Maintenant qu'elle n'a plus rien, il lui reste l'instant. Elle se cale contre le dos du fauteuil et attend qu'il parle.

Sans effort, d'une voix calme, il se met à raconter son errance et ses déboires.

Il lui dit sa vie d'intellectuel, vivant dans sa tête. Il lui confie ses rêves d'enfant – il voulait devenir pilote de chasse, mais son père ne trouvait pas cela sérieux. Il a donc «choisi» des études scientifiques, qu'il a réussies brillamment.

Il a été embauché avant même d'avoir obtenu son diplôme. Chercheur appliqué, on lui a rapidement offert des responsabilités.

N'étant pas du genre sorteur, il a rencontré sa première femme, une secrétaire, dans son entourage professionnel. Mariage et enfants. Comme tout le monde.

En étudiant les micro-organismes, il a pris conscience qu'il en faisait partie. Il n'était qu'une puce dans le cosmos, réagissant aux mouvements des autres puces. Aucun libre arbitre. Le monde répond à des lois bien définies, pas de hasard, pas d'aventure dans l'univers. Action-réaction. Chaque atome est à sa place et a sa fonction propre.

L'enfant qui avait caressé le rêve de voler s'était retrouvé spectateur du vivant.

Pourquoi ? Qui a décidé de le mettre là ? À quelle fin ? Ce n'était pas son choix, ou si ce l'avait été, ce ne l'était plus.

Tous les organismes remplissent leur fonction et disparaissent en laissant la place à d'autres qui recommencent le même cycle. Parfois, il arrive qu'une cellule devienne folle et ne réponde plus à la fonction définie. Elle est alors agressée par les autres, et supprimée. Pour la survie de la communauté.

Au laboratoire, c'était son travail, de chercher et de trouver la façon de neutraliser une cellule folle. Trouver la faille, et utiliser le remède adéquat.

Un jour, il s'est dit que la cellule folle pouvait ne pas être si folle que cela. Cela pouvait même être une cellule intelligente qui avait pris conscience de son individualité et qui voulait vivre sa vie.

Ce jour-là, il est rentré chez lui avec un sentiment bizarre, et s'est remis à rêver, comme dans l'enfance.

Il n'aimait pas sa vie. Ni sa fonction définie par la société. Pas de charme ni de magie là-dedans.

Il avait quarante ans. Il se voyait déjà vieux et usé. Il savait que la période de vie d'un organisme était programmée dès sa naissance. Et lui, jusqu'à quel âge était-il programmé ? Quand allait-il mourir ?

Il n'aimait pas sa vie car il ne l'avait pas choisie. Pas plus que son travail, ou sa femme, ou ses enfants.

Mais comment sortir de là ? Comment ne pas devenir fou ?

Prisonnier du déterminisme de la société, il ne pouvait rien faire. Il ne pouvait même pas penser à sortir du cercle fixé pour lui. Le seul fait de penser à la liberté le culpabilisait.

Alors, il a recouru à une drogue – l'alcool – qui l'a aidé à accepter sans rechigner sa place d'abeille au sein de la ruche ouvrière ; insecte sans tête qui remplissait quotidiennement, mensuellement et annuellement les devoirs qu'on lui assignait.

Quand il buvait, il devenait pilote de chasse.

Dans ses visions hallucinatoires, il était tout ce qu'il avait rêvé d'être.

Enfin, il existait.

— Je pense que tu sais ce que c'est que de boire, je ne t'apprends rien. J'étais presque mort. Que dis-je, j'étais tout à fait mort. Tu te doutes de la suite. J'ai perdu mon travail, ma femme m'a quitté en emmenant les enfants. Tentative de suicide, et rencontre avec Geneviève, infirmière dévouée qui m'a sorti de là et que j'ai fini par épouser. Par reconnaissance, pas vraiment par amour. Elle sortait de l'enfer elle aussi. Nous étions deux épaves en sursis s'appuyant l'une sur l'autre.

Il s'interrompt, propose à Corinne une boisson qu'elle refuse.

— Continue, dit-elle.

Il lui raconte la suite, sur le même ton. Il a commencé une autre vie, trouvé un nouveau poste, dans un autre laboratoire, et la vie a repris son cours, une vie guère plus intéressante.

Une autre femme, une autre maison, un autre employeur, mais les mêmes journées mornes. Le temps qui passe et que l'on meuble en achetant des choses inutiles.

C'est fou ce qu'il a pu en acheter, des babioles qui devaient lui rendre la vie plus belle. Il les achetait, mais sa vie restait la même.

Il avait aussi son ordinateur, son modem et Internet. Il pouvait communiquer avec toute la planète, mais pour dire quoi? La planète, ce n'était que des mots qui s'affichaient sur un écran blanc.

— J'ai quand même approché mon rêve: j'ai piloté un avion grâce à Flight Simulator, sur mon ordinateur. J'ai traversé des villes et des continents dans un Cessna. J'étais un assez bon pilote, sur l'écran. Combien d'heures débiles ai-je passées à cela, avant de me rendre compte que je faisais semblant de vivre… Un jour, on s'éveille, et l'on comprend que l'on a occupé son temps à RIEN. On a vieilli pour des choses ridicules. Pour enrichir Bill Gates.

Il fait un peu de sport dans une salle, parce qu'il a lu que c'est nécessaire, mais il n'aime pas cela. Encore des efforts, des obligations!

— Le soir, en quittant le labo, je faisais les courses pour le dîner. Je passais aussi par la vidéothèque louer une cassette. Souvent, je mangeais seul, car les horaires d'une infirmière... Quand elle était là, nous passions la soirée sur le canapé à regarder une histoire débile, inventée pour les gens comme nous, mornes et sans passion. On faisait l'amour de temps en temps, mais sans vraiment s'impliquer. C'était dur pour moi de regarder ces actrices à la télé, puis de revenir à la réalité. Je me demandais sans cesse par qui elles se faisaient baiser, toutes ces filles de rêve. Quelle injustice ! Que de frustrations !

Il se lève brusquement.

— Et puis un jour, Geneviève m'annonce qu'elle est amoureuse de son psy et qu'elle veut vivre avec lui. Le choc ! Elle le fréquentait régulièrement depuis des mois. C'était la passion. Ils s'envoyaient en l'air comme des dieux. Enfin, elle ressuscitait. Je n'en croyais pas mes oreilles. Avec son psy ! celui qui l'avait sortie du ruisseau, le salaud. Qu'est-ce qu'il pouvait lui trouver, à Geneviève ? Il devait quand même avoir des patientes plus pulpeuses et plus jeunes qu'elle. Je suis désolé de le dire, mais elle n'est plus de première fraîcheur, ma femme.

Il a haussé le ton, ses gestes sont plus énergiques, plus vivants.

— Après une dépression de quelques jours où j'ai broyé du noir en ruminant le projet d'assassiner tout ce qui commençait par « psy », je me suis rendu compte que ce qui m'arrivait, au fond, c'était peut-être la chance de ma vie. Je me retrouvais célibataire. J'avais une belle maison payée scrupuleusement – trois fois le prix si l'on compte les intérêts – pendant quinze ans. J'avais un bon travail de directeur de projet dans un laboratoire pharmaceutique réputé, avec des honoraires hors normes, une assurance à toute épreuve pour mes vieux jours, plus d'enfants à charge. J'allais pouvoir vivre ma vie. Tu entends ! La chance de ma vie ! C'était l'autre, le psy enjôleur, qui allait faire les courses pour Geneviève et louer des cassettes vidéo. Oh ! pas tout de suite ; après la lune de miel. Et aussi des cassettes pornos. Moi, j'allais la vivre, la pornographie. De spectateur, je deviendrais acteur. J'entrerais en sexualité, comme on entre en religion. Un miracle !

— Mais, le coupe Corinne, ton rêve n'était-il pas de voler ? Je pensais que le sens de ta vie se situait plus haut que la braguette. Ne prends pas cela pour un jugement, je suis étonnée, c'est tout.

— Je viens de m'inscrire aussi à un cours de pilotage. J'ai décidé de vivre tous mes rêves. La baise fait partie du plan. Pourquoi me limiter ? Pour la plupart des femmes, le sens de la vie, c'est de rencontrer l'homme idéal. Je me demande où se trouve l'élévation là-dedans, quand je constate les dégâts qu'occasionne cette mission divine. De toute façon, je ne désire pas que l'on me comprenne, ni que l'on m'approuve. J'ai muté en cellule folle, c'est entendu. Je ne trime plus pour le bien de la société, j'œuvre pour mon propre plaisir. Égoïstement.

Albert se tourne vers Corinne. Il se passe la main sur une mèche de cheveux sauvage.

— Comment me trouves-tu ? demande-t-il.

— Je ne comprends pas.

— En tant qu'homme, comment me trouves-tu ?

Corinne se lève à son tour et secoue la tête.

— Je me demande si tu n'as pas perdu la raison. Voilà comment je te trouve.

— Quel compliment ! Mais oui, tu as raison, j'ai perdu la tête. Il a fallu du temps pour que la cellule quitte le système et décide de ne vivre que pour elle-même. Mais c'est fait. Je te choque, n'est-ce pas ?

— Tu m'aurais certainement choquée il y a un an. Aujourd'hui, non seulement je te comprends, mais – si tu es sincère –, je t'approuve. Moi aussi je reviens de loin. Je viens à peine d'apprendre à jouir. C'est bon. Très bon. Je vais en profiter et m'envoyer en l'air, mais je vais choisir les hommes qui me plaisent. J'ai assez donné mon corps à n'importe qui pour recevoir de l'amour.

Albert invite Corinne à le suivre. Ils descendent au sous-sol où il lui montre la maquette d'un voilier de plus de un mètre, en construction sur une table de travail.

— Ma dernière marotte, dit-il. Tu sais combien de temps j'ai mis pour réaliser ce joujou ? Deux ans. Deux ans d'imbécillité. J'étais ailleurs, dans un autre monde.

Il cherche un outil dans une boîte à rangement, saisit un marteau, se poste devant le voilier et regarde Corinne en arborant un sourire de défi. Il lui fait signe de reculer un peu. Puis, il lève le bras et, d'un geste ferme, balaye la maquette qui vole en éclats.

Il évalue le désastre et achève la besogne en assenant encore quelques coups de marteau. Fier de lui, il pose son outil de destruction et observe :

— J'ai fait de la place. C'est ici que je vais disposer ma prochaine marotte. Je vais aménager une chambre d'amour.

Et comme Corinne le regarde, ahurie, il explique :

— Une chambre de débauche. Un baisoir, quoi ! Je ne crois pas que ce mot existe, mais je viens de l'inventer. Tu vois ! On fait table rase du passé et voilà que la créativité réapparaît, on invente des mots. Oh ! mais je vais m'inventer d'autres façons de vivre, le temps qu'il me reste. J'ai 52 ans, c'est maintenant ou jamais. C'est le meilleur âge, l'âge recherché par les divorcées de plus de 30 ans. Elles ont fait leurs expériences passionnelles et malheureuses, et recherchent un homme réfléchi pour élever leur progéniture. Elles tentent de se caser. Moi, j'ai de la chance, je ne suis pas beau. Je fais sérieux, mon visage porte même les stigmates de la sériosité – tiens encore un mot inventé – sériosité – tu vois ! Je vais donc mettre des annonces matrimoniales, m'exhiber sur Internet, et baiser à gogo. J'ai déjà commencé, et ça marche. Bien sûr, je ne leur parle pas de baiser, je leur chuchote que ma femme s'est fait hypnotiser et enlever par son psy. La vérité, rien que la vérité. Du coup, elles veulent toutes me prendre en charge et me consoler. Cela te semble incroyable ? Tu ne me crois pas ?

— Si, dit Corinne, je te crois. J'étais l'une de ces consolatrices dans mon autre vie.

Il reprend son récit, décrit en détail l'aménagement de son antre pornographique. Corinne l'écoute comme on écoute un conteur. Il a l'air d'un enfant qui fait des projets d'avenir. Il ne veut pas devenir riche, ni puissant : il veut baiser. Tout simplement. Il en a assez, dit-il, de s'exciter devant des images plus ou moins pornographiques, sur Internet ou ailleurs. Il veut faire partie des acteurs. S'il avait eu une bite plus longue, il se serait proposé comme acteur de films X. Cela aurait été meilleur que de piloter un avion. Mais il n'a pas les qualités requises. Qu'à cela ne tienne, il va employer ce qu'il a, à sa façon. Il ajoute qu'il n'est pas certain de baiser toutes ces femmes... Elles sont si compliquées ! Il leur faut du temps et des promesses pour coucher. Et la plupart sont frigides : problèmes d'enfance, tabous... Il n'a pas le temps de faire ce qui est nécessaire pour les décoincer. Il se demande de plus en plus sérieusement s'il ne va pas s'envoyer des mecs.

Homosexuel. Et pourquoi pas ? Un soir, il est allé prendre un verre dans un bar à pédé – le hasard – et a été accosté à plusieurs reprises par des hommes en recherche d'aventures sexuelles. Il a d'abord refusé, interpellé ou choqué, il ne sait plus. Puis, il s'est dit qu'il n'avait rien à perdre, car il avait déjà tout perdu. Il en a accompagné un chez lui, un jeune gars très doux qui ne manquait pas d'humour. C'était un petit blondinet aux yeux bleus, qui habitait au troisième étage d'un immeuble bon chic bon genre. L'appartement était raffiné, on aurait dit la vitrine d'un magasin de décoration. Des couleurs douces et de la peluche partout. Un appartement somme toute féminin.

— Tu penses qu'il a passé la soirée à m'expliquer des trucs sur les comment et les pourquoi de la baise ? Qu'il allait réfléchir si oui ou non ? Que le spirituel devait se fondre dans une expérience extatique, le cœur avec le corps ? En faisant monter la Kundalini – excuse-moi si je mélange les termes, je n'ai jamais très bien compris tout cela – et laisser émerger cette énergie contenue – sans éjaculer – par le dernier chakra ? Loin de là ! Dès que nous avons fermé la porte, le blondinet m'a enlevé le pantalon – délicatement – a sorti ma bite – délicatement – et a joué avec elle pendant des heures – délicatement. J'ai fait la même chose avec la sienne. Plus tard, on sonne à la porte. Ne voilà-t-il pas deux de ses amis qui rappliquent ? Que crois-tu qu'ils ont fait ? Joué aux cartes ? Parlé chiffons ? Mais non, ils ont balancé leurs vêtements et se sont mis à se sucer et à se pénétrer. On s'y est mis aussi. Quelle nuit ! Finalement, un anus et un vagin, c'est du pareil au même, je te mets au défi de faire la différence. Enfin, je parle pour nous, les hommes. Je serais donc homosexuel, ou bi peut-être. S'il existait un troisième sexe, je l'expérimenterais volontiers. Des femmes qui veulent baiser, il y en a, mais il faut les chercher. Il faut se donner de la peine, fouiner, scruter, examiner, évaluer, ça ne court pas les rues. Celles qui consentent facilement, je les culbute; les autres, je les abandonne gracieusement aux hommes de bonne volonté, les sincères, qui écouteront leur niaiseries spirituelles, qui leur loueront des cassettes vidéo, langeront le bébé, leur demanderont l'autorisation d'aller faire une heure de sport avec un copain en rentrant tout de suite (*ne t'inquiète pas ma chérie*), tout cela pour pouvoir, de temps en temps, une fois par semaine, si tout va pour le mieux... Car gare à l'inopportune dispute qui trop souvent remet tout en question.

Il expire bruyamment, laisse son regard courir sur les fragments de bois émiettés sur la table et aux alentours.

— Parcelles d'une vie antérieure, murmure-t-il. J'étais une larve attendant ses ailes pour voler.

Comme sorti d'un rêve, il approche son visage de celui de Corinne.

— J'ai envie de t'embrasser.

Corinne prend son visage entre ses mains et lui donne un long baiser. Quand ils se séparent, de grosses larmes coulent sur les joues de l'homme.

— Excuse-moi, dit-il en nettoyant ses lunettes. Un jour, j'ai fait une rencontre extraordinaire, j'ai approché un ange. Une jeune Allemande aux cheveux blonds et aux yeux bleus. Pour moi qui n'avais pas l'habitude de la beauté, c'était une rencontre du troisième type. Nous nous sommes fréquentés quelque temps, et nous nous sommes déclaré notre amour. Un soir, donc, nous nous sommes déshabillés pour nous aimer. Avant que je la touche, elle m'a exprimé d'entrée le mode d'emploi amoureux des anges : ne pas jouir. C'est à elle que je dois le peu de choses que je sais du tantrisme... Elle faisait du yoga érotique ou sensuel, je n'ai pas compris la nuance; toujours est-il qu'elle voulait faire l'amour sans jouir. J'ai fait ce qu'elle m'a dit, on s'est caressés, embrassés, on a simulé les gestes de l'amour. Pour finir, je l'ai pénétrée, mais je me suis retenu d'éjaculer. «Ne pas jouir, c'est permuter l'énergie sexuelle en spiritualité. Ce qui différencie l'animal de l'homme, c'est la spiritualité.» Elle était mariée. J'étais curieux de savoir comment elle s'y prenait avec son compagnon. «Il ne jouit jamais.» – Il ne se masturbe pas en cachette? – «Jamais.» – Il n'a pas de maîtresse? (Elle avait bien un amant, elle!) Elle m'a jeté un regard chargé de dynamite. Je sais qu'ils vivent, encore aujourd'hui, comme frères et sœurs. Ils se prétendent «âmes spirituelles».

Albert remet ses lunettes. Il respire mieux, comme un enfant après un grand chagrin.

—Tout ça, c'est des sottises, reprend-il. Un être spirituel est connecté à son animalité. Il est homme et animal dans tous les sens du terme. Il mange, il boit, il baise, danse, se met en colère, se bat, aime, hait, se venge, connaît la jalousie, l'envie, la douceur, les caresses, et pratique toutes sortes d'expériences sexuelles. Il boit de l'alcool et prend une cuite au passage. Fume s'il en a envie, et attrape un cancer. C'est son droit. Il crache et pisse en public si l'envie lui en prend. Et surtout, il éjacule quand l'occasion l'exige. Il est prêt à toutes les expériences dans lesquelles le corps est sollicité. Pas la tête, j'ai dit le corps. La tête est l'ennemi. Le mental éloigne l'individu de ses perceptions; il nie ses sensations, éteint l'être terrestre qu'il est. Il évite la méditation qui l'écarte de l'action. On s'écrit encore de temps à autre, l'ange et moi. Pour ne rien dire. Un ange ne peut pas échanger avec le démon que je suis devenu. Si j'avais du temps devant moi, j'aurais bien essayé de «l'exorciser» pour y faire «pénétrer» Satan, d'en faire une femme, mais la tâche est gigantesque. Éthérée, elle est inaccessible... Trop tard, elle est abîmée à jamais.

Il consulte sa montre.

— Tu m'excuseras, j'ai un rendez-vous cet après-midi avec trois nouvelles recrues draguées sur Internet. Ah! Si tu veux jouir, comme tu dis, heu... comment dire... eh bien, je suis partant. Quand tu veux. Je sais, je ne suis pas beau, tu mérites mieux que ça. Mais si tu es sans... sache que tu as un ami sur qui tu peux compter.

Ils regagnent le rez-de-chaussée.

— J'accepte ta proposition, lance Corinne d'un air enjoué, mais ce sera pour une autre fois. Pour le moment, je n'ai qu'une chose en tête : dépister ce malpropre de psychiatre qui abuse ses patientes et lui tordre le cou.

Elle se dirige vers la porte.

— Je file au commissariat.

— Quand te reverrai-je ?

— Au procès de Gérald Rikson, pour y témoigner.

Elle sort de la maison, suivie – elle en est sûre – par le regard lubrique d'Albert fixé sur ses fesses. Jamais elle ne l'aurait imaginé lui faisant une proposition sexuelle aussi directe. Lui, si raisonnable, les lunettes au ras du nez, plongé toute la journée comme un moine dans l'un ou l'autre bouquin. Un intellectuel qui vient de balancer le bouquin pour en être le héros.

— Attends !

Elle n'a pas fait vingt mètres dans la rue qu'Albert la rattrape et lui tend une carte de visite.

— Voici les coordonnées du commissaire Schroeder. Gustave Schroeder, de la brigade criminelle. Dis-lui que tu viens de ma part, je vais l'appeler immédiatement et le prévenir de ton arrivée. Il t'attendra. J'ai omis de te dire – orgueil masculin, sans doute – que j'ai porté plainte contre le docteur Rikson, moi aussi, pour abus de pouvoir. Le commissaire a enregistré ma plainte parce que j'ai insisté, mais il a sous-entendu que ma femme étant majeure, ma plainte n'aboutirait pas. Je le sais bien; mon but était d'occasionner à ce cher docteur quelques problèmes d'ordre déontologique dans le sacro-saint milieu psychiatrique. Depuis, je me réjouis de ce qui s'est passé, mais ne le répète pas au commissaire, ta plainte aurait moins de poids.

— Merci, dit Corinne.

— Tout le plaisir est pour moi. Le commissariat se trouve au centre-ville, près de la Grand-Place.

XXII

Le commissariat occupe tout un pâté de maisons. Il est midi trente quand Corinne pénètre dans l'imposant immeuble. Des gens en sortent, d'autres y entrent. On s'y presse, on s'y bouscule.

Police judiciaire. Difficile de trouver le service approprié car le tableau de renseignements affiche les informations dans les deux langues nationales, et certains bureaux se trouvent situés à des étages différents selon la langue que l'on parle.

Corinne tente de s'y retrouver quand elle entend son nom :

— Vous êtes Corinne Bauwens ?

Elle se retourne et découvre un homme de taille moyenne, la cinquantaine, les joues rouges et pleines, chauve, l'air jovial et souriant. Bien en chair, le ventre proéminent.

— Oui, dit-elle, c'est bien moi.

— Je suis le commissaire Gustave Schroeder, de la police judiciaire. M. Albert Lauwers m'a prévenu de votre arrivée. Suivez-moi.

Il passe devant, s'engage dans un couloir, se ravise et revient sur ses pas. Corinne l'imite.

— Cela vous dérangerait si nous allions discuter dans un lieu plus calme ? C'est l'heure du déjeuner, et cela fait quelques jours que je le loupe. On pourrait régler le problème devant un bon repas, non ?

— Si vous voulez.

Un large rayon de soleil balaye le centre-ville. On sort de l'hiver, la saison a l'air de tenir ses promesses. Depuis quelques jours, Bruxelles est inondée d'une gaîté printanière.

— C'est mieux à l'extérieur quand il fait beau, n'est-ce pas ? Ce bâtiment est sinistre et sombre. Comme les affaires criminelles, ajoute-t-il en plaisantant.

La Grand-Place grouille de monde.

— Je connais un restaurant grec, le patron est un ami, c'est convenable et pas cher. J'y ai ma petite table tranquille où nous pourrons traiter votre affaire discrètement.

— Va pour le grec, dit Corinne, de toute façon, je n'ai pas faim. Cette histoire m'a coupé l'appétit.

Il la comprend ; une affaire comme la sienne – M. Albert Lauwers lui en a touché quelques mots – est tout à fait surprenante. Il n'a jamais rien entendu de tel de la part d'un psychiatre. Enfin, les psys sont des hommes aussi, n'est-ce pas ?

Au restaurant, la plupart des tables sont encore inoccupées. Le patron les accueille, plein d'attentions, échange quelques mots avec le commissaire. Puis un garçon les conduit à l'étage, dans un salon privé. Une seule table y est dressée, avec un chandelier au milieu. Salon intime du soir, réservé aux amoureux.

— J'ai de l'agneau de lait comme plat du jour, annonce le garçon.

Le commissaire accepte d'un signe de tête.

— Je prends, mais je voudrais d'abord un assortiment de mezze, ajoute-t-il, j'ai une faim de loup.

Corinne demande une salade à l'huile d'olive. Elle a hâte d'en arriver au fait. Ils commandent encore les boissons – une bouteille d'eau et un pichet de vin rouge.

Bon, dites-moi tout.

Corinne se lance dans le récit de tout ce qui lui est arrivé, son suicide, l'hôpital, la carte de visite « Surtout n'y allez pas ! », la découverte de son cancer et la rencontre de l'étrange docteur Rikson. Elle parle vite, de plus en plus vite. Le commissaire lui fait signe de parler plus lentement, mais elle ne voit pas son geste, obsédée par les faits révoltants dont elle a été victime. Elle s'interrompt quelques instants pendant qu'on les sert puis replonge dans son histoire, dès que le garçon s'est éloigné.

Le commissaire l'écoute en mangeant, il prend des notes entre deux bouchées. De temps à autre, il pose une question.

— Et vous avez signé ces papiers sans vous méfier ? J'ai du mal à comprendre. Vous saviez qu'il pouvait vous ruiner en toute légalité, non ? Enfin, je ne suis pas là pour vous juger, excusez-moi, je suis surpris, c'est tout.

Corinne essaie de lui expliquer dans quel contexte cela s'était présenté, après une tentative de suicide, mais elle juge qu'il est difficile, voire impossible, de se faire comprendre.

— Vous savez, Madame Bauwens, si c'est un escroc, nous l'apprendrons vite, et il sera démasqué. Même si vous avez approuvé ce contrat douteux, cela ne signifie pas que vous êtes sans recours. Avez-vous le nom du notaire qui a établi l'acte de vente ?

Corinne n'a pas pensé à le noter, mais il suffira d'interroger les acheteurs de son appartement, ils pourront témoigner de la façon dont Rikson leur a fait visiter les lieux en son absence. Il y a aussi l'annonce qu'il a fait publier dans *Le Soir*, à son insu, avec son nom à lui et son numéro de téléphone.

Et Geneviève, sa meilleure amie, ne s'est-elle pas laissé berner, elle aussi ? Elle la connaît bien ; elle est incapable de plaquer son mari du jour au lendemain pour fuir à l'étranger en quasi-voyage de noces. C'est insensé ! Il a utilisé l'hypnose pour les berner, Geneviève et elle. L'enfance de l'art pour lui. Il s'agit d'un abus de pouvoir caractérisé.

—Y a-t-il d'autres personnes qui peuvent témoigner ? Des gens qui le connaissent ou avec qui il travaille, des amis à lui, des connaissances, d'autres psychiatres ou thérapeutes ?

Elle donne le nom et l'adresse du fermier-sexologue. Le commissaire pose son stylo et sa fourchette, et attend qu'elle éclaircisse ses propos. Un fermier-sexologue ?

C'est une façon de parler, explique-t-elle. Il est sexologue et officie dans une ferme, à la campagne. Corinne n'en dit pas plus. Elle dissimule sa spécialité, l'orgasme, estimant à juste titre qu'elle risque sa crédibilité. C'en serait trop d'un coup pour un défenseur de la loi.

Il y a aussi sa femme, la naturopathe Françoise Poncelet. Elle partage la ferme, son bureau se trouve au rez-de-chaussée. Tous deux lui ont été recommandés par le docteur Rikson. Ils doivent travailler de concert, elle en est sûre.

Une piste : elle n'a pas payé ses consultations. C'était Rikson qui s'en chargeait. Ils étaient donc complices, Rikson et les médecins fermiers.

Le commissaire revient à son repas. Il choisit une grosse crevette presque carbonisée qu'il se met à décortiquer avec les doigts, avant de l'engloutir avec une satisfaction évidente.

Des voix et des rires leur parviennent d'en bas, les tables doivent être toutes occupées à présent. Heureusement, à l'étage, ils sont au calme.

Le commissaire Schroeder consigne toute sa déposition sur un petit carnet, entre deux bouchées et une gorgée de vin rouge.

Corinne Bauwens songe à Michel Lissens. Elle explique au commissaire l'étrange marché que le docteur Rikson lui a proposé : séduire cet homme pour le guérir de sa névrose de séducteur. Elle lui dit que Rikson a usé d'un miroir sans tain pendant les consultations de son patient. Installée dans une pièce contiguë, elle voyait et entendait tout.

— Un miroir sans tain, marmonne le commissaire, soudain troublé par cette révélation singulière.

L'affaire devient piquante et prometteuse. Ce Rikson se distingue des filous ordinaires.

Il cesse soudain de boire et de manger, repousse son assiette et fixe son interlocutrice.

Corinne se dit que, sans nul doute, il tient un cas insolite.

Le pauvre Michel, reprend-elle, il a été manipulé comme un pantin, lui aussi, et elle a trempé malgré elle dans cette ignoble machination. Oui, elle a son adresse. Il habite au 306, avenue Sleeks, à Schaerbeek. Michel Lissens. Il a dû céder ses biens au docteur, lui aussi, elle en est quasi certaine.

Après avoir griffonné l'adresse, le commissaire tourne la tête à la recherche du garçon. Ne le voyant pas, il se lève et l'appelle du haut de l'escalier. Il a encore une petite faim, il voudrait la carte des desserts.

Corinne s'arrête de parler pendant qu'il hésite longuement sur le choix des glaces, et s'informe de leur composition. Quel goinfre ! pense-t-elle, pas étonnant qu'il soit obèse. Il va le payer un jour, si ce n'est déjà fait. Elle est heureuse d'être sortie de la dépendance à la nourriture. Le voir s'empiffrer ainsi la dégoûte. Comment peut-il, après un gueuleton pareil, avoir l'énergie nécessaire pour enquêter efficacement ? Elle n'a pas de chance, son affaire ne sera pas élucidée bien vite avec ce genre de types. Elle songe à Hercule Poirot, le détective d'Agatha Christie. Au cinéma, n'est-il pas gras et dodu, lui aussi, et n'arrive-t-il pas cependant à démêler les pistes les plus embrouillées ?

De toute façon, elle n'a pas le choix. On ne choisit pas son enquêteur comme on choisit son psy.

Après de longues palabres, le policier finit par commander une brésilienne « avec beaucoup de chocolat ».

Il attend d'être servi et d'avoir goûté à sa glace avec volupté pour revenir à l'entretien.

— Dans la police, nous trempons dans de telles intrigues que j'ai besoin de temps à autre d'un peu de douceur. Je sais, ce n'est bon ni pour la ligne ni pour la santé. Mais si je ne me laisse pas aller, je vais craquer. Nous n'avons pas d'horaire et les missions sont souvent dangereuses. Je suis gêné de la façon dont je me nourris, mais c'est plus fort que moi. Je suis rempli d'admiration devant la volonté qu'ont certaines femmes, comme vous, pour garder la ligne.

— C'est très dur, concède Corinne, j'ai dû passer par la peur – du cancer – avant de choisir pour mon corps un autre rôle que celui de poubelle.

Elle ramène la conversation au docteur Rikson. Elle avoue qu'elle ne peut pas admettre qu'il ait agi ainsi. Il doit y avoir une explication qui va l'innocenter. Ne lui a-t-il pas sauvé la vie ? Elle s'y connaît en psy, elle en a suffisamment côtoyé – des analystes à n'en plus finir, qui toujours remuaient les marécages sordides de l'enfance – et pas un n'avait fait ce qu'il fallait pour l'aider à revivre.

Tandis que lui, Gérald Rikson, il l'a bel et bien ramenée à la surface. Pour parvenir à ce résultat, il l'a également confiée à des collaborateurs extérieurs compétents (elle pense à la déesse de la Perdition, aux fermiers – naturopathe et sexologue – à la sirène asiatique mi-homme mi-femme qui lui a révélé l'orgasme, et bien entendu à l'habileté hors pair de Rikson lui-même, qui cisèle ses consultations comme un orfèvre).

Il s'est enfui avec son argent, son appartement et ses meubles, en enlevant sa meilleure amie ! Mais, comme le disait le commissaire, n'est-il pas un homme, lui aussi ?

— Combien de thérapeutes n'abusent-ils pas sexuellement de leurs patientes ? Ils sont légion, avance le commissaire Schroeder. Nous recevons des plaintes tous les jours.

Mais selon lui, Rikson a dépassé les bornes. Combien de patients n'a-t-il pas dupés de la même façon ? Et puis, il y a cette histoire de miroir sans tain... pas très déontologique, tout ça, il faut l'avouer. N'a-t-elle pas été épiée elle aussi par des intrus dans la pièce voisine ? Il faut s'y attendre. S'il a agi ainsi avec Michel Lissens, il y a des chances pour qu'il ait employé le même stratagème contre elle. Dans quel but ? L'argent. Un mobile vieux et banal comme le monde. Jésus n'a-t-il pas été vendu par son apôtre pour quelques piécettes ?

Le commissaire ne pense pas que le docteur Rikson ait agi ainsi avec une seule patiente, cela n'en aurait pas valu la peine. Il a dû préparer soigneusement son coup, et longtemps à l'avance, pour plumer une vingtaine de gogos avant de prendre la poudre d'escampette. Il pense qu'ils vont être surpris par les révélations de l'enquête à son sujet.

— Qui vous a fait connaître ce psychiatre ? Ne serait-ce pas votre meilleure amie, Geneviève ?

— Si, admet Corinne, du bout des lèvres.

— Il faut vous attendre à ce qu'elle baigne dans la combine, même si l'idée vous répugne.

Corinne explique encore que le docteur Rikson lui a ordonné de couper les ponts avec ses amis (ainsi qu'avec Geneviève, tiens, tiens !) et toute sa famille, parents, frères et sœurs, sa fille Julie, son ex-mari et même son ami Adrian. Il l'a isolée.

— Ce sont des méthodes employées par les sectes, dit le policier. Pour vous faire perdre vos repères et vous obliger à ne pas mettre en doute leurs instructions. Un lavage de cerveau, en somme.

Corinne n'en revient pas de s'être laissé manœuvrer comme une gamine. Tout lui paraît clair, à présent. Cette façon militaire de lui donner des ordres, sans possibilités pour elle de rétorquer. Sa mise à l'écart – pour son bien – aux Maldives, afin d'avoir toute la liberté de vendre son appartement, de vider son compte en banque et de prendre la fuite.

— Un café ? questionne le garçon.

— Oui, un grand, avec un cognac.

— Rien pour moi, dit Corinne d'une voix faible.

Elle se sent mal à présent. Une puissante colère gronde en elle, une exaspération dirigée contre cet homme qu'elle admirait tant et qui a profité de sa confiance. Elle le retrouvera, seule s'il le faut, se postera devant lui et lui crachera au visage.

Elle n'a plus un franc sur son compte en banque. Plus rien non plus sur son carnet de dépôt, et sa carte de crédit est hors circuit.

— Qu'allez-vous faire?

Il est temps pour elle de renouer avec sa famille. Ses parents. Sa chambre d'enfant doit toujours être à sa disposition. En tout cas, elle l'espère. Elle va aussi retrouver sa fille. Et ses frères et sœurs. Et ses copines d'antan. Ses collègues de travail. Et aussi Adrian, son ex-amoureux, pas pour recommencer, mais juste comme ça, parce qu'elle en a envie. Il appartient à son passé, elle n'a plus rien à craindre de lui, la page est tournée pour de bon.

— Quand et comment aurai-je de vos nouvelles? demande-t-elle.

— Voici mon numéro de téléphone portable, vous me trouverez plus facilement à ce numéro qu'en appelant le commissariat. Appelez-moi dans une semaine. Si j'ai des nouvelles urgentes, où puis-je vous joindre?

Corinne lui communique le numéro de téléphone de sa mère.

Le commissaire règle l'addition (vive les notes de frais!) avec un plaisir et une générosité manifestes.

— Laissez-moi vous offrir ce bon repas, dit-il, grand prince.

Ils se séparent sur la Grand-Place, en se serrant la main. Le policier se dirige vers son quartier général, il a un rapport à taper.

En le regardant s'éloigner, Corinne se dit qu'il aurait bien besoin d'une sieste pour se remettre de son copieux déjeuner.

Corinne prend l'autoroute, en direction de La Louvière. Elle conduit machinalement, avec un pincement au cœur. Une brûlure à l'estomac. Les mains tremblantes, accrochées au volant.

Elle a envie d'une cigarette. Et d'un verre de whisky.

Elle sait ce que cela signifie.

Le retour au foyer.

Elle va renouer avec ses parents.

Se réapproprier son enfance.

XXIII

Rue de la Samme à Binche. Corinne se trouve devant l'hôtel de maître qui a appartenu autrefois au médecin du village. C'est une demeure imposante. À la mort du docteur, le père de Corinne l'a arrachée à ses héritiers.

La résidence la plus aristocratique du village est dissimulée aujourd'hui par une végétation désolante et protégée des indiscrétions par un mur de deux mètres de haut.

Son père l'a convoitée avec l'ambition que l'on déploie pour séduire une femme inaccessible.

Il la voulait, à n'importe quel prix.

Cette habitation lui octroierait un statut. Il a donc fait tout ce qu'il fallait. Des choses innommables et d'autres, pires encore. Des histoires circulaient, on en avait jasé pendant des années dans la région.

Il a eu la maison, mais le statut espéré lui a échappé. N'entre pas dans le beau monde qui veut. Peu à peu, il a remplacé le monde par l'alcool, dont il s'est contenté. En apparence.

Corinne contemple l'entrée branlante. La grille majestueuse en fer forgé, travaillée par le meilleur artisan de la région, ne tient plus que par la rouille.

« C'est devant la grille que l'on se fait une idée des propriétaires. Nous sommes jugés au premier coup d'œil, ne l'oubliez jamais », répétait le père.

Aujourd'hui, la grille est rongée par les vaines attentes de reconnaissance. Elle reflète l'état actuel des maîtres de maison, érodés par des années d'illusions perdues. Les masques sont tombés. On ne peut faire semblant pendant une vie entière. Le *temps* est toujours le plus fort.

Corinne sourit. Elle pense à son appartement encombré de petits objets de luxe qu'elle collectionnait pour se donner un genre. Elle cherchait, tout comme son père, un statut. Elle l'a échappé belle ! Quand le temps est passé lui rendre visite, il a dû faire une drôle de tête, il n'a rien trouvé à se mettre sous la dent, quelqu'un d'autre, son psy, était passé avant lui et avait raflé tout son passé. Il n'a rien laissé. Rien. Il n'était pas psy pour rien. Voleur de vies.

Pas de hasard.

Il lui reste quelques images... de ses jeux d'enfant, avec ses amis, là, sur le trottoir devant l'entrée. Un rayon de soleil, un après-midi. Un garçon dont elle a oublié le nom. On jouait à mimer un métier. Elle avait mimé son père. Comment fait-on pour mimer son père ? Pas difficile, on fait comme lui. En grandissant, elle a continué.

Un sourire lui vient subitement, un sourire qui la surprend. Enfant, elle a bien dû être un peu heureuse.

Juste un tout petit peu. Oui, elle en est presque sûre. Quand elle rêvait à sa vie d'adulte, quand elle imaginait tout ce qu'elle allait faire quand elle serait grande.

Ces moments privilégiés l'isolaient de son entourage. Seuls instants d'insouciance. Elle voyageait dans le pays merveilleux des contes de fées, dessinant le monde à sa façon. Elle ne savait pas alors que sa vie d'enfant allait la poursuivre. Aucune réalité ne ressemblerait jamais à ses rêves. Aucun prince charmant ne viendrait sauver la belle princesse endormie qui avait pensé ne plus jamais se réveiller.

Jeu dangereux.

Dans cette bâtisse oubliée, des soirées mondaines se sont déroulées. Soirées oubliées, elles aussi. Alcool, drogue, sexe, jeux de séduction et de pouvoir. Autres âges, mêmes jeux.

Corinne découvre la sonnette accrochée à la grille par un fil de fer. Elle s'approche, appuie sur le bouton.

À l'étage, un rideau remue derrière la fenêtre. Puis plus rien.

Corinne attend un peu et appuie une deuxième fois. Puis elle ouvre la grille, pénètre dans la propriété et se dirige vers la porte d'entrée.

C'est à ce moment qu'elle aperçoit la petite fille. Environ sept ans, jupe bleue de collégienne.

La gamine se dissimule derrière un buisson sauvage. Elle est debout et fixe l'inconnue qui profane sa demeure.

Le visage est rond, les yeux à demi fermés, elle respire rapidement, par à-coups. On dirait qu'elle a peur.

Corinne s'arrête et lui offre un sourire.

— Je suis Corinne Bauwens, je viens voir ma mère. Qui es-tu?

La petite fille cherche ses mots.

— Je suis toi, dit-elle timidement.

Et comme Corinne ne comprend pas, elle ajoute maladroitement :

— Je suis Corinne, petite.

Elle lâche encore, brusquement :

— Pourquoi m'as-tu abandonnée ?

Corinne regarde autour d'elle. Son champ de vision s'est rétréci. Elle ne voit plus que la petite fille, le reste du monde s'est estompé. Elle est en transe, elle le sait. Comment a-t-elle pu entrer dans cet état, instantanément ? Le fait de retrouver sa maison, son passé ?

Elle dévisage cette enfant. Elle la reconnaît. C'est bien elle : craintive, triste, isolée dans les fourrés pour se protéger. Solitaire, déjà.

Corinne lui tend la main.

— Viens petite Corinne, nous avons à parler.

La petite fille lui donne la main ; elles vont s'asseoir sur les marches de la porte d'entrée.

— Je suis contente de te retrouver, commence Corinne. Je suis venue me réconcilier avec mes parents, mais je savais que j'allais devoir régler des choses avec mon enfant intérieur. Je suis là pour toi aussi. Je suis venue te chercher. Tu n'as plus à avoir peur. Regarde-moi, tu t'en es sortie. En dépit de tout ce que tu as vécu, de toutes les épreuves que tu as traversées, l'adulte en toi a survécu. Contemple-moi. N'ai-je pas survécu ? Je sais tout ce qui t'est arrivé. Je sais aussi que tu t'en es sortie. Je le sais, car je fais partie de ton futur. Tu peux me faire confiance.

La petite plonge ses yeux apeurés dans les yeux de l'adulte.

— Plus jamais je ne te laisserai seule, poursuit Corinne. Tu n'as plus à avoir peur. Je suis là. Je suis forte aujourd'hui. Il ne t'arrivera plus rien, je te le promets.

La fillette se met à pleurer.

— Tu m'as manqué, lâche-t-elle entre deux sanglots. Si tu savais ce que j'ai enduré sans toi ! Personne
pour m'entendre. Personne avec qui jouer. La nuit,
j'avais peur, je pleurais, et personne ne venait me consoler. Dis-moi encore que tu ne me laisseras plus seule.

— Je t'aime, dit Corinne en la serrant dans ses
bras. Je vais te choyer pour toujours. Je vais te gâter
comme on ne t'a jamais gâtée.

— Je t'aime aussi. Mais comment te croire ?

— Tu n'as pas besoin de me croire, je vais entrer
dans la maison et parler à ma mère. Pendant ce temps,
va dans ta chambre et prépare tes affaires. Quand je
quitterai la maison, je t'emmènerai avec moi. Nous
sommes deux, maintenant. Pour la vie. Quoi qu'il arrive, je serai à tes côtés pour te protéger. Tu m'as
manqué aussi, tu sais.

Elles se lèvent, au moment où la porte d'entrée
s'ouvre. Une femme, la soixantaine largement dépassée,
s'avance. Elle voit Corinne puis elle balaie l'entrée de la
maison d'un regard interrogateur.

— À qui parlais-tu ?

— À moi-même, maman. Je me voyais dans le
jardin à l'âge de sept ans. J'étais une petite fille malheureuse. Je me suis rappelé tout cela, et je me suis
consolée.

La mère et la fille restent un moment à s'observer,
les yeux dans les yeux, en silence. Une tranquillité
douce se dégage de cette rencontre. Cela fait longtemps qu'elles ne se sont pas regardées. Elles ne l'ont
jamais fait, à proprement parler.

La mère a vieilli, la fille est une femme. Le temps
a modifié les repères. Deux êtres du même sang se retrouvent, et plus rien n'est pareil. Elles ne sont plus « la
mère » et « la fille ».

— Je viens de faire du café, propose la mère, pour dire quelque chose. Elle esquisse un sourire et disparaît à l'intérieur.

— Bien, dit Corinne en entrant à son tour et en fermant la porte.

Corinne laisse sa mère se diriger vers la cuisine. Elle prend la première porte à droite et entre dans la salle de séjour. La pièce qu'elle préférait. Une pièce de château, sombre, aux plafonds hauts, ornée d'une cheminée majestueuse. Un piano à queue dont personne ne jouait, tout de noir laqué, y donnait la touche finale de la réussite.

Les soirs de fête, on allumait les lustres, les bougies. Les bûches dans la cheminée coloraient l'ensemble. C'est ici que se donnaient les soirées mondaines. Les enfants étaient relégués dans les chambres, à l'étage. De là-haut, on percevait des rires de femmes et d'hommes, des secrets échangés s'échappaient par bribes, les enfants étaient trop jeunes, n'est-ce pas ? ils ne pouvaient pas comprendre, mais ils reconstituaient astucieusement les histoires cachées. Et leurs yeux captaient ce qu'ils n'auraient pas dû capter.

Aujourd'hui, la plus belle pièce de la maison est triste et désolée. La vie l'a quittée. Le piano a été vendu. Personne ne pourrait deviner que dans cette bâtisse une famille s'est donné du mal pour afficher un prestige chancelant.

— Plus personne ne vient ici.

La mère de Corinne dépose le service à café sur une petite table.

— Je vois tes frères et tes sœurs une fois par an, à la période du Nouvel An. Je dis bien « la période ». Nous n'avons plus passé une seule fête en famille. Mais de quoi est-ce que je parle ? De quelle famille ? Je téléphone à mes enfants le jour de leur anniversaire. J'ai chaque fois l'impression de tomber à un mauvais moment. Ils sont tellement pressés, ont tant de choses à faire... Je ne leur en veux pas, je n'ai pas fait ce qu'il fallait pour qu'ils aient envie de me retrouver. Ce doit être pénible pour eux de me voir. Rien ne les appelle ici.

Corinne ne dit rien. Elle a coupé tout contact avec ses parents. Et sa mère ne lui téléphone pas, le jour de son anniversaire. Corinne lui a signifié qu'elle ne voulait plus entendre parler d'elle.

Elle comprend ses frères et sœurs. Eux n'ont pas eu le cran de dire qu'ils ne voulaient plus de contact avec les parents. Ils ont d'ailleurs si peu de temps : le travail, les enfants, les obligations... La mère n'est pas dupe, mais elle se raccroche à ces excuses.

Avec Corinne, les choses ont été claires. Sa fille ne voulait plus entendre parler de ses parents. Elle n'en avait pas, de parents. Elle était devenue orpheline, par choix personnel.

Et elle est là, assise sur le bord du fauteuil rapiécé, à regarder sa mère, sans parler.

Celle-ci lui sert une tasse de café.

— Merci. Pas de lait.

— Tu as changé tes habitudes.

— On me les a volées.

La mère de Corinne s'assied près d'elle, dans l'autre fauteuil. Sa fille est belle. Elle a un regard étrange, presque insoutenable. Une force tranquille émane d'elle. Elle a appris sa réussite dans le journalisme, mais la dernière fois qu'elle l'a vue, c'était quand... elle ne se rappelle plus. Elle ressemblait encore à sa petite fille. Maintenant, elle ne ressemble à personne. Une étrangère. Elle est gênée, la maman, elle ne sait plus comment aborder cette dame qui lui rappelle, de très loin, sa fille.

— Tu te demandes pourquoi je viens te voir, n'est-ce pas ?

— Je suis surprise. Ce doit être important, je suppose. J'essaie d'avoir de tes nouvelles par tes frères et sœurs, mais ils ne savent rien de toi non plus.

— Où est papa ?

— Il vit à Namur. Seul. Je crois. Il m'appelle quand il a besoin d'argent. Heureusement que dans les années fastes j'ai été prudente, j'ai mis de l'argent de côté. Lui, il est ruiné. La maison est à moi aussi, c'est une chance. J'ai de quoi vivre jusqu'à ma mort, et aussi de quoi lui venir en aide. Pourvoir à son whisky, je veux dire. Il n'est plus très bien, sa voix tremble et il a l'air d'un épouvantail. Tu pensais le trouver à la maison ?

— Non, dit Corinne.

Elle pose sa tasse sur la table.

— Je suis venue retrouver ma maman.

La main qui tient la tasse de café se met à trembler tout à coup. La mère ne reconnaît pas ces mots dans la bouche de sa fille. Il y a longtemps qu'elle n'a pas entendu ce genre de choses. Où Corinne veut-elle en venir ? Que lui veut-elle ?

— Ne dis rien, maman. Il n'y a rien à dire. Le passé n'existe plus. Quoi que tu aies fait ou pas fait, je t'accepte telle que tu es. Tu es ma mère, tu m'as élevée comme tu as pu, avec tes moyens. C'est bien ainsi.

Corinne se lève et s'approche de sa mère. Elle lui prend la main. La mère tremble de tout son corps.

— Je t'aime, maman. Je voudrais te rendre grâce. Te glorifier.

Corinne l'aide à se mettre debout.

— Que vas-tu faire ?

— Ne crains rien, ferme seulement les yeux et garde-les fermés. Tu veux bien ? Je vais passer mes mains sur ton corps, de haut en bas. C'est symbolique, je vais t'enlever tout le poids de la culpabilité. Tu es une bonne mère. La meilleure qui soit pour moi. Il me fallait du temps pour grandir et comprendre cela. Tu veux bien te laisser faire quelques instants ? Je vais à peine te toucher.

— Que dois-je faire ?

— Tu n'as rien à faire, qu'à recevoir. Ouvre-toi seulement. Sois active dans la réception de mon amour.

La mère ferme les yeux et Corinne lève les mains, les impose au-dessus de la tête de sa mère. En silence et avec lenteur, elle descend les mains sur son visage, sur le cou, les épaules, les bras, et continue ainsi sur le reste du corps.

La vieille femme est troublée.

Elle sent la chaleur des mains qui enveloppent son corps. Et tout l'amour qui se dégage de ce cérémonial. Un amour indicible. Qui efface toute la misère du monde. Un amour qui réconcilie, qui renoue avec l'humanité.

Elle redevient la maman qui a aimé un homme et qui a enfanté dans la souffrance. Son enfant est devant elle et lui rend grâce pour ce miracle. Des larmes coulent sur ses joues. Sa respiration s'accélère. Elle éclate en sanglots, mais garde les yeux fermés.

Elle ne mérite pas cet amour. Que lui a-t-elle donné qui mérite un tel rituel ? Elle songe un instant à arrêter sa fille ; n'est-ce pas à elle de faire cela ? Elle ouvre les yeux et aperçoit Corinne prosternée à ses pieds. Le visage contre le sol.

Elle voudrait parler, lui crier d'arrêter, mais sa fille ne lui en laisse pas le temps. Lentement, elle relève la tête et vient vers elle. Avec une immense douceur, elle prend sa mère dans ses bras et la serre très fort contre elle.

— Je t'aime, maman.

La mère voudrait lui dire qu'elle l'aime aussi, mais elle n'y arrive pas. Les sanglots l'en empêchent. Elle n'a plus employé ce mot depuis si longtemps...

— Ne dis rien, maman, je t'entends.

Soudain, Corinne éclate aussi en sanglots. Elle vient de retrouver sa maman.

Elles respirent à deux, debout, enlacées. Deux cœurs qui épousent enfin le même rythme.

Il n'y a rien à rajouter.

Tout est consommé.

XXIV

Corinne roule en direction de Namur. Elle veut revoir son père. Elle sait qu'elle va retrouver une épave. L'homme qui ambitionnait le statut d'homme du monde est tombé... dans le caniveau.

Il boit plus que jamais a avoué sa mère, qui l'a expulsé récemment de la maison car il y ramenait des femmes – des putes – lors de ses virées d'ivrogne.

Il voulait vivre à trois ou même à quatre. Sa sexualité a toujours été trouble. Elle a accepté pas mal de choses étant jeune, car elle l'aimait, et puis il y avait les enfants. Il l'a forcée à participer malgré elle à des soirées particulières. Elle a supporté cela pendant toutes ces années – elle en a souffert – mais il a fini par dépasser les bornes.

Elle ne voulait plus vieillir avec lui. C'était décidé. Qu'il aille au diable ! Elle s'était trompée de vie. Trop tard, maintenant. Enfin, elle pouvait encore choisir de vivre les dernières années de sa vieillesse comme elle le souhaitait. Seule, et sachant ce qu'elle ne voulait plus.

Ce n'était pas tant les années perdues qu'elle regrettait que ses enfants, qu'elle ne voyait plus. À leur façon, ils l'avaient expulsée, eux aussi, de leur existence.

Elle se souvient de toutes ces nuits blanches passées à s'inquiéter de leurs fièvres, des repas à préparer, des travaux ménagers. Elle a accompli son devoir de mère. Les habillant, les nourrissant, les aimant, mal peut-être, mais les aimant quand même...

Et voilà qu'ils ne donnaient plus signe de vie. Trop de travail. Quel genre de travail peut-on avoir, qui nous force à oublier nos parents ?

Quelque part dans son parcours, elle a manqué quelque chose d'essentiel. L'amour.

Elle ne leur a jamais dit qu'elle les aimait. Mais on ne le lui a jamais appris non plus. Ses parents ne lui avaient jamais manifesté leur amour. Et la roue avait tourné. Elle a reproduit le même schéma. Oh ! ce n'était pas une excuse, mais enfin, en son temps, l'amour, on n'en parlait pas tant, et on n'en faisait pas toute une affaire ! Bien sûr que les parents aimaient leurs enfants, il n'y avait aucun doute à ce sujet. Et les enfants avaient le respect des parents. C'était une évidence. Maintenant, l'amour est devenu un dû. On le revendique. On se culpabilise si on a oublié d'en donner.

— Maman, arrête. Je suis ici pour construire notre avenir.

— De quel avenir parles-tu ?

— Je veux que tu viennes habiter chez moi.

La mère a sursauté. Elle a pris sa fille pour une folle. Elle devait avoir perdu la tête. Mais non, Corinne avait recouvré toute sa tête, au contraire. Elle voulait renouer avec elle et découvrir cette maman qu'elle venait de retrouver.

Elle avait du temps, de la disponibilité. Elle voulait mettre de la vie dans sa vie.

— Mais je vais être un fardeau pour toi. Tu travailles, tu as des responsabilités, il n'y a pas de place chez toi pour une vieille mère qui ne t'a jamais vraiment accordé du temps. Je ne te comprends pas. De mes enfants, tu es celle dont je n'aurais jamais attendu une chose pareille. Et puis, où vis-tu? Il faut de la place pour caser une mère. Et que dira ton compagnon? Avec qui vis-tu actuellement? Tu es seule? Mais Corinne, quand tu auras rencontré l'homme de ta vie, il n'y aura plus de place pour moi.

— Maman, l'homme qui refusera de me laisser choyer ma mère dans sa vieillesse ne sera pas l'homme de ma vie. J'ai appris, comme toi, ce que je ne veux plus. Je ne veux plus d'homme sans humanité. Nos allons vivre ensemble, c'est décidé, car je veux te chérir. Il est hors de question que tu vieillisses et meures solitaire. Tu as une fille qui t'aime.

— Pourquoi dis-tu que tu m'aimes? Tu ne me connais pas vraiment.

— Ce que je suis, je le suis grâce à toi. À mon tour, je suis là pour toi. Et, à moins que cela ne te convienne vraiment pas, il est inutile d'en discuter. Il me faut un peu de temps, j'ai quelques affaires à régler, des choses à mettre en ordre, un nouveau travail et un appartement à trouver. J'ai besoin de quelques mois. Quand ce sera fait, je viendrai te chercher. Entre-temps, je ne te lâche plus.

Corinne rejoint l'autoroute des Ardennes, la 411. Elle reste sur la bande de droite, roulant lentement, car elle doit sortir à Bouge.

Elle a essuyé les larmes de sa mère, puis elle lui a demandé de la laisser quelques instants seule, elle voulait retrouver sa chambre d'enfant.

Elle est montée au premier étage et a pris la première porte à gauche dans le couloir.

Elle a ouvert la porte, remplie d'angoisse. Vingt-cinq ans qu'elle n'a pas mis les pieds dans cette pièce. Sa mère l'a gardée intacte pour y recevoir ses petits-enfants. Mais aucun n'a jamais couché là.

La petite Corinne était assise sagement sur le bord de son lit. Elle l'attendait. Ses affaires étaient soigneusement rangées dans un sac en plastique.

Quelques vêtements et des jouets, une petite balle jaune en caoutchouc qui rebondissait partout.

Son premier bracelet-montre, celui qu'elle avait porté à l'anniversaire de ses sept ans. Avec lequel elle était allée au cinéma voir un film sur les Zoulous. Elle était restée à toutes les séances, jusqu'à la fermeture du cinéma. Ses parents, inquiets l'avaient fait rechercher dans le village. Quelle réprimande ! Qu'est-ce qui lui avait pris de rester dans la salle et de voir cinq fois le même film ? Elle se rappelle tout. Dans les moindres détails. Même les émotions qu'elle avait éprouvées, debout, les yeux baissés, devant ses parents consternés.

Corinne a avancé vers le lit et s'est assise à côté de la petite Corinne. Elle lui a pris la main. Elle lui a dit combien elle comptait pour elle. Elle lui a répété qu'elle ne l'abandonnerait jamais. Quoi qu'il arrive. Qu'elle faisait partie de sa vie dorénavant et qu'elle pouvait tout lui demander. Elle était là pour prendre soin d'elle. Elle serait toujours à son écoute. Elle pourrait tout lui demander.

Elle l'avouait, elle s'était négligée, elle avait travaillé pour réussir, nuit et jour jusqu'à s'en rendre malade. Elle avait bu de l'alcool, beaucoup trop, si grande était sa souffrance affective.

Elle lui a promis qu'elle écouterait la petite Corinne désormais et que, si elle travaillait trop ou se laissait aller, elle lui demanderait de tirer énergiquement le signal d'alarme. Elles seraient deux pour s'épauler.

Elle lui a dit encore qu'elle l'aimait de tout son cœur.

La petite Corinne lui a serré fortement la main, heureuse de retrouver son adulte, quelqu'un de fort qui allait la protéger. Elle n'était plus seule. Enfin !

Ayant entendu les mots qu'elle espérait, la petite Corinne, tel un flocon d'étoiles, s'était élevée et avait intégré le corps de la grande Corinne.

Elles ne faisaient plus qu'une seule et même personne, réconciliées.

Corinne a jeté un dernier regard sur sa chambre. Sa vision s'est étendue au présent. Elle a saisi le sac en plastique avec ses affaires... Elle a retrouvé sa mère qui l'attendait en bas. Elle l'a prise une dernière fois dans ses bras et a quitté la maison en lui faisant un grand geste d'adieu.

Corinne prend la sortie 25, BOUGE. Elle tourne à droite, vers le centre. Arrivée à la gare, elle passe sous le pont, prend la première rue à droite. Rue des Coteaux.

Elle passe lentement devant le numéro 25. Volets gris à la peinture écaillée, murs laissés à l'abandon.

Il est 17 h 20. Il fait encore clair. Les volets sont fermés pourtant.

Elle gare sa voiture un peu plus loin dans la rue.

Avant d'aller chez son père, elle entre dans un magasin et achète une petite bassine en plastique et une serviette de bain.

Elle est prête.

Pourvu qu'il soit là. Et pas trop ivre. S'il est absent, elle l'attendra.

Pas de nom sur la porte. Elle sonne. Elle entend la sonnerie à l'intérieur. Du bruit derrière les murs. Il y a quelqu'un.

La fenêtre s'ouvre.

Un vieux monsieur apparaît, les cheveux noirs, ondulés, le nez aquilin, le visage mince, pas rasé depuis quelques jours. Les yeux sont rouges. Il devait dormir, elle l'a réveillé.

Habillé d'un polo bien net, il est propre et paraît soigné.

Il est encore séduisant, pour son âge. Nul doute qu'il entretient une liaison. Elle le sent.

— Que voulez-vous ? demande-t-il.

— C'est moi, papa. Je suis Corinne, ta fille.

L'homme la regarde, décontenancé. Les mots mettent du temps à se frayer un passage jusque dans sa tête. Il aimerait comprendre. Que veut-elle vraiment ? Cela fait quinze ans qu'il n'a pas vu sa fille. Il a du mal à la reconnaître.

Il ferme la fenêtre et disparaît à l'intérieur.

Le cœur de Corinne se contracte.

Après quelques instants, elle entend la clef tourner dans la serrure.

Elle a mal au ventre.

Cela fait des années qu'elle le relance régulièrement, par lettre ou par téléphone. Des années qu'il ne répond pas, qu'il lui raccroche au nez.

Et voici qu'il lui ouvre la porte. Peut-être pour l'insulter ? Elle serre instinctivement la bassine, comme pour se protéger.

Le père reste un peu à l'intérieur, sur la défensive. Il attend qu'elle dise quelque chose. Combien de fois ne l'a-t-il pas rabrouée ?

Corinne parle, d'une voix pleine de douceur.

— Papa, je viens te dire que je t'aime.

En une fraction de seconde, un espace d'amour infini s'ouvre en lui. Il a été touché. Le miracle s'opère. Il fait un geste d'accueil. Corinne dépose ses affaires et se blottit dans les bras de son père.

Ils restent là un long moment, dans l'entrée, sans parler, dans une étreinte retrouvée, ignorant le regard des passants. Les minutes s'écoulent, mais le temps reste figé.

Une fille retrouve son père, un père retrouve sa fille.

Un miracle.

Ils sont maintenant assis autour de la table du salon. Le salon, c'est la petite pièce qui donne sur la rue. Il y fait sombre. Quelques meubles ordinaires. Deux petits fauteuils et un canapé.

— Ce n'est pas le faste d'autrefois, lance le père.

— Tu en as encore besoin ?

— Ça m'a passé. Pas mal de choses m'ont passé. J'ai fait toutes les expériences possibles. Je peux mourir en paix.

— Papa...

— Je le pense. Je dis cela en toute sérénité. Il n'y a qu'une chose dont je ne peux me passer, et ce n'est pas l'alcool, comme tu pourrais le croire – j'ai presque cessé de boire. J'aime les femmes, tu le sais. Je mourrai dans un lit. En tout cas, c'est mon fantasme.

Il change de ton :

— Tes sœurs et frères m'ont effacé de leur vie. Je les comprends. Je n'ai pas été le père modèle dont rêvent les enfants.

— Papa, tu as été ce que tu as été. Nous n'avons certainement pas été des enfants de rêve non plus. Le passé est le passé. Je suis devant toi aujourd'hui parce que je veux t'accompagner dans l'avenir. J'ai besoin de ton amour. Je t'aime tel que tu es. Quoi que tu aies pu faire ou ne pas faire, tu es mon père, tu m'as donné la vie. Nous avons tout l'avenir devant nous. Je veux renouer avec toi. Je me fous du passé. J'ai retrouvé mon papa, et je ne veux plus le perdre. Nous avons tant de choses à partager. Et cela commence à partir d'aujourd'hui.

Le père fixe sa fille. Il n'ose pas dire un mot. S'il ouvre la bouche, il va éclater. Comment peut-elle l'aimer, lui qui lui a volé son enfance? Il ne mérite aucun amour. De personne. Il est venu se cacher ici, pour mourir. Jamais il n'aurait pensé que l'un de ses enfants pût lui parler ainsi. Où a-t-elle appris ces mots?

Il est perdu.

Ses pensées sont confuses. Sa fille l'aime, tel qu'il est. Comment cela se peut-il?

— Je ne sais quoi te dire, commence-t-il, la voix tremblante, on ne m'a jamais parlé ainsi. Tu dis des mots... qui me font souffrir. Qui me rappellent tout le mal que je t'ai fait... Qu'est-ce qui te prend? Pourquoi?

Corinne se lève.

— Nous avons perdu trop de temps, papa, trop d'années. Je ne veux pas te laisser vieillir seul, car tu n'es pas seul, je suis ta fille et je t'aime. Il n'y a rien à comprendre à cela. Et ma propre fille, Julie, a besoin de son grand-père. C'est moi qui regrette le mal que je t'ai fait en te jugeant. Qui étais-je pour te juger? Papa, ma vision du monde a changé. Quelque chose de fort s'est passé dans ma vie. Je ne suis plus la même. Un jour, je te raconterai tout. Aujourd'hui, j'ai besoin de te donner mon amour. Je te demande de le recevoir. Le veux-tu?

L'homme hoche la tête en esquissant un sourire douloureux. Quelque chose de grave se prépare et il ne sait pas quoi. Son visage est humide. Il n'ose pas essuyer ses larmes. Un homme, ça ne pleure pas. Pourquoi s'est-elle levée, tout à coup?

Corinne s'affaire, puis se rend dans la cuisine.

— Ne bouge pas, lance-t-elle. J'ai besoin d'un peu d'eau chaude.

— Les femmes savent d'instinct où trouver l'eau, répond-il.

Il se dit qu'elle va faire du café. Il boirait bien un verre de whisky, mais il n'ose pas. Pourtant, c'est un moment important…

Tant pis, il boira du café ou du thé, selon ce qu'elle préparera.

Il profite de son absence pour s'essuyer le visage. Voilà qu'il pleure, maintenant. Il doit devenir gâteux. Si sa femme le voyait !

Corinne revient, avec une bassine et une serviette de bain.

Il ne comprend pas.

Elle s'agenouille devant lui, dépose la bassine remplie d'eau et la serviette sur le sol, à côté de la chaise.

Il la regarde faire avec curiosité et frayeur.

Elle lève la tête et plonge ses yeux bleus dans les siens. Il n'ose pas comprendre.

Elle pose les mains sur ses pieds. Il a envie d'être ailleurs.

— C'est mon cadeau, papa.

Et Corinne, sa fille, celle qu'il ne voulait plus revoir, commence à défaire les lacets de ses chaussures.

Il n'ose imaginer la suite.

Elle retire ses chaussures qu'elle pose sur le côté droit de la chaise. Elle ôte ses chaussettes.

Il est pieds nus, maintenant.

Il a envie de l'arrêter, de crier « Ne fais pas "cela" ! »

Mais il ne dit rien, il laisse faire.

Corinne saisit le pied droit et le trempe doucement dans l'eau tiède.

C'est tout l'amour du monde qui se penche à ses pieds.

Un tel don, c'est trop pour lui. Il pleure. Peu lui importe à présent ce que l'univers peut penser de lui. Sa fille, sa propre fille, lui lave les pieds avec compassion. Elle lui pardonne tout. Elle lui restitue son humanité. Par ce rituel sacré, il devient père pour la première fois.

«Je t'aime», voudrait-il dire, mais les mots ne viennent pas. Ses cordes vocales n'ont pas l'habitude de l'amour. Ses yeux ne voient plus rien, que du brouillard. C'est son enfant qui est là, sa petite fille qu'il aime de toute son âme.

«Merci», souffle-t-il dans un élan de tendresse insensée.

La nuit est tombée doucement. Un silence quasi liturgique enveloppe la maison.

Loin des fastes d'autrefois, un charme s'est manifesté.

Sans savoir de quoi il s'agit. Ni pourquoi, ni comment. Ni où.

L'humanité s'est immobilisée pour célébrer des retrouvailles.

Ce soir-là, toute la communauté s'est sentie transformée.

On aurait dit qu'un souffle de bonté avait embaumé la région. Pendant quelques heures, des hommes et des femmes, des filles et des pères, des sœurs et des frères ont conclu un pacte avec leurs proches. Une intention de réconciliation s'est répandue dans les cœurs.

«Nous voulons faire la paix avec les êtres qui nous sont chers.»

Quand une famille renoue les liens brisés, l'univers entier frémit de contentement.

Un père et sa fille ont communié dans la ferveur, et la Terre en est émue.

XXV

— Jetez un coup d'œil sur ces photos, dit le commissaire Schroeder en étalant les images sur la table. Je
vous préviens, vous risquez un coup de sang.

Corinne se penche avec appréhension.

Hier soir, quand elle a téléphoné à sa mère pour
prendre de ses nouvelles, celle-ci lui a transmis le message du commissaire : elle devait le rappeler d'urgence,
il avait du nouveau.

— Tu as des ennuis ?

— Je t'expliquerai, maman. Mon psychiatre m'a
flouée, je suis tombée sur un escroc. Le commissaire
l'a pincé, je crois.

— Fais attention à toi. Tu n'as pas besoin
d'argent ?

— Non, maman, ne t'en fais pas. Tout va pour le
mieux. Je te tiens au courant.

Le commissaire lui a donné rendez-vous au Roy d'Espagne. Comment connaît-il son café attitré? Elle ne se souvient pas de lui en avoir parlé.

Depuis qu'on l'a dépouillée de son appartement et de son compte en banque, elle vit dans un apparthôtel. Un studio meublé dans un complexe hôtelier, près de la Grand-Place. C'est assez cher, mais elle ne veut pas s'installer définitivement avant d'avoir retrouvé son arnaqueur de psy.

Heureusement que, pendant ses bonnes années de journalisme, elle a réussi à mettre de côté un modeste pactole dans une banque luxembourgeoise, pour une circonstance désespérée. La circonstance désespérée s'est présentée plus tôt que prévu. Elle peut tenir six mois sans faire de folies.

L'idée lui a traversé la tête d'inviter le commissaire chez elle, à l'hôtel, mais elle s'est dit que ce lieu était trop personnel. Elle ne veut pas impliquer la police dans sa vie privée. Vie privée? Elle se rend compte qu'elle n'a plus de vie intime du tout depuis belle lurette, tout le monde s'en est mêlé.

Elle a demandé au commissaire s'il ne pouvait pas lui donner quelques éléments par téléphone – a-t-il retrouvé son psy? – mais il a répondu qu'il préférait la rencontrer, car il avait des photos à lui montrer.

Il y a du monde dans l'établissement mais elle est parvenue à décrocher son coin préféré, près de la fenêtre. Ils ont commandé un café pour lui, un thé pour elle.

Le policier lui confie d'abord avec fierté que l'enquête a bien progressé. Il a fait du bon travail. Les éléments recueillis vont lui permettre de coincer la canaille pour de bon.

L'enquête sur les occupations suspectes du psychiatre a été éloquente.

— Première bonne nouvelle : il n'est pas répertorié à l'Ordre des médecins. Il travaille donc sans licence. Avec ça, déjà, il est cuit. Mais voyez les photos.

Corinne est ahurie. Elle ne sait quoi penser.

Il y a là Gérald Rikson qui déambule sans fauteuil roulant. « Il marche comme vous et moi. Le salaud ! »

D'autres photos, plus intimes, montrent son amie Geneviève en sa compagnie. Les images sont parlantes, ils sont amants.

Elle aussi l'a trompée, pour de l'argent. Elle a dû en arnaquer plus d'un dans les services d'urgence de l'hôpital. En tant qu'infirmière, il lui était facile de recruter des débris suicidés. Facile alors de leur proposer le tout pour le tout. Quand on n'a plus rien à perdre, les arguments primaires font mouche à tous les coups.

Mais les photos les plus inattendues sont celles de ses séducteurs : le bronzé, l'avocat et le chirurgien. Le trio diabolique en compagnie de Gérald Rikson et de sa maîtresse Geneviève. Mon Dieu !

Ils sont bras dessus bras dessous, comme des amis de longue date. Geneviève et la bande des pieds nickelés. Effarant !

Toute sa thérapie bidon a été montée dans le seul but de la dépouiller.

— Nous avons consigné d'autres plaintes de victimes du docteur Rikson. À vrai dire, il y en a une bonne dizaine. Et peut-être d'autres qui n'osent pas se manifester. L'ennui, c'est que vous avez tous signé des documents compromettants lui octroyant tous les pouvoirs. Heureusement que ce n'est pas un vrai psy. Il y a tromperie. Et le fait qu'il emploie des collaborateurs – Spiros, le chirurgien esthétique, est un ancien repris de justice, bien connu de nos services ; l'avocat n'est rien d'autre qu'un animateur de séminaires de développement personnel, il n'a fait aucune étude d'avocat ;

et l'autre, le bronzé, est un vrai vendeur, genre margoulin. C'est le seul qui pratique la profession annoncée. Il est fiché dans des affaires de mœurs. Des histoires avec des mineures. Plaintes des parents. Il aime les petites jeunes attirées par les bronzés débiles. Oh ! rien de grave, il se contente de les séduire et de leur promettre le mariage. Certaines se laissent piéger. Il baise mais n'escroque pas. Sauf qu'il bosse pour notre Rikson. Là, il est plongé dans le coup fourré. Il va séjourner quelques années à l'ombre, adieu le bronzage ! Il devra changer de répertoire. Mais ce genre d'individu arrive toujours à se reclasser. Il attaquera les veuves en mal d'amour. Ça pullule.

Corinne n'écoute pas. Son cerveau ne suit plus. Elle a rencontré Spiros par hasard, c'est elle qui l'a abordé. Mais sans doute ne se trouvait-il pas là fortuitement. Il écrivait une lettre, tout comme elle, et il la fixait comme s'il la connaissait depuis longtemps. Il a provoqué son attention.

Et l'avocat, dans le train, s'est assis en face d'elle, mine de rien. Il connaissait sa destination, Rikson l'avait mis au parfum. Il lui a même fait visiter un cabinet d'avocat, comme étant le sien. Scélérat !

Et Michel le bronzé... Elle était censée aider Rikson à le guérir !

Bien joué, Rikson.

Et tous les autres ? Les centaines de prétendants rencontrés par annonces et sur Internet ? Des acteurs de second plan. Ils n'étaient pas dans le coup. Rikson lui a suggéré une tâche thérapeutique ridicule pour brouiller les pistes.

Incroyable !

— Et maintenant ?

— J'ai appris ce matin que la bande se réunit chez Rikson demain soir. À Ixelles. Il y a un autre cabinet, sous un autre nom. J'ai mis son téléphone sur écoute. Ils seront tous présents. Le notaire aussi est dans la combine. C'est lui qui ratifie les actes de vente des immeubles. Eh! oui. Je sais, vous avez été diablement manipulée. On peut dire que c'est un complot bien ficelé. J'ai des mandats pour embarquer tout ce beau monde. J'ai besoin de votre présence pour les confondre. Ils seront tous là vers 18 heures. Pour préparer un autre coup, j'imagine. Nous serons dans ma voiture, garés un peu plus loin dans la rue, nous ferons le guet. Quand toute la bande sera à l'intérieur, nous les prendrons sur le fait. J'aurai des renforts.

— J'ai peur, dit Corinne. Je ne sais pas de quoi, mais j'ai peur. Tout ce qu'il m'a fait m'a quand même aidée à m'en sortir, mais je sais aussi qu'il a profité de ma faiblesse. C'est paradoxal. Je ne peux pas expliquer ce qui se passe en moi. J'ai envie de le voir derrière les barreaux et, d'un autre côté, je lui dois la vie.

— Il pouvait vous aider sans vous voler. N'était-ce pas la bonne façon d'agir pour un thérapeute digne de ce nom?

Corinne laisse errer son regard sur ces photographies. Tout cela sonne tellement faux. Elle a l'impression de rêver. Comment a-t-elle pu tomber dans ce traquenard?

Va-t-elle récupérer son appartement? Qui sait? Mais veut-elle le récupérer? Pas sûr.

Il y avait à l'intérieur tant de choses endormies et qu'elle n'a pas envie de réveiller. Tout cela est bel et bien enterré dans cette habitation. L'appartement a disparu, son passé aussi.

Il est vrai que d'autres personnes ont dû trinquer, comme elle. Des êtres fragiles qui doivent être au trente-sixième dessous à l'heure actuelle. C'est pour eux qu'elle doit agir. On ne peut laisser un aigrefin en liberté.

Un faux handicapé !

Pourquoi avoir joué ce rôle d'invalide ? Pour endormir sa méfiance. Et avec l'hypnose en prime ! Épaulé par ces filous d'enjôleurs, qu'elle a aimés.

Une imbécile. Voilà ce qu'elle est. Elle a cru qu'elle les aimait. Mais quel âge a-t-elle donc ?

Elle ne croira jamais plus un homme, c'est une évidence.

Oui, le commissaire a raison, il faut neutraliser cette bande d'escrocs. Ils sont dangereux.

— Bon, soupire-t-elle, faites ce qu'il faut, je suis avec vous.

— Je vous retrouve au commissariat demain à 16 h. Nous partirons d'ici ensemble. Avec du renfort.

Après le départ du policier, Corinne reste un moment dans l'établissement, songeuse.

Elle se met à dévisager les hommes autour d'elle. Même avec beaucoup d'expérience, comment deviner les manigances obscènes dont ils sont capables – tous ces mâles – derrière leur apparence d'hommes civilisés ? Le mot « civilisé » n'est pas le bon. C'est « refoulé » qu'il faudrait dire. Pire que des travestis ! Les travelos, eux, au moins, osent afficher leur nature.

Puis, Corinne songe à sa fille. Elle a envie de la revoir. Elle décroche son téléphone portable et l'appelle.

C'est mercredi. Elle doit être chez son père.

Julie répond, heureuse d'entendre la voix de sa mère.

— Je passerai te chercher ce soir. Nous irons dîner ensemble.

— Pourquoi pas cet après-midi ?

— J'ai encore des choses à régler, pour mieux te retrouver ensuite. Je te raconterai tout. J'ai de quoi écrire un livre ! Deux ou trois, même. Sais-tu que je n'ai plus mon appartement ? Non, je ne l'ai pas vendu. On l'a vendu pour moi. Je te rappelle. Julie ? Je t'aime.

Elle raccroche. Ses yeux sont humides.

Corinne cherche un mouchoir dans son sac quand elle aperçoit la silhouette de Geneviève qui pénètre dans l'établissement et qui, manifestement, a l'air de chercher quelqu'un.

Corinne se lève et lui fait de grands signes.

Son amie l'aperçoit et se dirige vers sa table.

— Je n'ai pas beaucoup de temps, commence-t-elle. Je sais que tu as pas mal de choses à me demander, des questions à poser et des points à éclaircir. Ce n'est pas le moment. Pas ici. Je pense que je suis suivie. Je suis venue te dire de ne pas revoir ta fille dans l'immédiat. Tu as lancé une enquête sur le docteur Rikson, il ne fallait pas faire ça. C'est un être maléfique. Retire-toi quelque temps à la campagne, dans un endroit où on ne te connaît pas. Je suis désolée de t'avoir entraînée dans cette histoire. Je ne voulais pas. Je me suis laissé manipuler, moi aussi.

Corinne voudrait lui couper la parole, mais son amie ne lui en laisse pas la possibilité.

— Attends. Je sais tout ce que tu comptes me dire. J'ai une liaison avec Gérald, c'est vrai, et j'ai tout quitté pour lui, mais je ne savais pas jusqu'où il pouvait aller. Il m'a fallu du temps pour comprendre. Il me disait que tout cela faisait partie de la thérapie. Jusqu'au jour où j'ai découvert qu'il avait plumé des dizaines de personnes comme toi. Je l'ai suivi par amour, mais si je suis devant toi, c'est parce que je suis écœurée. Et peut-être parce que je m'en veux d'avoir laissé aller les choses jusque-là avec toi, mon amie. Je sais que tu as perdu ton appartement. Et tes économies. J'ai réussi à leur fausser compagnie un moment – ils sont une petite bande organisée – pour te prévenir de laisser tomber les poursuites contre lui. Cache-toi et reviens dans quelque temps. L'enquête est lancée, il devra payer, et moi aussi, je suppose. Je l'ai bien cherché, même si j'ai cru faire cela pour aider les gens. Naïve. Plus que cela, amoureuse et naïve. Conne. Mais le temps n'est plus aux regrets.

En parlant, elle jette autour d'elle des regards apeurés.

— Ils me suivent. Ils savent que je veux te prévenir.

— Mais enfin, Geneviève, que veux-tu qu'ils me fassent ? Ils ne vont pas me supprimer, quand même.

Geneviève surprend une silhouette venant de la Grand-Place. Une ombre furtive. Corinne croit reconnaître le bronzé.

— C'est le bronzé ?

— Ils pressentent que je vais craquer et parler. Ils sont après moi. Ne va pas voir ta fille, Corinne – (comment sait-elle que j'ai appelé Julie, se demande Corinne) –, disparais quelque temps. Excuse-moi, il faut que je file. Bonne chance. Je suis désolée, Corinne, vraiment désolée. Cette histoire me dépasse. J'ai fait des choses impardonnables, il est normal que je paie. Je ne sais pas si on se reverra un jour. Cela a été si vite, tu ne peux pas savoir comme on peut se laisser embarquer sans vraiment s'en rendre compte. Il est très fort. Mais je l'aime. Encore maintenant, sachant tout ce dont il est capable. Je suis perdue.

Elle se lève et sort de l'établissement, sans se retourner.

Corinne voudrait la rattraper.

— Geneviève, attends, j'ai l'appui d'un commissaire, il...

Mais son amie s'est volatilisée parmi les nombreux touristes. Corinne observe les alentours et identifie le bronzé qui l'épie à une cinquantaine de mètres de là. Elle se dirige vers lui d'un pas décidé. Dangereux ou non, elle a eu une aventure amoureuse avec cet homme – n'avait-il pas souhaité vivre avec elle? C'est quoi ce cinéma burlesque?

Lorsqu'il comprend qu'elle vient à sa rencontre, l'homme disparaît.

Corinne se met à sa recherche dans les ruelles encombrées de touristes. Il est là, son instinct le lui dit. Et tout près. Il doit la surveiller.

Elle entre dans un établissement de la rue des Bouchers, cherche une table près d'une fenêtre, commande un thé, paye et se met aux aguets, l'œil rivé sur les passants.

Elle épie les badauds, intensément, détaillant jusqu'à leur façon de s'habiller. Peut-être s'est-il camouflé?

— Je peux?

Corinne tourne la tête et se trouve face à l'homme qu'elle cherche. C'est lui qui l'a trouvée. Contrairement à ce qu'elle a pensé, elle n'a pas peur de lui. Elle se sent même soulagée de se trouver devant l'un des comploteurs. Elle va enfin comprendre le fin mot de toute cette comédie.

Michel Lissens prend place sur une des chaises, face à Corinne. Il la fixe un instant dans un silence pesant. Il a des choses à régler avec elle et il ne sait pas par où commencer.

— Je voulais vous dire que je ne suis pour rien – enfin, pas pour grand-chose – dans ce qui vous arrive. Je dois vous avouer que…

Le garçon le coupe. Il vient pour la commande. «La même chose que madame», dit-il.

Il poursuit.

— Je dois vous dire que j'ai fait tout cela contre mon gré. Je n'étais – et je ne suis toujours – qu'un client ou un patient, appelez ça comme vous voulez – du docteur Rikson. Tout comme vous. Il m'a manipulé. Il voulait que j'emploie mon talent de séducteur pour vous séduire. Il fallait que vous tombiez amoureuse de moi. J'ai fait tout ce qu'il était possible de faire, je vous ai même demandée en mariage, mais vous m'avez mis en échec. Je vous avoue que pendant quelque temps j'ai été follement amoureux de vous.

Corinne fait la grimace, l'air de dire « laissez tomber ».

— Vous pouvez me croire, j'étais fou de vous. Je ne pouvais pas comprendre qu'une femme libre puisse m'échapper. Je vous offrais tout ce qu'une femme peut désirer, et vous m'avez rabroué. Je suis devenu comme fou. Mon rôle, c'était juste de vous rendre amoureuse. J'ai échoué. C'est après cela que j'ai appris les intrigues du docteur. Je ne savais pas qu'il faisait signer des reconnaissances de dettes sous hypnose. Je sais, il n'a pas fait cela avec vous, ce n'était pas nécessaire puisque vous lui avez gentiment cédé tous vos avoirs.

Corinne l'arrête, hors d'elle.

— Que voulez-vous ? Pourquoi me suivez-vous ?

Le bronzé lui explique alors qu'il vient de se rendre compte dans quelle galère il est lui-même tombé. Il n'est pas un brigand. Il est représentant, il gagne bien sa vie, et son hobby, c'est de baiser le plus de femmes possible, tant qu'il en a la possibilité. C'est tout. Cette histoire avec le docteur Rikson a été un dérapage, un accident. Il sait qu'une enquête est en cours et il ne veut pas finir en taule. Il vient la voir pour coopérer à l'arrestation du docteur. Lui aussi est une victime. Il est allé le consulter parce qu'il sentait un vide dans son existence. Il baisait, baisait, mais au bout du compte il se sentait seul et il vieillissait, iné-luctablement. Ça l'angoissait, la vieillesse. Il a pensé qu'une thérapie l'aiderait à affronter les années à venir. Il voulait continuer à séduire, mais sans angoisse. Loin de lui l'idée d'escroquer les femmes. Il est tombé dans un piège. Il est prêt à coopérer à l'arrestation de cet escroc.

— Je ne suis pas le seul à vous avoir manœuvrée, avoue-t-il. Il faut que je vous en parle, nous étions plusieurs. Trois, mais je ne sais pas comment vous expliquer tout cela, pour ne pas vous faire de mal.

Le garçon revient avec le thé. Le bronzé sort son portefeuille et règle l'addition.

— C'est pour moi, dit-il, comme pour lui restituer un peu de ce qu'ils lui ont chapardé.

Il lui raconte la suite, que Corinne a découvert partiellement grâce aux photos du commissaire. Ils étaient trois. Il y avait encore un avocat bidon et un soi-disant chirurgien esthétique. Tous des séducteurs... Ils inventaient une histoire pour s'attacher les femmes dépendantes en amour. Les plus faciles, celles à qui on peut raconter n'importe quoi. Du moment qu'on leur murmure des mots d'amour, elles succombent. Il n'est même pas nécessaire d'être beau. Ils sont capables de flairer une assoiffée d'amour au milieu d'une foule de dix mille personnes. La cible parfaite. Ils ne comprennent pas que certains hommes paient des putes, alors qu'il y a profusion de femmes seules.

L'homme se tait. Voilà, il a lâché le morceau. Incapable de soutenir le regard de Corinne, il regarde autour de lui. Il attend qu'elle parle, mais Corinne ne dit rien. Le commissaire lui a déjà tout raconté. Elle ne porte même plus de jugement sur ces individus. Elle a intégré, mâché et remâché tout cela. À présent, pour vivre libre, il faut faire payer cet escroc.

— J'ai... j'ai pris contact avec les deux autres. Ils sont d'accord, eux aussi, pour faire tomber le docteur.

Ils sont comme moi, des séducteurs, pas des bandits. Eux aussi sont arrivés là à cause des manœuvres malhonnêtes de Gérald Rikson. Ils sont prêts à témoigner contre lui. Je suis leur porte-parole. Ils savent que je suis avec vous. Nous sommes désolés. Nous ne savions pas où nous mettions les pieds, ni le mal que nous pouvions faire.

— Et Geneviève ? demande Corinne. Quel est son rôle dans tout cela ?

— C'est elle qui rabattait les victimes. Elle est sa maîtresse. Ils ont l'air de s'aimer. On ne la connaît pas vraiment, je ne l'ai aperçue que deux ou trois fois. Elle est infirmière, c'est ainsi qu'elle arrive à recruter les cibles idéales. Toujours des femmes, rescapées de tentatives de suicide à la suite d'une rupture amoureuse. Des femmes dépendantes en amour. Les victimes idéales. Parfaites.

Des connes parfaites, rectifie Corinne pour elle-même.

Il lui apprend encore que demain ils participeront à une réunion où le docteur Rikson les renseignera sur la prochaine affaire potentielle. Tout le monde sera là : l'avocat, le chirurgien, lui-même, Rikson et sa compagne Geneviève, et aussi le notaire qui trempe dans la combine, lui aussi.

— Hé oui ! Pour officialiser des ventes de biens, il fallait la complicité d'un homme de loi. Les biens étaient remis en vente immédiatement et il touchait un beau pactole au passage, d'après ce que m'a confié l'avocat qui, lui, s'occupait des contrats. Ce que vous avez signé est une œuvre d'art. Inattaquable. Ficelé avec une adresse diabolique. Autre chose, le docteur Rikson avait pensé s'occuper de Julie, votre fille, si vous deveniez trop encombrante. C'est là que nous nous sommes révoltés, tous les trois. Mais il est vrai qu'en attendant la fin de tout ceci, il vaudrait mieux, pour la sécurité de votre fille, que vous l'envoyiez quelque part, chez une parente. Chez votre mère, peut-être ? Ou chez une amie ?

Pour endormir sa méfiance, Corinne lui dit qu'elle va prendre toutes les précautions au sujet de sa fille. Elle ajoute qu'elle se doutait bien que le chirurgien, l'avocat et lui n'étaient que des pions. Elle en parlera au commissaire. Qu'il parte, maintenant, elle a besoin de rester seule.

Michel Lissens, dit le bronzé, la salue timidement et quitte l'établissement sans avoir touché à son thé, en rasant les murs.

Corinne reste encore longtemps à sa table, immobile, paralysée par les déclarations de cet homme qui, quelques mois plus tôt, voulait l'épouser.

Elle était une suicidée. Tombée dans les mains d'une bande d'assassins d'ex-suicidées.

On l'a dévalisée, profitant de sa souffrance.

Sa meilleure amie fait partie des scélérats.

Et il vaut mieux qu'elle cache sa fille pour un moment, car ils deviennent menaçants.

Ne pas voir sa fille. Danger.

Aberrant.

Renaître, pour vivre ça !

Corinne se sent assassinée pour la deuxième fois.

Avec la différence que, cette fois, elle ne va pas se laisser faire.

Ils vont payer. Le prix fort.

Elle appelle le commissaire, le met au courant de ce qu'elle vient d'apprendre.

Il a un plan, qu'il lui soumet.

Ingénieux.

C'est pour le lendemain.

XXVI

Le commissaire Schroeder a finalement changé d'avis. Il est passé chercher Corinne à son hôtel, accompagné d'un comparse en civil. Ils ont des mandats d'arrêt pour coffrer tous les acteurs du drame.

À 19 h tapantes, une camionnette de la police avec du renfort se postera devant l'élégant et sérieux cabinet du docteur Rikson.

Les respectables patients du thérapeute n'en reviendront pas. Thérapie de choc. Ils auront du mal à s'en remettre. Ceci dit, certains l'auront échappé belle, ils auront perdu quelques séances, mais pas leurs biens.

L'affaire fera du bruit car une histoire criminelle chez les psychothérapeutes est un cas unique en Belgique, et peut-être même au niveau mondial. Le commissaire Schroeder se frotte les mains. Un beau coup, répète-t-il, un beau coup.

Les journalistes vont se jeter dessus comme des requins. Le commissaire a averti un ami, rédacteur au journal *Le Soir*, un homme intègre. Il couvrira l'affaire en toute honnêteté.

Évidemment, les autres reporters... Il faut s'attendre à tout et à n'importe quoi. Corinne va sûrement être malmenée. On va fouiner dans son passé, retourner dans tous les sens sa vie intime, raconter en long et en large sa vie amoureuse. Il faut aussi redouter que ses trois «amoureux» détaillent eux aussi – à leur façon – leur rencontre et peut-être même leurs relations sexuelles, le genre d'indiscrétions croustillantes attendues par le public.

Dans son autre vie, Corinne a été journaliste, elle sait à quoi s'attendre. Cela ne lui fait pas peur, car comme l'a souvent répété le docteur Rikson, elle est déjà morte plusieurs fois. Le pire lui est déjà arrivé.

Elle a, elle aussi, pas mal de choses à divulguer sur les hommes, sur leur façon d'aimer, et elle ne va pas mâcher ses mots. Elle est prête à tout. Plus forte que jamais.

18 h 40. Ce qui les surprend lorsqu'ils arrivent sur les lieux, ce sont les deux ballons rouge et jaune accrochés à la porte d'entrée du cabinet du docteur Rikson. Corinne interroge le commissaire, qui n'en sait pas plus qu'elle.

Ils sont accueillis par un agent en civil qui fait le guet depuis deux heures, et note les entrées et sorties.

Le docteur doit être là, il y a déjà pas mal d'invités, affirme l'homme en faction. Mais il manque les personnages principaux, il faut encore patienter. Non, il ne sait pas à quoi correspondent les ballons, mais toutes les personnes qu'il a vues entrer étaient habillées bizarrement, plutôt déguisées, comme si elles se rendaient à un bal masqué. Oui, c'est bien chez le psy.

Non, lui, il ne l'a pas encore aperçu.

Geneviève débarque quelques instants plus tard. Elle est pressée. Drôlement accoutrée, note Corinne. On dirait une robe de bal, et ses cheveux ? Mais oui, ses cheveux sont saupoudrés de paillettes dorées. Elle ouvre la porte d'entrée avec sa clé. « Évidemment, pense Corinne, ne fait-elle pas partie de la famille ? »

Ensuite, un par un, les acteurs principaux de cette sombre histoire arrivent.

Corinne reconnaît Alain Jespers, l'avocat bedonnant, généralement tiré à quatre épingles, mais aujourd'hui il a l'air d'un pirate. Un foulard bleu lui cache un œil. Pantalon bouffant et jaquette noire. Il sonne et entre d'un pas décidé.

Pourquoi sont-ils habillés de la sorte ?

Il est suivi du Grec, Spiros Klidaras. Mal rasé, comme d'habitude, « sortant d'une nuit fatigante d'opérations diverses, étant de garde, on enchaîne les interventions comme dans une usine ». C'est ça. La baise épuise, n'est-ce pas Spiros ?

Lui, il s'est déguisé en une sorte de vampire. Chapeau haut de forme, tout en noir et, détail crucial, deux longues canines dépassent de ses lèvres. Le rôle de vampire lui va bien. Il a bien choisi son costume.

Fêtent-ils la réussite d'une nouvelle manigance ? Il y a de quoi perdre son latin.

Enfin, Michel Lissens, le bronzé, surgit d'un pas nerveux. Au courant de la rafle prévue, il scrute les alentours, cherchant des signes de surveillance policière, s'attendant à se faire harponner sur-le-champ.

Pourtant, lui aussi s'est accoutré d'un costume de marin américain, avec un béret blanc. Il sonne plusieurs fois, jette encore un regard inquiet autour de lui, pousse la porte et entre rapidement.

Les occupants de la voiture de police échangent des regards perplexes. Quelque chose leur échappe. Comment un type comme Michel Lissens qui a balancé ses acolytes et qui sait que nous sommes là pour les appréhender, peut-il s'être déguisé de façon si ridicule ? Peut-être pour donner le change ? Par solidarité avec les autres ? Insensé.

Quel est ce cinéma ? se demande Corinne.

Quelques instants plus tard, un homme âgé d'une cinquantaine d'années descend d'une Jaguar bleue et se présente devant la porte du cabinet. De belle prestance, tiré à quatre épingles. Lui, il n'est pas déguisé.

— Le notaire, dit le commissaire. Il n'est pas déguisé, ou plutôt si, il est déguisé en honnête homme. Un beau salaud, celui-là. Il trempe dans toutes les affaires louches connues et inconnues. Mais tout ce qu'il acte est légal. Rien à faire pour le coincer. Ici, il va devoir payer. Il est allé un rien trop loin. Juste ce qu'il fallait. Si Rikson plonge, il plongera avec lui. Prends quelques photos, Stéphane.

L'inspecteur qui conduit la voiture, assis à côté du commissaire, mitraille les allées et venues des personnages impliqués.

— Normalement, les acteurs sont tous là. Mais nous allons patienter encore quelques instants, le temps de les laisser déballer leur nouveau projet. Quand nous leur tomberons dessus, ils seront déstabilisés, prêts à lâcher des renseignements compromettants. Qui sait, peut-être aurons-nous la chance de mettre la main sur des documents probants.

— Pour l'instant, commissaire, c'est nous qui sommes déstabilisés. Vous allez remplir vos cellules de marins et de pirates. Et encore, nous n'avons pas vu les autres !

Le commissaire Schroeder paraît fort embarrassé. La situation lui échappe complètement et il n'aime pas ça.

Ils attendent en silence, guettant les allées et venues dans la rue, imaginant chacun à sa façon la suite des opérations. Corinne voit le respectable docteur Rikson, les menottes aux poignets. Est-il travesti, lui aussi ? En handicapé, par tradition ? Il l'a bernée sur tous les plans. Même sa personne était truquée.

Elle songe aussi à son amie Geneviève, et son cœur se serre. Elle est persuadée qu'elle a plongé dans la filouterie par amour. L'amour permet-il tout ? Ne dit-on pas « au nom de l'amour » ? Corinne est prête à lui pardonner. Son amie n'a pas l'air d'être à l'aise dans cette conspiration, ce n'est pas sa façon de faire. Elle n'est pas vénale. Elle a suivi l'homme, le sentiment.

Corinne ne sait trop ce que cela veut dire, le sentiment. Longtemps, ses fibres amoureuses l'ont aveuglée. Geneviève a perdu la tête par amour. Corinne est morte plusieurs fois pour la même raison.

« Ne t'en fais pas ma vieille, je te soutiens. »

Dans la voiture, tout le monde est nerveux. Le commissaire regarde sans arrêt son bracelet-montre. Il n'a qu'une envie, envahir le repaire des brigands.

— Pourquoi attendre ? dit-il soudain. On risque de rater le coche. Allez, changement de programme, on y va.

Corinne a mal au ventre. C'est la confrontation avec le docteur qui la met mal à l'aise. La relation qu'elle a nouée avec lui ressemble étrangement à la relation entre une fille et son père. Elle a l'impression de trahir son père. Même si elle arrive à se raisonner, elle est partagée entre le désir de vengeance et celui de justifier, d'excuser, d'absoudre.

Mais peut-on défendre un malfaiteur ? Qu'aurait-elle fait si son père s'était trouvé à la place du docteur ?

Ce n'est pas mon père, essaye-t-elle de se convaincre.

Ils ouvrent les portières de la voiture et s'apprêtent à intervenir quand ils aperçoivent une gitane accompagnée par une fée d'une douzaine d'années. Elles sont escortées par un inconnu à l'apparence sinistre. L'homme sonne.

Julie en fée Carabosse, un bâton couronné d'étoiles à la main... Et la mère de Corinne en... gitane. Un décolleté profond révèle sa lourde poitrine.

— Ma fille et ma mère, murmure Corinne. Il faut les prévenir, les empêcher de se jeter dans la gueule du loup.

Le commissaire réfléchit. D'un geste inattendu, il referme la portière de la voiture.

— Qu'elles ne vous voient pas, surtout. Connaissez-vous l'homme qui les accompagne ?

Corinne répond par la négative.

Pendant ce temps, le trio a pénétré dans le cabinet du docteur, et la porte s'est refermée.

— Cela devient dangereux, prévient le commissaire. Je ne sais pas ce qui se trame. Elles n'auraient pas dû être là. Le docteur doit être au courant. Quelqu'un l'aura prévenu. Le bronzé a dû lâcher le morceau. Ils doivent nous attendre. Mais pourquoi ? Et pourquoi ces costumes ridicules ? Cela me semblait trop facile. À moins que...

— À moins que... quoi ? crie Corinne, prête à éclater.

— À moins que cela n'ait rien à voir avec nous. Peut-être essaient-ils de dépouiller votre famille. Votre mère a-t-elle des biens ?

— La plus belle propriété de la région du Hainaut. Un peu à l'abandon, mais elle doit valoir une fortune. Mais que vient faire ma fille là-dedans ?

Le commissaire ignore la question. Il se tourne vers l'un de ses collègues.

— Cela justifierait la présence du notaire.

Un temps.

— On y va ! crie-t-il.

Ils bondissent hors du véhicule. Quelqu'un retient Corinne par le bras.

— Vous nous laissez faire, dit le commissaire. Vous m'avez bien entendu ? Il ne s'agit pas de terroristes, ce sont juste des escrocs ; votre fille ne risque rien. Tout va se dérouler entre hommes du monde. Une arrestation civilisée.

Le commissaire sonne. Une voix de femme répond au parlophone. La voix de Geneviève.

— Commissaire Schroeder, de la police judiciaire.

— Vous venez pour la fête ?

— Oui, lâche le commissaire ironiquement. Pour une fête, ça va être une belle fête !

On entend du remue-ménage à l'intérieur. Puis des pas. Quelqu'un ouvre la porte. C'est le petit chaperon rouge ! Une femme d'une quarantaine d'années dans une robe à pois, le visage fin, les yeux d'un bleu transparent, couverte d'une capuche rouge vif. Elle a l'air surprise, elle ne s'attendait pas à voir un vrai commissaire.

Elle arbore pourtant un large sourire.

— Il ne manquait plus que vous, lance-t-elle avec une pointe de dérision.

— Où est Julie, interroge Corinne.

— Avec mon mari, le docteur Rikson. Vous n'êtes pas déguisés ?

— Vous ne voyez pas ? fait le commissaire. En flics.

— Suivez-moi.

Le chaperon rouge les précède dans le couloir. Les idées de Corinne se bousculent, comme si son cerveau allait éclater. L'épouse du psychiatre? En présence de Geneviève, sa maîtresse? La femme s'arrête devant une porte blanche sur laquelle une plaque professionnelle argentée annonce: «Docteur Gérald Rikson – Psychiatre – Sur rendez-vous».

Elle frappe deux fois, comme pour avertir, et pousse la porte.

Elle reste sur le seuil et fait signe d'entrer.

Le commissaire hésite. Il cherche Corinne du regard et l'invite à passer devant lui.

— Allez-y, dit-il, je vous couvre.

Corinne pénètre prudemment dans la pièce, escortée par les policiers.

Elle se trouve dans une salle d'attente classique de médecin, table au centre et chaises contre les murs. Une autre porte ouvre sur une pièce contiguë, plongée, celle-ci, dans l'obscurité totale: le cabinet du thérapeute.

Encore quelques pas.

— Mais qu'il fait sombre! bredouille-t-elle, anxieuse.

Le commissaire passe devant elle et fait deux pas dans l'obscurité.

— Venez, dit-il à Corinne en lui tendant la main.

Au moment où Corinne entre dans le cabinet, la lumière jaillit brusquement et une salve d'applaudissements retentit. Comme au théâtre!

Devant elle, un attroupement. Que de monde! Des gens qu'elle reconnaît.

Le commissaire Schroeder et les deux inspecteurs applaudissent comme les autres.

De larges banderoles et des ballons multicolores décorent la pièce: «Bon anniversaire Corinne».

Elle met du temps pour déchiffrer son nom. Serait-ce elle que tout ce monde acclame?

Ce n'est pas mon anniversaire.

Pourtant, on lui fait une ovation.

Quelqu'un éteint, allume, puis éteint de nouveau, et allume encore. Corinne entend « Bon anniversaire Corinne ! Et encore Bravo ! »

On est là pour les arrêter.

Les applaudissements durent. Lentement, comme dans un film au ralenti, son regard s'arrête sur les visages. Elle identifie le docteur Rikson dans son fauteuil roulant, déguisé en clown, avec un nez rouge en caoutchouc maintenu par un élastique ; derrière lui, Spiros Klidaras, Alain Jespers, Michel Lissens et le notaire ; à ses côtés Julie, sa fille, et... Patrick, le père de Julie, son ex-mari ! Sa mère et... Même son père. Papa ! Et tous semblent délirer !

De la musique, maintenant : « *Happy Birthday to you !* ».

Tout le monde entonne le couplet, en chœur.

Elle aperçoit le sexologue et sa femme, la naturopathe Françoise Poncelet, et Patricia, la déesse de la Perdition. Et... Elle n'en croit pas ses yeux... Albert Lauwers, le mari de Geneviève. Ça c'est fort. En présence de l'amant et de son épouse !

Que font-ils là, tous ?

Au milieu des hourras, le docteur Rikson quitte son fauteuil et vient vers elle d'un pas léger, presque aérien. C'est la première fois qu'elle le voit marcher.

Il lui prend la main, se tourne vers le public et proclame d'une voix forte et enjouée :

— Mesdames et messieurs, voici Corinne Bauwens, qui a enfin réussi sa mort.

Bravo ! Bravo ! Bravo ! entend-elle de toutes parts.

Elle voudrait l'aide des inspecteurs. Mais le commissaire Gustave Schroeder et ses sbires ne réagissent pas, ils frappent bruyamment des mains comme les autres, en dansant, sur la mélodie d'anniversaire. Ils sont manifestement dans la combine, eux aussi et, derrière leurs larges sourires, elle voit leurs dents de prédateurs.

Je suis faite comme un rat.

Ils ont fini par m'avoir.

Et ma famille est prise en otage !

Quelqu'un fait sauter le bouchon d'une bouteille de champagne.

Ils fêtent sa mise à mort. En musique.

Les visages s'estompent lentement, tout devient flou autour d'elle.

Les sons s'assourdissent, les bruits, les voix s'éloignent.

Corinne s'évanouit.

XXVII

« Et quand ce sera bon pour vous, ouvrez les yeux. Prenez tout le temps qu'il vous faut. »

Corinne ouvre les yeux. On l'a assise dans un fauteuil. Plusieurs personnes l'entourent, travesties.

Des visages familiers l'accueillent. Elle se rappelle... Les faux flics... « Je suis perdue », pense-t-elle en cherchant sa fille des yeux.

— Je suis là, maman.

La gamine se presse contre elle. Elle prend conscience des bras de Julie autour de ses épaules, des baisers sur sa joue.

Des gens se déplacent autour d'elle. Quelqu'un lui offre un verre d'eau : sa mère.

Elle accepte le verre, sa main tremble un peu.

— Ne t'en fais pas, je suis là. Et ton père aussi. On est là pour ta fête. Tout va bien, tu n'as rien à craindre.

Le docteur Rikson va tout expliquer dans un instant, aussitôt que tu te sentiras mieux.

— Ça va, souffle Corinne, je vais bien.

Elle veut comprendre. Elle scrute l'assemblée afin de déceler un indice qui révélerait le sens de tout ce cirque. Ils lui font la fête, mais quelle fête ?

— Je suis remise, ça va maintenant, répète-t-elle avec un sourire forcé, pour les encourager à se révéler.

Corinne aperçoit Patricia, la déesse de la Perdition – tiens, elle est mêlée au traquenard aussi, celle-là ! – en train de servir du champagne à Patrick, son ex-mari qui parade dans sa cape noire de Zorro. Quelle est sa place à lui dans cette histoire ? Puis Patricia s'approche d'elle, la bouteille de champagne à la main, en se déhanchant. Elle est sexy, Patricia. C'est la première fois que Corinne la revoit depuis leur soirée mémorable à Londres. Corinne est troublée. Qu'a-t-elle l'intention de faire avec le champagne ?

— Vous allez trinquer à votre nouvelle vie, lui glisse Patricia à l'oreille, en subtilisant son verre d'eau et en le remplaçant instantanément par un verre de champagne.

Surprise, Corinne lève son verre comme les autres, mais ne boit pas. Elle a cessé de boire, l'ont-ils oublié ? Elle va leur prouver qu'elle, au moins, elle reste intègre dans ses engagements.

— Félicitations ! entend-elle fuser encore une fois.

On trinque et sable le champagne. Corinne dépose son verre sur une chaise.

— Bon, maintenant, expliquez-moi, demande-t-elle. En quoi consiste cette exhibition, ces déguisements... ?

Tous se taisent. Leurs visages expriment l'attente et l'appréhension.

Corinne regarde le commissaire. Il hésite à réagir. Elle l'attaque de front.

— Vous m'avez raconté des salades au restaurant grec, n'est-ce pas ? Vous êtes un ripou ou Dieu sait quoi ! Les photos des suspects, c'étaient des souvenirs de famille, non ? Attendrissant ! Qui tenait l'appareil ? Le clown, sa femme ou sa maîtresse ? Qui alors ? Vous, commissaire ?

Déconcerté, le policier désigne le psychiatre qui pour la circonstance a repris place dans le fauteuil roulant, avec son nez rouge au milieu du visage, imperturbable.

— C'est lui le responsable, qui a tout manigancé, objecte le policier en pointant le doigt sur Rikson. C'est lui... Le clown !

Lamentable, se dit Corinne en faisant une grimace. Elle dévisage Rikson avec fureur. Il lui rend un regard neutre. Un bouffon ! Et ce n'est pas en se déguisant qu'il va l'amadouer.

Elle a recouvré son sang-froid. Elle parcourt des yeux la pièce pleine de monde. Le cabinet du docteur est la copie conforme de celui de ses consultations.

Même miroir sans tain au mur, à côté du bureau en chêne foncé. Mêmes fauteuils, même canapé. Les meubles sont en tous points identiques. Il les a simplement transférés de l'autre cabinet.

Discrètement, le docteur Rikson a fait rouler son fauteuil pour se placer à côté d'elle.

— Vous savez maintenant que je ne suis pas handicapé, ose-t-il lui glisser à l'oreille.

Et comme Corinne le foudroie du regard, il ajoute en plaisantant :

— Ciel, je suis découvert !

Qu'il s'explique, au lieu de badiner ! Qu'elle puisse enfin lui cracher au visage la hargne qui l'étouffe. Il a abusé de sa vulnérabilité et, pour la duper plus facilement, il a eu le culot de l'empêcher de voir sa fille, sa famille ; de la forcer à faire le vide autour d'elle jusqu'à quitter son appartement, qu'il a récupéré. Quel que soit son plaidoyer, il va payer, déguisements, sarabande, invités ou non, elle s'en moque. Elle est prête au combat, seule contre tous s'il le faut ! Qu'il parle. Elle attend.

Le docteur fait pivoter son fauteuil de façon à pouvoir observer les réactions de sa patiente et celles de l'assistance en même temps.

— Merci à tous d'être là.

Il se tourne vers Corinne.

— Vous vous demandez pourquoi on vous félicite, Madame Bauwens, et ce que font ici tous ces gens ?

Il se lève lentement, contourne le bureau, choisit un livre sur une étagère, le feuillette posément et revient à sa place.

Les invités échangent quelques regards. Julie lève la tête vers sa maman et lui sourit comme pour dire « Tout va bien, maman, ne t'en fais pas. »

En dévisageant sa fille, Corinne est frappée par la ressemblance qui existe entre elles deux : même yeux bleus en amande, même peau mate, mêmes cheveux blonds... N'importe qui peut remarquer qu'il s'agit de sa fille. C'est fou ce qu'elle s'est métamorphosée en quelques mois, c'est une petite femme à présent. Ne grandis pas trop vite, ma chérie, pense Corinne, j'ai raté quelques épisodes.

À l'autre bout de la pièce, le père de Corinne l'observe et comprend ses pensées. Il hoche la tête : lui aussi a manqué quelques épisodes avec sa fille. Les années qui lui restent à vivre, il va les combler de joie et de vie. Il se le promet.

Le docteur Rikson brandit son livre et lance à Corinne :

— «Quelle dose de vérité puis-je supporter?» Telle fut la question que se posa Nietzsche toute son existence.

Il fait une petite pause, plonge son regard dans les yeux de Corinne.

— Et vous, Madame Bauwens, quelle dose de vérité êtes-vous prête à supporter? Ne répondez pas trop vite. La plupart des gens posent les questions, mais ne sont pas prêts à assumer les réponses.

— Je veux savoir ce que vous faites ici.

— Nous sommes ici... pour vous voir morte! lâche le psy sans ménagement.

Puis, haussant la voix, il ajoute de façon dramatique:

— Nous vous avons tuée!

Un frisson parcourt l'assistance. La famille de Corinne est effrayée par ces paroles dont elle ne saisit pas le sens. Julie se presse contre sa mère, pour la rassurer.

— Madame Bauwens, vous mendiiez de l'amour comme une indigente implore une croûte de pain. Vous avez tout donné pour être aimée, jusqu'à votre vie, mais les hommes ne vous ont pas aimée. Tous vous ont quittée après avoir profité de vos cadeaux... Des cadeaux offerts pour recevoir, en retour, de l'affection. Mais il n'y avait pas de retour, rien que des allers. L'amertume marquait votre existence, le mot suicide hantait vos rêves. Aujourd'hui, l'univers vous acclame parce que vous avez fait ce qu'il fallait, vous avez risqué le tout pour le tout. Vous êtes morte pour de bon.

Le docteur Rikson caresse la couverture bleue du livre qu'il tient sur ses genoux.

— Laissez-moi vous lire un extrait de cet ouvrage, c'est Nietzsche qui parle, mais on dirait que sa philosophie vous est dédiée.

Il ouvre le livre, tourne quelques pages, s'arrête sur un paragraphe. Il se racle la gorge avant de parler.

« Bâtissez vos maisons au bord du Vésuve car le degré de danger dans lequel un homme vit avec lui-même est pour lui la seule mesure valable de toute grandeur. Seul celui qui joue subtilement le tout pour le tout peut gagner l'infini ; seul celui qui risque sa propre vie peut donner à son étroite forme terrestre la valeur de l'infini. Qu'importe s'il en coûte la vie. La passion est plus que l'existence, le sens de la vie est plus que la vie elle-même[1]. »

D'un geste calme, le docteur repose l'ouvrage sur ses genoux.

— Vous êtes guérie, Madame Bauwens. Des égouts de la vie est née une femme appelée Corinne. Une authentique héroïne qui, par sa ferme détermination, vénère sa féminitude nouvellement acquise. Aujourd'hui, vous voilà prête à être aimée car *vous vous aimez*. Vous avez enterré l'exigence maladive de vouloir entendre les mots « Je t'aime » pour vous sentir exister. À présent, vous pouvez faire la différence entre le « Je vous désire » et l'engagement amoureux. Vous avez dû expier votre âme pour vous ouvrir à cette évidence, sacrifiant une fois pour toutes la morte-vivante que vous étiez, de façon à permettre à l'embryon d'éclore à la lumière. Cette terrifiante autodestruction vous a permis de vous rétablir d'une maladie porteuse de mort, en vous donnant la fermeté – combien exceptionnelle – de modifier votre comportement alimentaire. Et dans la lancée, vous avez abandonné la cigarette et l'alcool. Cette épuration intégrale vous a renouvelée.

La docteure Françoise Poncelet intervient. Elle est déguisée en nonnette avec pèlerine et bonnet sur la tête. Elle a l'air fatiguée, juge Corinne.

---

1. Stéphane Zweig, *Le Combat avec le démon*, Paris, Pierre Belfond, 1983.

— Nous ne pouvons pas affirmer que c'est uniquement le changement de conduite alimentaire qui vous a guérie du cancer, tous les scientifiques nous fustigeraient si nous soutenions cela, mais qui sait ? Il y a bien des choses qui échappent au rationnel. N'en êtes-vous pas la preuve vivante ? Je tiens à vous féliciter pour le chemin parcouru.

Corinne lui fait un signe de tête, touchée. C'est peut-être la seule personne dans cette pièce qu'elle juge intègre. Elle doit ignorer les manigances dont elle a été victime, se dit-elle.

Le docteur Rikson reprend la parole.

— Vous avez eu le bon sens d'*engloutir* votre dépendance à l'alcool. Savez-vous ce que cela représente ? À peine deux à trois pour cent d'alcooliques – en cure et en thérapie – s'en sortent. Arrêter la boisson est une décision presque impossible à prendre, parce qu'un alcoolique sait parfaitement au fond de lui-même les souffrances atroces qu'il devra affronter et qu'il se sent – avec raison – incapable d'assumer seul. Je ne parle pas de la dépendance physique qui n'est rien face au défi qu'il devra relever : celui de son *existence*. Il doit accepter de rencontrer ce qu'il noie dans ses liqueurs. Ceux qui gagnent cette lutte monstrueuse ont une audace inimaginable, une incroyable détermination, ou alors ils sont tout simplement stupides. Vous l'avez fait, Madame Bauwens, parce que vous l'avez décidé.

Il s'interrompt de nouveau. Il a le visage grave. Même avec le nez rouge.

— Cerise sur le gâteau, vous en avez terminé avec votre famille, symbole du passé, en renouant avec elle. En introduisant vos proches dans le présent, vous avez fait la paix avec hier. Quel soulagement ! Pour vous, mais aussi pour eux. On dit parfois qu'il faut s'éloigner des parents agresseurs, mais on ne peut le faire véritablement qu'en se rapprochant d'eux. C'est en les aimant – en les voyant comme des êtres humains qui souffrent – que l'on peut transcender cette malédiction. Et entrer *avec eux* dans la quiétude.

Le docteur se lève. Il prend la bouteille et verse du champagne dans une flûte. Il s'approche de Corinne et lui tend le verre. Corinne hausse les épaules et refuse de la tête. Il sourit et insiste :

— C'est du jus de pomme. Méfiez-vous des apparences.

Corinne, déroutée, prend le verre, le porte à son nez et y trempe prudemment le bout de la langue. C'est bien du jus de pomme. Elle en boit une gorgée.

Le psychiatre se tourne vers son auditoire. Tous les regards sont braqués sur lui. Le silence est absolu.

— Il fallait de l'héroïsme pour effectuer cette descente aux enfers, pour lutter face à face avec son Minotaure. Le labyrinthe était compliqué et sans portes de sortie. Moi-même, qui orchestrais le jeu, j'en ignorais l'issue. C'était la mort ou la vie. En terrassant vos démons, vous avez interpellé la vie ! La lutte, par moments, a été insoutenable, plusieurs fois j'ai cru que le diable allait l'emporter. Mais à chaque raclée vous chutiez pour rebondir de plus belle. Vous l'avez emporté haut la main. Les personnes présentes ont, de près ou de loin, participé à cet exploit. J'ai pensé également que vous auriez aimé être entourée par vos proches, c'est pourquoi je les ai invités aussi. Tous réunis le jour de votre re-naissance.

« Comme d'autres de mes clients avant vous, vous méritez cette fête, Madame Bauwens. Encore bravo Corinne. C'est aujourd'hui le début du reste de votre vie. »

Corinne est émue par cet éloge, mais elle ne l'a pas vraiment entendu. Elle ne comprend toujours pas ce qui se passe. Les mots ne l'ont pas pénétrée, elle continue à ruminer les mêmes idées. On lui a volé son appartement et ses économies, et les flics qui devaient épingler les magouilleurs font partie du complot.

Elle dévisage un par un les protagonistes de son histoire. Chacun lui rend son regard avec chaleur, elle capte le trouble qui s'en dégage. Elle distingue, avec surprise, des larmes sur des visages. Quelque chose se passe ici qu'elle ne saisit pas. Pourquoi tant d'émotion ? Elle s'en est sortie haut la main, c'est vrai, mais cela ne justifie aucunement de profiter de ses moments de trouble pour la dévaliser.

Elle regarde son amie Geneviève, elle a envie de l'entendre, qu'elle se manifeste donc ! Encore hier, elle la mettait en garde contre cet escroc.

Aujourd'hui, Geneviève, fagotée en princesse, un verre de faux champagne à la main, écoute naïvement les propos incompréhensibles du docteur Rikson, son amant ! En présence de son mari, Albert Lauwers. Parce qu'il est là aussi, le collectionneur de maquettes converti en homosexuel pratiquant, travesti pour la circonstance en chef de gare. Il y a des choses qui lui échappent.

— C'est à Geneviève que vous devez d'être vivante, déclare le docteur Rikson.

Geneviève se manifeste enfin. Elle pose son verre et fait un pas vers son amie.

— Comme toi, Corinne, je suis une rescapée. Tu connais ma vie. Enfin, une partie. Tu es au courant de ma tentative de suicide mais pas de la façon dont j'ai été repêchée, cette partie-là, je l'ai gardée secrète, comme tu vas garder secret ce que tu as vécu, de façon à pouvoir aider quelqu'un d'autre un jour. Donc, j'étais dans ma chambre d'hôpital, inanimée, après un lavage d'estomac de dernière minute. Sauvée in extremis, mais disposée à recommencer à la première occasion. J'ai eu la chance de croiser sur ma route une « ancienne » du docteur Rikson. Elle m'a remis une carte de visite avec l'injonction paradoxale que tu connais : « Surtout n'y allez pas ! » Après pas mal d'hésitations, j'y suis allée – qu'avais-je à perdre ? – et, comme toi, j'ai mis les pieds dans la plus incroyable mise en scène thérapeutique jamais imaginée. Une aventure en technicolor et cinémascope digne de Cecil B. DeMille. Mise en scène qui m'a sauvé la vie. Je ne te dis pas ce que j'ai affronté. Mon existence, après ça, n'a plus jamais été la même. C'est ce qui t'arrive. Ta chance, c'est que nos routes se sont croisées au bon moment. Tu as, toi aussi, côtoyé une *ancienne* du docteur Rikson.

Elle désigne le psychiatre.

— Cet homme frappe fort. Il ne fait pas dans la dentelle. Tout ce que tu as vécu, il l'a manigancé pour ton bien. Il t'a fait endurer les situations les plus inconfortables pour que tes repères et tes croyances limitatives puissent sauter. Et de fait, d'après ce que je remarque, elles ont bel et bien été pulvérisées. Tu as participé à un entraînement pour kamikazes, parcouru une piste de combat dans un désert aride, où tu t'es engagée seule, nue et vulnérable, perdant à chaque pas tes certitudes, tes convictions anciennes, tes inéluctables vérités, celles qui ont failli t'assassiner. Dans cet espace débarrassé d'illusions, tu as établi – *seule* – ta nouvelle identité, construite à partir des leçons tirées de tes expériences amoureuses récentes. Le docteur Rikson a placé diaboliquement trois séducteurs sur ton itinéraire. Il les a rétribués – oui, payés – pour te bousculer. Le mot plus juste serait – *pour t'éclater.*

Corinne porte son regard sur les trois hommes qu'elle a aimés ou cru aimer. Spiros Klidaras, Alain Jespers et Michel Lissens. Un trio pitoyable ! Elle leur a presque confié son âme. Elle a partagé ses rêves avec ça ! Dire qu'elle en était folle !

Elle était folle, oui, c'est sûr. Elle leur lance, furieuse :

— Je ne peux croire que les mots susurrés, les caresses prodiguées, les déclarations, les aveux, les confidences… tout cela n'était qu'un jeu rémunéré.

Spiros Klidaras, l'imaginaire chirurgien esthétique, réagit :

— Ce n'était pas qu'un jeu, Corinne.

— Pas un jeu ! Tu m'as séduite en me vantant ta passion de la chirurgie esthétique, avec l'appui d'accessoires médicaux, de livres spécialisés, de photos. Tu m'as attendrie en me confiant l'histoire de ton frère qui ne veut plus te voir, tu m'as fixé des rendez-vous bidons, déguisé en médecin, dans un hôpital… tu…

— Je comprends que tu sois troublée, Corinne, laisse-moi t'expliquer. Je suis un patient du docteur Rikson, un homme qui aime séduire. Avec le temps, c'est devenu une seconde nature. Je l'ai consulté pour essayer de résoudre un problème de culpabilité envers ma famille. Les femmes les plus faciles, celles qui succombent sans difficulté à mes avances, sont les femmes dépendantes en amour. Sauf ton respect, Corinne, le genre de femme que tu étais. Je connais mon rôle sur le bout des doigts. Le docteur a décelé ce *talent* et m'a recruté sur le champ pour te séduire, c'est vrai – mais dans un dessein thérapeutique – et ce qu'il faut que tu saches, c'est qu'à la différence d'un acteur, je n'ai pas joué. À tout moment, j'ai été moi-même…

Le docteur Rikson poursuit l'explication.

— Vous accordiez votre confiance à tout homme qui disait vous aimer. Vous entendiez les mots « Je t'aime » et vous démarriez au quart de tour. J'ai enrôlé Spiros Klidaras – ainsi que mes deux autres clients – pour vous duper, mais avec rudesse. Il fallait que la tromperie soit de taille, les trahisons grandioses. Que vous puissiez réaliser une fois pour toutes que ces hommes ne sont pas ce qu'ils disent. Et qu'il est facile de dire. Ils ont reproduit le comportement abusif de vos précédents amants mais sur une période courte, concentrée. Vous avez vécu ces épisodes tragiques comme une désintégration totale de votre moi profond, car ils ont porté la tromperie jusqu'à son paroxysme. Dans le cas de Spiros, même sa profession était truquée.

Corinne accuse le coup. Elle se mord les lèvres. Spiros s'en aperçoit et nuance l'exposé du docteur.

— Tout n'était pas que mensonge dans notre relation, Corinne.

Il parle doucement, veut la ménager.

— Quand je parlais d'amour, je t'aimais vraiment. C'est mon problème, ma maladie, si j'ose dire. Si les femmes succombent facilement à mes avances, c'est parce que je suis honnête avec toutes. C'est là l'énigme : je crois ce que je dis, au moment où je le dis. Évidemment, une fois seul, je n'y pense plus. Et si je croise une autre femme, je tombe en extase devant elle. Je suis captivé par la présence de la femme, mais seulement le temps de sa présence. Je ne sais si je me fais bien comprendre.

— Oui, tu es le genre de tordu que j'avais l'art d'attirer. Il vous a bien choisi, le docteur-clown.

Geneviève intervient.

— Tu tombais sur ce genre d'hommes, systématiquement, mais tu ne remarquais pas la similitude. Le docteur Rikson a donc mis ces trois individus sur ton chemin. Ils t'ont aimée de la même façon qu'Adrian et tes autres amants. Et ils n'y sont pas allés par quatre chemins. Ils ont rempli leur mandat au-delà de toute espérance.

— Pour te désintoxiquer des hommes comme nous, précise Michel Lissens.

Corinne ne peut s'empêcher de sourire. Il a l'air tellement ridicule, ce grand gaillard sportif, dans son costume de marin !

Pourtant, elle n'arrive pas à lui en vouloir. Un garçon si innocent par moments qu'on a envie de le serrer dans ses bras et de le materner. Son annonce de rencontre sur Internet était un monument de niaiserie. Il s'est décomposé lorsqu'elle lui a refusé le mariage. Mais elle a tenu bon. Pour la première fois de sa vie, elle avait reconnu l'ennemi.

— Tu as tellement insisté pour m'épouser, lui dit-elle. Qu'aurais-tu fait si j'avais accepté ?

— Une connerie de plus. Figure-toi qu'en refusant mes avances tu m'as rendu fou. Le docteur a voulu faire d'une pierre deux coups. Il t'a enrôlée, toi aussi, pour me guérir – mais, soit dit en passant, je suis incurable. J'ai failli tomber dans le panneau ! Tu sais pourquoi ? Parce que tu as brouillé mon plan en m'échappant. Ce n'était pas prévu dans mon programme. J'étais « mordu », mais tu ne l'étais pas. C'était dingue. Il faut dire pour ma défense que j'étais le troisième essai, tu t'étais fait les dents sur ces deux-là (il montre ses deux compères). Cette horrible épreuve m'a remis les yeux en face des trous. J'ai fini par réaliser : j'aime, mais seulement tant que l'on me résiste ! Tu m'as fait perdre la tête en refusant mes propositions de mariage les unes après les autres. Comprends-moi bien : en me rejetant, tu me liais fermement à toi, tu me rendais dépendant. Je n'arrivais plus à penser clairement, même dans mon travail, devant mes clients ! Je perdais le fil de mes idées, et mes nuits étaient de vrais cauchemars, tes refus m'empêchaient de dormir. Tu m'as fichtrement malmené, tu sais.

— J'en suis désolée, rétorque Corinne avec une pointe d'ironie dans la voix. Comment te sens-tu aujourd'hui ?

— Ma foi, je poursuis mes petites affaires comme autrefois, déclare-t-il d'un air amusé, mais en sachant ce que je fais. Je ne suis plus dupe de moi-même. Je finirai célibataire. La relation suivie ne m'intéresse pas. J'avais consulté le docteur Rikson parce que j'avais l'impression d'être un martien, de ne pas être normal. Aujourd'hui, mon mal-être a disparu. J'agis en toute conscience et je suis bien dans ma peau. Tu m'as aidé à comprendre qui j'étais et ce que je ne voulais pas : je ne veux pas du couple. J'aime papillonner. C'est ma nature. Merci Corinne. J'espère que notre rencontre t'aura servi aussi.

— Tu n'es donc pas guéri, le docteur Rikson a échoué avec toi ?

Le docteur Rikson pointe du doigt les trois séducteurs.

— J'ai lamentablement échoué avec ces trois hommes, avoue-t-il.

Il fait référence de nouveau à son livre et lit à haute voix, lentement, en prenant soin de détacher chaque syllabe.

— Toujours Nietzsche : «Étant de nature essentiellement démoniaque, il ne connaît que la plus brutale des transformations, celle qui s'opère par la combustion : comme le phénix doit passer avec tout son corps dans le feu destructeur pour renaître, en chantant, de sa propre cendre, avec de nouvelles couleurs et un nouvel essor, Nietzsche doit passer avec toute sa foi à travers le bûcher de la contradiction, qui dévore son moi, pour que l'esprit s'élève sans cesse, renouvelé et libre de toute ancienne conviction.»

Corinne à ces mots laisse couler des larmes. Le psy referme le livre et considère ses trois patients :

— Aucun de vous n'est prêt à mourir au passé. Je le savais dès le début. Il n'y avait aucune chance, néanmoins, j'ai tenté quelque chose : vous mettant en service commandé, je vous ai obligés à observer votre schéma. Il arrive parfois quelque miracle.

Il regarde Corinne à présent.

— Si je les ai acceptés comme patients, c'est parce qu'ils pouvaient me servir dans votre thérapie, représentant parfaitement le genre de phénomène qui vous maltraitait depuis toujours. Ils ne l'ont pas fait gratuitement. Je les ai – pardon – *vous* les avez payés pour leur prestation. Les frais de transport, restaurants, cadeaux en tous genres, hôtels... Vous avez tout réglé, Madame Bauwens.

— Ma rencontre dans le train avec Alain, son contrat avec un client à Londres, le Hilton, tout cela faisait partie de la mise en scène ?

Cette fois, c'est l'avocat qui s'avance pour se disculper.

— Corinne, chacun de nous a joué son propre rôle. Pour ma part, je n'ai rien changé à ma façon d'être quand je me suis trouvé près de toi. Tu as rencontré le vrai Alain Jespers, l'homme et l'avocat. Comme mes deux complices, je suis un angoissé de la relation durable. Je la recherche désespérément et la fuis comme la peste. Notre rencontre, même si elle était ordonnée, m'a remué. Je suis allé jusqu'à te présenter à ma mère. Un long moment, j'ai caressé l'idée de partager ma vie avec toi. Oui, tu m'as donné des idées de mariage... Je n'en reviens toujours pas, moi, l'avocat pataugeant dans les divorces, j'ai presque plongé dans le marécage des noces.

Il fait la grimace.

— Ce n'est pas la première fois... j'avance jusqu'au bord, prêt à faire le saut, mais quelque chose me retient à la dernière seconde. Dieu merci, il y a une intelligence divine qui veille sur moi. Tu imagines, si je t'avais épousée ! Quel désastre pour nous deux ! Heureusement, j'ai mon ange gardien.

— Ton chien de garde, corrige Corinne.

— Ma mère en a perdu la raison. Chaque fois que je lui présente une femme, elle croit, tout comme moi d'ailleurs, que cette fois c'est la bonne. Quand je romps, je suis obligé de lui raconter des bobards – entre parenthèses, elle demande souvent de tes nouvelles, tu l'as charmée. Comme vient de l'avouer Michel, moi aussi je vieillirai seul. Cela ne m'angoisse plus. Quand je serai âgé, je trouverai bien une petite femme pour soigner ma vieille carcasse, et sinon, je n'ai pas peur de mourir solitaire.

L'avocat change de ton. Sa voix devient plus intime, plus chaleureuse.

— Tout ce que je voulais te dire, Corinne, c'est que tout a commencé par une mise en scène, mais je m'y suis laissé prendre. J'étais honnête, je t'ai fait entrer dans ma vie, j'ai même oublié que c'était une thérapie commandée, que je *travaillais*. Nous avons établi une relation authentique.

— Tu n'as pas répondu à ma question : le train, Londres, le contrat, tout était fictif ?

— Je n'ai pas de client à Londres. J'ai pris le train uniquement dans le but d'établir le contact avec toi. Le Hilton, la suite, tout était agencé. Je m'étais fixé comme objectif de faire l'amour avec toi dès le premier soir à l'hôtel, mais madame la déesse de la Perversion en a décidé autrement. Cela dit, le rituel était solennel, je n'ai jamais vécu des moments aussi… sensuels. J'étais drôlement secoué après notre petite séance à trois ; secoué et frustré.

Corinne regarde Patricia qui lui adresse un signe de connivence. Elle savait que Patricia était payée pour ses prestations, mais que ces trois hommes, ses amants, étaient rémunérés pour… pour l'aimer…

Elle a de la peine à le croire.

Elle se revoit sur son lit d'hôpital, encore dans le brouillard, découvrant le fameux message sur sa table de nuit.

Elle demande à Geneviève :

— Qui était cette femme, ce médecin qui m'a lancé l'hameçon, la carte de visite « Surtout n'y allez pas ! » ?

— Elle a été glissée par une *ancienne* du docteur Rikson, répond Geneviève. Elle n'était pas médecin. J'ai appris que tu avais cherché à l'identifier, à ta sortie. C'est une amie. Nous avons fondé un groupe de rescapés – femmes et hommes – tous sortis des manipulations thérapeutiques du grand clown ici présent. Nous voulions t'inciter à consulter, il y avait urgence.

Le docteur Rikson intervient.

— À votre troisième tentative de suicide, Geneviève, votre meilleure amie, a pris le taureau par les cornes et vous a orientée vers une thérapie de choc. Il fallait que vous veniez à moi. Que vous fassiez le premier pas. Le reste, c'était mon affaire. Vous avez beaucoup résisté, vous vouliez comprendre, avoir des certitudes… Finalement, vous êtes venue, méfiante, sceptique, rebelle, mais prête inconsciemment à vous prendre en main.

Il s'interrompt et fait signe à sa femme de lui servir un verre de champagne, ou de jus de pomme. Corinne le regarde et sourit. Il est drôle, avec son nez rouge. Difficile de le prendre au sérieux. Mais n'est-ce pas encore un de ses tours de passe-passe, un message qu'il transmet en douce ? « Ne vous fiez pas aux apparences ! » Elle se méfie de lui, elle sait maintenant de quoi il est capable. Le docteur Rikson boit une gorgée, fait claquer sa langue et reprend :

— Tout ce que vous avez traversé a été orchestré depuis mon cabinet. Comme vous pouvez le deviner aujourd'hui, je ne suis pas du genre thérapeute analyste. Les thérapies qui fouinent le passé pour comprendre d'où vient le problème ne font pas partie de ma panoplie. Je ne dis pas qu'elles ne sont pas efficaces, mais votre cas méritait un soin extrême et des moyens hors normes. Madame Bauwens, vous étiez une femme qui aimait trop. Une femme dépendante. Je ne connais aucune thérapie qui soit capable de venir à bout de ce trouble profond. De nombreux livres ont été écrits sur le sujet et les auteurs exposent admirablement bien l'affection. Ils proposent des moyens, donnent des conseils et finissent par guider le lecteur vers un groupe de paroles, comme il est d'usage aussi chez les alcooliques anonymes. C'est un bon plan, une étape positive, cela aide, mais savez-vous combien s'en sortent? Peu. Trop peu. Quant aux personnes qui sont dans votre cas, tourmentées par un schéma suicidaire, le risque est trop grand pour ne pas agir de façon peut-être audacieuse, mais définitive.

« Mon objectif était d'exploser votre affection, de l'amplifier à outrance, de vous rendre plus dépendante encore, d'aggraver votre problème tant et si fort qu'il ne pourrait que vous sauter aux yeux. Pour réaliser cela, j'ai fait appel à divers collaborateurs, chacun avec un objectif distinct, et j'ai placé dans votre histoire trois hommes qui ont peur d'aimer. Le type d'hommes que recherchent inconsciemment les femmes qui aiment trop.

« À eux aussi, je leur ai fait vivre leur problème en l'aggravant, c'est-à-dire que je leur ai demandé de vous séduire sciemment, de tout faire pour que vous tombiez amoureuse, de vous mentir, de tricher, puis de vous rejeter avec dédain; d'agir somme toute comme ils le font d'habitude. Pour vous en dégoûter à jamais. »

— J'ai donc aimé des fantômes ?

— N'est-ce pas ce que vous avez toujours fait ? Avant votre thérapie, vous considériez ce type d'hommes qui vous trahissaient comme des partenaires équilibrés ; maintenant, vous savez ce qu'il en est.

Les trois hommes écoutent les précisions du docteur avec curiosité. Ils hochent la tête à tour de rôle, se hasardant parfois à sourire en se reconnaissant dans la description. Corinne croit lire une certaine fierté dans leur expression. Elle jurerait qu'ils se prennent pour des héros.

Le thérapeute ajoute :

— Comme ils vous l'ont déclaré, ils souffrent parfois de leur comportement, mais ne sont pas près de changer. Ils savent qu'il y aura toujours des femmes jeunes et disponibles, même pour des vieux beaux. Et grâce à l'hypnose et au Viagra, ils n'ont pas à s'inquiéter pour leur machinerie.

Là, les pieds nickelés éclatent de rire. Corinne ne peut s'empêcher de rire aussi.

Comment une femme peut-elle être à ce point aveugle et confier sa vie à ce genre de pantins ? !

Elle pense tout à coup à l'apparition des Maldives, l'hermaphrodite.

— La créature des Maldives, était-elle réelle ?

Tous s'interrogent du regard.

— Les acteurs de votre thérapie ne sont pas tous présents physiquement dans cette pièce, intervient Rikson. La créature à laquelle vous faites *illusion* (il se reprend) – pardon, allusion – a bien une existence, puisque vous la mentionnez, mais pourquoi s'inquiéter de cela ? L'hypnose nous permet des rencontres toutes aussi réelles qu'imaginaires et tout aussi imaginaires qu'irréelles.

— Et mon appartement ? demande Corinne.

— Je vais passer la parole au notaire Van Acker ici présent. Guillaume est vraiment notaire et parfaitement intègre. Si je l'ai convié, c'est pour que tout soit net au point de vue comptable.

— Vous ne l'avez pas vendu ? insiste Corinne.

— Madame Bauwens, commence posément le notaire, votre appartement a bel et bien été vendu. Pour que vous puissiez payer votre thérapie. Toutes les interventions des différents thérapeutes, vos voyages, les hôtels, les prestations des policiers (des comédiens professionnels), leurs dépenses, tout ce que vous avez vécu a été payé par vos économies. Vous avez réglé tout cela grâce à la vente de votre penthouse. Sans oublier la petite fête d'aujourd'hui, champagne, jus de pomme et restaurant compris. Parce que vous nous invitez au restaurant.

Il consulte sa montre et secoue la tête.

— J'ai réservé pour 21 h 30. Il va falloir lever la séance, nous sommes en retard.

— Je ne gagne pas assez pour offrir le champagne et le restaurant à mes patients, intervient le docteur Rikson. Le notaire Van Acker a préparé la liste détaillée des prestations de chacun, les notes d'honoraires et de frais y sont jointes.

Il se saisit d'une chemise blanche sur son bureau et la donne à Corinne.

— Vous éplucherez cela à tête reposée. Maître Van Acker est un perfectionniste. Le moindre centime est consigné dans ce registre.

Corinne parcourt rapidement colonnes, noms, dates, chiffres... Autour d'elle, le silence est total. Chacun l'observe.

Elle feuillette le dossier et s'arrête avec consternation sur les chiffres au bas de la dernière page. Ce n'est pas possible !

Puis elle se met à rire. Les invités échangent des regards complices et s'esclaffent à leur tour. La plupart savent ce qu'il en est, ou s'en doutent.

Les policiers se tapent sur l'épaule, d'autres se prennent dans les bras. Seul le notaire reste pondéré, il hausse les épaules. Il ne peut pas comprendre les thérapies extravagantes et hors de prix de son ami Gérald. Il n'arrive pas à s'y faire, malgré le nombre de personnes qu'il a l'air d'avoir aidées. Aucune ne s'est plainte du prix exorbitant de cette médication. Et cette dame-ci a l'air heureuse d'avoir perdu son appartement !

— Mon Dieu ! souffle Corinne, c'est une thérapie pour gens fortunés. Ça m'a coûté un appartement.

— Pas tout à fait, corrige le notaire. Il vous reste environ trente pour cent de la vente de l'appartement. Vous me communiquerez un numéro de compte dans lequel transférer l'argent.

— Ce n'est pas très déontologique, tout cela, lâche Corinne en direction du docteur Rikson.

— C'est le manque de résultat qui n'est pas déontologique. Vous êtes en vie. C'est donc déontologique.

— Je le crois aussi, admet Corinne. Quelle aventure ! J'ai encore une question qui me tracasse : si je n'avais pas eu l'argent, vous m'auriez refusée comme patiente ?

— Là, c'est le clown qui vous répond : « Et comment ! ah ! ah ! Je refuse ceux qui n'ont pas l'intention de *cracher* pour s'en sortir. »

Corinne se lève. Elle ouvre la bouche et respire l'univers. Une énergie heureuse la porte. Le monde entier s'ouvre sous ses pas, elle pourrait voler.

Qui aurait pu imaginer un tel scénario ?

Sa thérapie est une œuvre d'art, et elle fait partie du tableau. Si elle ne se retenait pas, elle sauterait au cou du docteur et le couvrirait de baisers.

Julie se lève et imite sa mère en élevant les bras et en respirant profondément. Elle prend sa mère par la taille.

Corinne contemple les invités avec gratitude.

— Merci, dit-elle avec émotion. Je ne sais pas comment... vous dire ! Je rends grâce au ciel de vous avoir tous rencontrés. C'est grand... c'est beau ce que vous avez fait. Peut-être un jour pourrais-je moi aussi donner ce que j'ai reçu. Ne suis-je pas une « *ancienne* », maintenant ?

Son regard s'arrête sur chaque personne qui l'a soutenue et encouragée et elle les honore des yeux. Et chacune accepte en souriant ce don silencieux. Sa fille Julie a les yeux mouillés et s'essuie discrètement la joue avec un doigt. Les parents de Corinne se soutiennent en se tenant les mains, ils sont très émus. Ils ne pouvaient pas imaginer qu'autant d'amour puisse circuler en si peu de temps. Ils étaient invités pour fêter un anniversaire, et ils tombent dans une célébration, un baptême. Ils ignorent ce que Corinne a vraiment traversé, mais n'éprouvent pas le besoin d'en savoir plus, ils voient leur fille renaître enfin à la vie.

Corinne s'adresse à tous :

— Vous ne savez pas ce que vous avez fait, c'est au-delà de tout ce que vous pouvez imaginer. Il faut l'avoir vécu pour le comprendre. Je dois vous confier que même quand je doutais de votre intégrité, jamais je n'ai songé à reculer. Je sais quelle force me faisait avancer : c'était moi. Pour la première fois de ma vie, je m'écoutais. Quoi que vous eussiez fait pour m'égarer, je me répétais jour après jour : « Corinne, tu as arrêté de fumer, de boire, es en train de guérir d'un cancer ; et plus que tout cela, tu as découvert le bonheur de vivre. Qu'importent ces filous, qu'importe la perte de tes économies, de ton logement. Corinne, me disais-je, tu es en vie, et tu prends du plaisir à l'existence et aussi à ton corps qui revit, cela n'a pas de prix. »

Mon intuition me soufflait que le docteur Rikson faisait tout cela pour mon bien, et quelle importance s'il se sucrait au passage ? Ne lui avais-je pas donné tous les pouvoirs par écrit ? Malgré tout, je ne pouvais croire qu'il me trompait, pas plus que mon amie Geneviève (elle la regarde). Tu t'es donné beaucoup de mal pour m'égarer, mais je n'ai jamais perdu confiance en toi. Le jeu que tu jouais ne m'a pas vraiment convaincue, juste un peu déstabilisée par moments. Je ne comprenais pas ce que tu fricotais avec ton psy, ce n'était pas ton genre, enfin, je veux dire, ce n'était pas toi. Je crois que nous aurons largement le temps de parler de tout cela plus tard. As-tu entendu ? J'ai dit « plus tard », parce que, Geneviève, mon amie, tu m'as offert un avenir.

Geneviève, bouleversée, ne peut contenir son émotion. Elle se jette dans les bras de son amie, dans une longue étreinte mêlée de sanglots. Julie se joint à elles et les enveloppe de ses bras.

Les invités se rapprochent et les encerclent. Un groupe compact se constitue, un groupe dont les membres se tiennent par la taille. Instinctivement, comme pour garder cette intimité, tous ferment les yeux.

Rikson et sa femme, à deux mètres du groupe, échangent un regard de tendresse.

De longues minutes s'écoulent ainsi.

C'est le notaire qui les rappelle à la réalité : on les attend au restaurant.

XXVIII

Cher Docteur Rikson,

C'est mon anniversaire. Voici un an déjà que ma thérapie s'est achevée. Souvent je repense à cette incroyable soirée où j'étais fermement décidée à vous coller en taule, vous et vos travestis.

Je vous écris cette lettre pour vous donner des nouvelles de mes premiers pas dans ma nouvelle vie.

Tout va bien. Vraiment bien.

Je vis avec ma fille Julie et ma mère dans une nouvelle maison, achetée grâce à la vente de la propriété de Binche. Mais je vais vous expliquer tout cela dans quelques instants.

D'abord quelques mots sur ma vie affective, mouvementée. J'ai pas mal d'amants. Eh oui ! J'ai appris le plaisir et je ne m'en prive pas. Je ne tombe pas amoureuse d'eux ; les hommes le sentent et ils n'en sont que plus épris.

« Tu me fuis, je te suis ; je te fuis, tu me suis. »

C'est la règle par excellence, toutes les femmes dépendantes en amour devraient l'expérimenter, leur vie se transformerait, mais je ne leur lance pas la pierre, il faut un long cheminement pour saisir cette vérité.

Depuis que je mets une distance « calculée » entre mes amants et moi, vous ne pouvez imaginer à quel point les hommes sont charmants et attentifs à mes moindres désirs. Ils veulent partager toute ma vie, disent-ils, vieillir à mes côtés. Autrefois, ces mots m'auraient tourné la tête. Aujourd'hui, je me laisse bercer par leurs paroles, mais je sais que ce ne sont que des mots. Pour me séduire, ils utilisent les stratagèmes bien connus de la séduction : weekends de charme dans des auberges romantiques, invitations à des cocktails fréquentés par des célébrités, présentation à leur famille, projets d'avenir directs ou indirects ; leurs propos sont tantôt tendres, tantôt fermes, tantôt autoritaires.

Le fait que j'ai de gros seins les rend dingues. La chirurgie esthétique m'a rendu un fier service. Quand je pense que pour séduire les femmes s'achètent des colliers et des diamants et s'aspergent de parfums hors de prix ! Une paire de gros lolos donne de meilleurs résultats, croyez-moi. Tous – je dis bien tous – les regards masculins louchent vers ma poitrine. Et ceux des femmes aussi, d'ailleurs, pleins d'envie. C'est le plus beau bijou que je me sois offert.

Je m'habille sexy, cela ajoute à ma séduction. Je suis allée d'abord consulter une « relookeuse ».

Vous savez, c'est un métier à la mode. Elle m'a donné quelques bons conseils, mais cela ne m'a pas satisfaite. Vous savez ce que j'ai fait ? Vous n'allez pas le croire, je ne me reconnais plus : je suis allée consulter une prostituée.

C'est elle qui m'a suggéré l'opération des seins et la façon de m'habiller ou plutôt de me... déshabiller. Les femmes doivent me prendre pour une pute. Je m'en moque éperdument.

Je porte des talons hauts, et mes dessous sont affriolants. Tous ces artifices existent, je les emploie autant que je le peux.

Je me trouve une très belle femme, Docteur Rikson. Moi-même, devant ma glace, je suis séduite.

Du coup, je suis harcelée comme une star. Si je donnais suite à toutes les propositions, je n'aurais plus aucune soirée à moi. Heureusement, j'ai un répondeur téléphonique qui filtre les appels.

Je vis à cent à l'heure !

Vous voyez, j'ai fini par intégrer les règles du jeu de l'amour.

Sur le plan de la sexualité, là aussi, tout baigne, c'est le paradis. Mon corps palpite, il me parle, il me comble. Vous êtes un homme, je ne sais donc pas si vous pouvez saisir ce que je vous dis en déclarant : « Mes orgasmes sont fantastiques ! »

Je prends tout le plaisir que je peux. Mon volcan est entré en éruption. C'est bon de faire l'amour, et je ne m'en prive pas.

Mon fermier-sexologue avait raison. Depuis que je jouis, mes amants perdent la tête. Ils imaginent que je dois mon plaisir à leur habileté sexuelle ou à leur puissance virile. Ils sont naïfs comme des enfants. Je me garde bien de les détromper. Je les encourage dans leurs croyances, c'est tout bénéfice pour l'acte amoureux qui n'en devient que plus piquant.

Depuis que j'ai goûté au plaisir, je ne peux plus m'en passer. Même seule, en voyage ou le soir à la maison sans amant, j'utilise ma trousse de secours : un ravissant vibromasseur à piles – petit mais performant – avec lequel je partage une relation érotique privilégiée.

Docteur Rikson, l'orgasme est thérapeutique. Je me demande même s'il n'est pas responsable de la guérison de mon cancer. Le corps secoué dans toutes ses cellules par le spasme charnel se gorgerait d'oxygène et reprendrait vie. Comme un cœur déficient stimulé par un défibrillateur. C'est hasardeux comme hypothèse, j'en conviens. Mais n'est-ce pas à vérifier ?

Docteur Rikson, j'ai trouvé ma raison de vivre. Il était temps. Votre thérapie de choc m'a donné une idée. Je vous explique : j'ai appris comment se règlent les échanges amoureux, les lois de la relation amoureuse. Je me suis dit : Corinne, ce que tu as acquis, tu dois le partager.

À l'école, on nous apprend le calcul, la géographie, l'histoire, la chimie, la morale ou la religion. Mais pas la vie ni l'art des relations humaines.

Les hommes consacrent leur vie à bâtir des entreprises, les femmes à ranger leur maison, nettoyer, astiquer et préparer des victuailles pour leur tribu.

Nous passons des journées entières à poursuivre Dieu sait quoi. Des accessoires de la vie, mais pas la vie.

Qui passe ne serait-ce que quelques heures à réfléchir sur la relation ? Personne.

Communication, famille, couple, amour, on vient au monde comme si tout cela allait de soi ou s'apprenait tout seul.

Mais cela ne vient pas tout seul.

Si l'on veut construire la plus noble entreprise qui soit – le couple – ne faudrait-il pas lui consacrer la même énergie qu'à la décoration et l'entretien de sa maison et de son jardin, ou à la gestion de sa société ?

Nous faisons comme si cela n'avait pas d'importance, alors que des gens meurent par ignorance des règles relationnelles. Pour ma part, j'ai failli en crever.

Revenons à mon idée, au sens de ma vie, à ma mission.

Votre technique thérapeutique m'a mise sur une piste. J'ai imaginé un séminaire d'amour. Pour les gens seuls ou en couple. Et qui sont prêts à consacrer quelques jours aux arcanes de la relation amoureuse.

Comment j'ai fait ?

J'ai repris contact avec mes maîtres : Patricia, la déesse de la Perdition, Delcourt, le fermier-sexologue, Nadine, professeure de biodanza, à Madame Claude, la relookeuse, et aussi avec Xavier, un photographe de mode talentueux. Je ne vous ai pas parlé de celui-là. C'est un de mes amants. Il m'a appris à m'exposer comme un mannequin, le corps en offrande, tel un gâteau au chocolat dans la vitrine d'un pâtissier. Il me dit, mon ami photographe, que lorsqu'il est en séance de photo, il sait à l'avance si l'image sera bonne, il juge cela au travers du viseur. S'il a envie de baiser le modèle, la prise sera bonne.

Avec tous ces professionnels, nous avons pensé et mis au point le séminaire « Amour et séduction ».

Pendant deux jours, des hommes et des femmes apprennent comment créer des relations saines qui puissent déboucher sur un couple. Des jeux et des schémas amoureux sont mis en place de façon à ce que chaque participant puisse faire face à ses comportements, et comprenne son fonctionnement amoureux. À partir de là, il a la possibilité d'abandonner les structures négatives et de les remplacer par un nouveau savoir-faire porteur de plaisir.

L'idée étant au point et le contenu en place, il me restait à trouver la salle.

Eh bien, c'est précisément à ce moment que ma mère a vendu sa maison et en a acheté une autre dans le centre de Bruxelles.

Au rez-de-chaussée, elle a aménagé une salle de séminaire. Pour moi.

Cadeau.

Les étages sont privatifs. Trois chambres, trois salles de bains indépendantes. Pour elle, pour Julie et pour moi.

Là encore, cadeau.

C'est là que nous vivons toutes les trois.

Je suis heureuse de donner à ma mère une nouvelle vie entourée de sa famille. J'ai eu du mal à la convaincre de vivre avec nous. Elle ne voulait pas nous gêner !

Docteur Rikson, avez-vous lu ? Elle a peur de gêner. La femme qui m'a donné la vie. Mon Dieu ! Je veux qu'elle vieillisse et meure dans mes bras, chez nous.

Mes frères et mes sœurs se sont ligués contre nous, ils ont essayé de saboter l'entreprise, mais j'ai tenu bon. Ils ne savent pas à qui ils ont affaire aujourd'hui.

Nous avons eu droit aux avocats. Ils ont peur que je leur vole l'héritage.

Mais nous avons tenu bon et sommes venues à bout de tout, de l'achat de la maison, des transformations et des avocats.

Ensuite, il a fallu penser à la promotion de mon séminaire. Qui seraient nos futurs participants ? Quelle communication mettre en place ? Comment avertir les clients potentiels ?

J'ai placé des annonces dans les magazines spécialisés en développement personnel, et j'ai attendu.

J'ai reçu quelques appels, sans plus.

J'ai remanié mon texte publicitaire sans douter un instant de la réussite de mon projet. Ce séminaire devrait aider les gens, comme votre thérapie m'a aidée.

J'ai reçu encore quelques appels téléphoniques de curieux, mais pas de candidat sérieux.

J'ai tenu bon trois mois. Pendant ce temps, mes économies – le reste de mon appartement – fondaient à vue d'œil.

Ma mère m'a soutenue. À aucun moment elle n'a baissé les bras. Elle m'a même proposé de devenir ma secrétaire pour décrocher le téléphone et donner les renseignements sur les séminaires.

Et puis, miracle ! Les gens qui avaient demandé des renseignements dès les premiers mois ont fini par se décider. Ils ont fait le pas, ils se sont inscrits.

À mon premier séminaire, ils étaient douze. Six femmes et six hommes.

Deux jours de danse, de jeux, de rires, d'échanges et de liens amoureux.

Entre parenthèses, le premier week-end a généré trois couples. Pas mal sur douze participants. Une réussite.

Les séminaires suivants se sont remplis grâce au bouche à oreille. Mes séminaires remportent maintenant un franc succès. On me demande d'en animer partout en Europe et aussi au Canada. Ma vie danse ! Je rends grâce au ciel d'exercer une activité passionnante : aider les gens à s'aimer.

Cher Docteur Rikson, mon existence, grâce à vous, s'est transformée en œuvre d'art. J'ai tout ce qu'un être humain peut désirer : la santé et le plaisir de vivre.

Bien sûr, je rêve encore de l'amour romantique, il n'est pas facile de se débarrasser de ce schéma de conte de fées.

Mais je ne me rends pas malade, et même si je devais vieillir sans avoir rencontré le prince charmant de mes légendes, je remercierais encore l'univers pour ce qu'il m'aura offert : la vie.

Docteur, ceci est ma dernière lettre. Je ne vous écrirai plus. Il est temps de couper le cordon, vous ne croyez pas ?

Je penserai à vous, jusqu'à mon dernier souffle de vie.

Je vous imaginerai – vous l'avez cherché – avec un nez rouge au milieu du visage.

Cher clown, je vous aime.

Que votre vie soit belle.

Corinne Bauwens.

XXIX

— Je ne sais plus quoi faire. Il y a des jours où je me lève et me dis que c'est fini, que je me suis détachée de lui, libérée, et la vie me paraît soudain merveilleuse... Et puis... Quelques heures après, en faisant du shopping, ou au travail... ou tout simplement dans le métro, je régresse au point zéro, je deviens folle. Folle ! Cet homme me manque. Rien que d'imaginer que je ne le verrai plus... C'est comme une drogue, je suppose.

La femme remue la cuiller dans sa tasse de thé. Elle a une trentaine d'années. Elle pourrait être belle si elle n'était pas minée par des soucis qui la vieillissent et la rendent anonyme. C'est un être humain que la joie de vivre a déserté.

En face d'elle, une autre femme, très séduisante, sûre d'elle-même, l'écoute sans l'interrompre.

— J'ai lu pas mal de livres sur la séduction amou-reuse, continue la femme. Je sais intellectuellement ce qui ne va pas, mais rien n'y fait, je patauge dans la mé-lasse. Ton séminaire *Amour et séduction* m'a beaucoup aidée, Corinne, j'y ai rencontré des hommes char-mants, prêts à s'investir dans une relation, mais ils ne m'intéressent pas. C'est trop tard, je n'y crois plus. Je me sens au bout du rouleau.

Le garçon s'approche de la table. Il vient renouveler la commande. Cela fait deux heures qu'elles sont atta-blées près de la fenêtre, devant leur tasse de thé.

— Vous désirez autre chose ?

Il s'adresse instinctivement à la plus séduisante des deux femmes. Longue chevelure blonde flottant sur les épaules. Un visage mince, un fascinant regard bleu.

Un chemisier en soie beige laissé délibérément un peut trop ouvert. Mon Dieu, quelle paire de seins ! Sans oublier les jambes, habillées de bas résille blancs. Et, raffinement absolu, des bottillons à talons ai-guilles. C'est le genre de nana à porter jarretières et string en dentelle.

Elle fréquente régulièrement l'établissement, mais semble inabordable. Pourtant, elle en reçoit du monde ! Le Roy d'Espagne c'est pour ainsi dire son boudoir par-ticulier. Elle fréquente autant d'hommes que de femmes. Elle vient assez tôt le matin, dès l'ouverture. Parfois, on ne la voit plus pendant des semaines.

— Un jus d'orange, répond la femme séduisante, en rejetant ses cheveux en arrière.

Elle interroge sa voisine, tellement absorbée par son discours qu'elle n'a ni vu ni entendu le garçon.

— Oui, la même chose, bredouille-t-elle entre les dents, sans jeter un regard au serveur, reprenant aus-sitôt son monologue sur le même ton.

Il y a du monde dans l'établissement. Des touristes, surtout. Le mois de mai ouvre la saison des étrangers. La Grand-Place attire les visiteurs par milliers.

La femme parle, parle. Le jus d'orange est servi, mais elle ne le remarque pas.

— Philippe me trompe. Je l'accepte, parce que je l'aime. Je ferais n'importe quoi pour qu'il m'aime. Oh ! il m'aime à sa manière. Il me l'a juré. Mais il ne peut pas s'empêcher. C'est plus fort que lui. Il a besoin de liberté. Je le comprends, le couple, c'est quand même dépassé. Mais je n'arrive pas à m'y faire. Quand il passe la nuit avec une autre, je l'imagine dans ses bras... c'est horrible. Tous les hommes que j'ai aimés m'ont trompée. J'ai toujours tout accepté, pour ne pas les perdre. Mais ils m'ont quittée quand même, va comprendre... J'ai fait des thérapies, j'ai dépensé des fortunes en thérapies...

La belle femme se lève.

— Je trouve que tu dois continuer avec lui, Olivia. Il t'aime, c'est évident. Tu es trop égoïste, tu ne penses qu'à ton bonheur. Si tu ne peux pas le quitter, c'est parce que ton histoire avec lui n'est pas achevée.

Elle fouille dans son sac, en tire une carte de visite et la tend à son amie.

— Tiens, voici l'adresse d'un psychiatre. Il est dangereux pour les femmes dépendantes. Je te préviens, il en a aidé pas mal à s'en sortir. Pour l'instant, je ne pense pas que tu veuilles t'en sortir. C'est trop tôt. Souffre encore un peu. Alors, un bon conseil : « Surtout, n'y va pas. »

Corinne tourne les talons et quitte l'établissement, sous le regard médusé de son interlocutrice.

Il lui faut un long moment pour déchiffrer la carte de visite :

Gérald Rikson
Psychiatre
Sur rendez-vous
49b, Rue de l'Été
1050 Bruxelles
Tél. : 0264298764

Une singulière grimace se dessine sur son visage quand, au dos de la carte, elle découvre, griffonné à la main :

Surtout n'y va pas.

Le printemps répand ses rayons chauds et dorés sur la Grand-Place. Corinne se fond dans la foule anonyme. Avant d'être hors de vue du Roy d'Espagne, elle jette un dernier regard vers l'établissement. Elle sait qu'elle n'y retournera plus. L'histoire est achevée.

Elle compose un numéro sur son téléphone portable, avec un sourire malicieux.

—Docteur Rikson ? C'est Corinne Bauwens... Je vais bien merci. Vous allez recevoir un appel d'une amie... Oui, encore une : Olivia Rodriguez. Une participante de mon dernier séminaire. Oui, le même problème, une femme qui aime trop. Elle est prête... Oui, oui... Je ferai exactement ce que vous me direz de faire... Je vous le promets... Vous pouvez y aller, mettez-y toute la gomme... D'accord, je n'aurai plus aucun contact avec elle...

XXX

— Docteur Rikson, à l'aide !

Corinne Bauwens appuie nerveusement le combiné du téléphone contre son oreille. Le docteur Rikson tente de la calmer depuis un quart d'heure, mais elle n'entend pas.

Corinne lui a annoncé qu'elle est tombée éperdument amoureuse de Jean-Paul, un participant à l'un de ses séminaires. Il est plein de charme, célibataire et il veut vivre avec elle. Elle a mis en place son système de séduction, mais cette fois, ça ne marche pas.

— Je suis comme avant, docteur, j'attends qu'il m'appelle. Et pire que tout, je réponds à la première sonnerie. Tout ce que j'ai appris sur les jeux amoureux ne fonctionne plus. Je perds le contrôle. Il me siffle, et je cours. Je suis sa chose. J'oublie de lui dire que je suis prise ou en voyage, ou que j'ai un autre ami. Je suis là, disponible. C'est affreux.

— Attendez, Madame Bauwens. Est-ce qu'il vous aime ?

— Oui, j'en suis sûre.

— Avez-vous vérifié son emploi du temps ? Est-il vraiment célibataire ?

— Il l'est. Et jusqu'à présent, tout ce qu'il me dit se confirme. Il est honnête.

— Alors, où est le problème ?

— C'est que je suis dépendante, docteur, totalement dépendante. Je pense à lui, à toute heure du jour et de la nuit. Je lui appartiens corps et âme.

— Vous êtes amoureuse.

— Mais je me trouve dans la même tourmente qu'autrefois…

— Je pense que le moment est venu pour vous d'apprendre la dernière règle de l'amour.

— Oui, docteur, j'écoute.

— Il n'y a aucune thérapeutique contre l'amour.

— Pardon ?

— …

— Vous voulez dire que…

— Il n'y a pas d'amour sans dépendance.

— Mais alors, tout ce que j'ai fait ? Cela m'aura servi à quoi ?

— À rien.

Bibliographie

CARTER, Steven et Julia SOKOL, *Ces hommes qui ont peur d'aimer*, Les Éditions de l'Homme, 1990.

HALEY, Jay, *Un thérapeute hors du commun : Milton H. Erickson*, Hommes et Groupes éditeurs, 1984.

HERTOGUE, Thierry et Jules-Jacques NABET (docteurs), *Comment rester jeune plus longtemps*, Éditions Albin Michel, 2000.

NORWOOD, Robin, *Ces femmes qui aiment trop*, Les Éditions de l'Homme, 1987.

NORWOOD, Robin, *Ces hommes et ces femmes qui aiment trop*, Les Éditions de l'Homme, 1988.

ROSEN, Sydney, *Ma voix t'accompagnera ; Milton H. Erikson raconte*, Hommes et Groupes éditeurs, 1986.

SEIGNALET, Jean (docteur), *L'Alimentation ou la Troisième Médecine*, Éditions François-Xavier de Guibert, 1998.

TRACHTENBERG, Peter, *Le Complexe de Casanova*, Les Éditions de l'Homme, 1990.

WRIGHT, Robert, *L'Animal moral*, Éditions Michalon, 1995.

Cet ouvrage a été composé en Dolly 9,5/12 et achevé d'imprimer en
janvier 2008 sur les presses de Quebecor World Saint-Romuald, Canada.

Imprimé sur du papier Quebecor Enviro 100 % postconsommation, traité
sans chlore, accrédité Éco-Logo et fait à partir de biogaz.

certifié   procédé   100 % post-   archives   énergie
            sans   consommation   permanentes   biogaz
            chlore